· 国家社会科学基金“十三五规划”2018 年度教育学一般课题

中国基础教育质量评估监测工具标准规范研究与实践

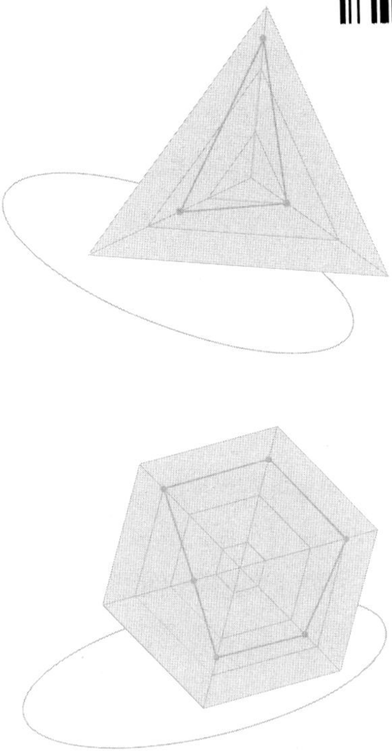

ZHONGGUO JICHU JIAOYU ZHILIANG PINGGU JIANCE GONGJU BIAOZHUN GUIFAN YANJIU YU SHIJIAN

游森　秦建平　张敏强　等
著

广西教育出版社 · 南宁 ·

图书在版编目（C I P）数据

中国基础教育质量评估监测工具标准规范研究与实践 / 游森等著 . -- 南宁：广西教育出版社，2023.10
ISBN 978-7-5435-9281-0

Ⅰ . ①中… Ⅱ . ①游… Ⅲ . ①基础教育－教育质量－监测－标准－中国 Ⅳ . ① G632.0-65

中国国家版本馆 CIP 数据核字 (2023) 第 050492 号

策划编辑：黄立明　　责任编辑：孙华明　　责任校对：陆婬澄
装帧设计：李浩丽　　责任技编：蒋　媛

出 版 人：石立民
出版发行：广西教育出版社
地　　址：广西南宁市鲤湾路 8 号　邮政编码：530022
电　　话：0771-5865797
本社网址：http://www.gxeph.com
电子信箱：gxeph@vip.163.com
印　　刷：天津奥丰特印刷有限公司
开　　本：787mm × 1092mm　1/16
印　　张：17
字　　数：260 千字
版　　次：2023 年 10 月第 1 版
印　　次：2023 年 10 月第 1 次印刷
书　　号：ISBN 978-7-5435- 9281-0
定　　价：128.00 元

前　言

中共中央、国务院印发的《深化新时代教育评价改革总体方案》提出，到2035年，基本形成富有时代特征、彰显中国特色、体现世界水平的教育评价体系。“总体方案”在改革学生评价，促进德智体美劳全面发展方面提出了：树立科学成才观念，完善德育评价，强化体育评价，改进美育评价，加强劳动教育评价，严格学业标准，深化考试招生制度改革。完善各级各类学校学生学业要求，严把出口关，完善过程性考核与结果性考核有机结合的学业考评制度。贯彻落实“总体方案”，要求我们以教育教学评价改革为牵引，推进高质量教育体系建设。

纵观世界，教育领先的国家一般都制定了学习标准及与之相关的问责制与评价机制，用于监测教育成就。问责制评价旨在确保学生达到最低学习标准，确保教育公平。进入新时代，我国对建立教育质量保障体系，加强教育质量监测评价愈加重视，《中国教育现代化2035》提出了“构建教育质量评估监测机制”，教育部等六部门印发了《义务教育质量评价指南》，教育部印发了《普通高中学校办学质量评价指南》。中国教育学会开展了国家社会科学基金“十三五”规划2018年度教育学一般课题“中国基础教育质量评估监测工具标准规范研究”（课题批准号：BHA180141），希望通过本课题研究探索建立一套评价我国基础教育的准则。该研究主要针对各级各类学生考试、监测和教育质量综合评价所使用的测验（即工具，包括测试学生学业水平的试题试卷，测试学生品德发展水平、身心发展水平等非学业水平的量表，调查学生课业负担的问卷，调查学生学习背景的问卷等），测验过程中的实际操作及使用测验的效果，以期提高所定义范围内的测验（即工具）的质量水平，而非研究开发某个具体的测验，可以为开发具体测验的专业人员提供一套提高测验编制质量的指南。指南的内容包括：学业水平测验工具的研制流程规范、教育质量监测问卷工具的研制流程规范、命题人员选择与构成规范、施测过程规范；学业水平测评试卷质量标准，品德发展、身心发展等综合指标测评量表，问卷质量标准；结果报告与解释，监测评价结果运用。参加课题研究或撰写的同志有：游森（本课题负责人，中国教育学会原副秘书长，现教育部基础教育司副司长），秦建平（中国教育学会中小学教育质量综合评价改革实验区原办公室主任，现中国教育学会评价部研究员，北京师范大学系统科学学院教育规划与教育治理研究中心执行主任、特聘研究员、兼职教授，教育部国家教育现代化指标专家组成员，中国联合国教科文组织全国委员会“五省一市全民教育监测”专家组成员，教育部发展规划司“教育现代化进程中的城乡教育一体化评价标准”研究牵头人，教育部课程教材发展中心中小学教育质量综合评价改革国家级实验区指导专家），张敏强（华南师范大学心理学院二级教授、应用心理学/计量心理学专业博士生导师、博士后导师，国务院政府特殊津贴专家，中国教育学会教育统计与测量分会理事长，教育部综合评价专家组专家，教育部考试中心高考改革课题组专家，教育部基础教育司中考改革专家组专家），张惠（中国教育学会中小学教育质量综合评价改革实验区办公室副主任），张志杰（西南民族大学副教授），龙兴议（成都市龙泉驿区教科院教育质量监测评价部部长），梁正妍（华南师范大学心理学院博士研究生），彭颖（华南师范大学心理学院硕士研究生），陈飞鹏（中国教育学会中小学教育质量综合评价改革实验区办公室科研助理），姜兴林（中国教育学会中小学教育质量综合评价改革实验区办公室科研助理），刘贞贞（西南大学教师教育学院博士研究生）。在撰写过程中，课题组参考了许多同行专家学者的研究成果，在此深表感谢！由于我们水平有限，书中错漏在所难免，敬请同行专家、读者批评指正。

中国教育学会课题组

2022 年 11 月

目录

上编

教育质量评估监测工具标准规范研究

《义务教育质量评价指南》和《普通高中学校办学质量评价指南》两个质量评价指南，在评价学生发展质量上采取了基本相同的评价内容或关键指标：品德发展、学业发展、身心发展（普通高中为“身心健康”）、审美素养（普通高中为“艺术素养”）、劳动与社会实践（普通高中为“劳动实践”）。开发能够有效监测评价学生品德、学业、身心、审美、劳动与社会实践的测评工具，成为贯彻落实《义务教育质量评价指南》和《普通高中学校办学质量评价指南》的关键所在。这就需要有指导教育质量测评工具开发、检验教育质量测评工具质量的标准规范。因此，研究制定中国基础教育质量评估监测工具标准规范十分必要。

第一章

研究背景和价值

1.1 国家教育质量监测评价政策进展和本课题的研究宗旨

长期以来，传统的基础教育质量评价体系存在唯分数论的倾向，通常采用的考试与测量评估工具，其各级评价指标也更多围绕学生的学科知识学习情况，不能全面反映基础教育质量现状，没有实现通过评价促进学生全面发展的目的。习近平总书记在全国教育大会上强调，“扭转不科学的教育评价导向，坚决克服唯分数、唯升学、唯文凭、唯论文、唯帽子的顽瘴痼疾，从根本上解决教育评价指挥棒问题”。2013 年 6 月，教育部印发《关于推进中小学教育质量综合评价改革的意见》，指出教育质量评价具有重要的导向作用，是教育综合改革的关键环节。要把学生的品德发展水平、学业发展水平、身心发展水平、兴趣特长养成、学业负担状况等方面作为评价学校教育质量的主要内容，着力构建中小学教育质量综合评价指标体系。2013 年，《中共中央关于全面深化改革若干重大问题的决定》明确提出“逐步推行普通高校基于统一高考和高中学业水平考试成绩的综合评价多元录取机制”。2014 年，国务院印发《关于深化考试招生制度改革的实施意见》，指出要规范高中学生综合素质评价，并在改革招生录取机制方面探索多元录取机制。同年，教育部印发《关于加强和改进普通高中学生综合素质评价的意见》，对加强和改进综合素质评价的重要意义、基本原则、评价内容、评价程序和组织管理进行了明确。2016 年 9 月，教育部印发《关于进一步推进高中阶段学校考试招生制度改革的指导意见》，要求形成基于初中学业水平考试成绩、结合综合素质评价的高中阶段学校考试招生录取模式。2020 年，中共中央、国务院印发《深化新时代教育评价改革总体方案》，在改革学校评价方面，针对重智育轻德育、重分数轻素质等片面办学行为，提出推进落实立德树人根本任务。要求改革学生评价，促进德智体美劳全面发展。树立科学成才观念，完善德育评价，强化体育评价，改进美育评价，加强劳动教育评价，严格学业标准，深化考试招生制度改革。

为贯彻落实中共中央、国务院《关于深化教育教学改革全面提高义务教育质量的意见》，国务院办公厅《关于新时代推进普通高中育人方式改革的指导意见》，中共中央、国务院《深化新时代教育评价改革总体方案》和全国教育大会精神，教育部等六部门印发了《义务教育质量评价指南》，教育部印发了《普通高中学校办学质量评价指南》。这两个质量评价指南对学生发展评价提出了高度一致的指标：品德发展、学业发展、身心发展（身心健康）、审美素养（艺术素养）、劳动与社会实践（劳动实践），主要评价学生德智体美劳全面发展的培养情况。开发能够有效监测评价学生品德、学业、身心、审美、劳动与社会实践情况的测评工具，成为贯彻落实《义务教育质量评价指南》和《普通高中学校办学质量评价指南》的关键所在。这就需要有指导教育质量测评工具开发、检验教育质量测评工具质量的标准规范，这是本课题的研究宗旨和价值所在。由此，方能使得全国各级、各地的基础教育质量监测评价，不仅关注学生的学业水平测试，也能够实现对学生的品德、身心、审美、劳动与社会实践等多方面发展水平的有效测试，才能更好地助力各地区推进教育评价改革，发挥评价的改进和激励功能，以科学评价为牵引，全面提升教育质量，落实立德树人根本任务。基础教育质量评估监测工具标准规范的研制，是教育质量保障领域的一项基础性、全局性的重要工作，也是教育质量监测工作者的重要使命。

1.2 国内外相关研究的学术史梳理及研究动态

1.2.1 国内关于教育指标和教育质量指标构建的相关研究

刘建银从为什么要利用教育指标监测基础教育发展和如何建构基础教育监测指标体系框架两个方面来探讨，指出目前我国教育指标理论研究整体上仍处于起步阶段。① 要提高我国教育指标研究水平，应确立教育指标在教育理论与教育实践中的地位、集中研究教育指标的基本理论问题、建立大型教育监测系统以及增强教育研究中使用指标的自觉性等。褚宏启和高莉提出了义务教育均衡发展评估指标与标准的设计思路，在设计义务教育均衡发展评估指标与标准过程中，要充分吸收与借鉴教育评估的最新理论、技术与方法，改变目前教育均衡发展指标研究总体水平偏低的局面，以科学的研究指导义务教育均衡发展。② 秦玉友则侧重于教育指标领域的研究方法论、确立原则和具体教育指标领域研究，从这三大块研究教育指标领域的基本问题入手。③ 教育指标研制背后的理论支撑对深入理解和运用教育指标有重大意义。谈松华和袁本涛则提出了一项包括定性和定量两个部分的教育现代化实现程度评价指标体系。其中定性指标主要有教育制度、教育思想、教育内容、教育管理、师资队伍等几个方面，定量指标包括识字率、平均教育年限等。④

根据我国的国情，教育质量监测评价指标的构建，主要围绕以下几点进行。

①县域义务教育质量评价。主要包括价值导向、组织领导、教学条件、教师队伍、均衡发展等五个方面重点内容，旨在促进地方党委、政府坚持社会主义办学方向，加强对义务教育工作的领导，履行举办义务教育职责，促进县域义务教育优质均衡发展。

②学校办学质量评价。主要包括办学方向、课程教学、教师发展、学

① 刘建银．关于基础教育监测中教育指标问题的理论探讨［J］．中小学管理，2008（8）：35–37.

② 褚宏启，高莉．义务教育均衡发展评估指标与标准的制订［J］．教育发展研究，2010（6）：25–29.

③ 秦玉友．教育指标领域基本问题反思与探究［J］．当代教育科学，2005（8）：13–16.

④ 谈松华，袁本涛．教育现代化衡量指标问题的探讨［J］．清华大学教育研究，2001（1）：14–21.

校管理、学生发展等五个方面重点内容，旨在促进学校落实德智体美劳全面培养要求，深入实施素质教育，充分激发办学活力，不断提高办学水平和育人质量。

③学生发展质量评价。主要包括学生品德发展、学业发展、身心发展、审美素养、劳动与社会实践等五个方面重点内容，旨在促进学生德智体美劳全面发展，培养适应终身发展和社会发展需要的正确价值观、必备品格和关键能力。

1.2.2 国内关于教育质量监测评价指标构建的相关研究

建立健全基础教育质量监测与评价体系是新时代背景下完善与创新教育制度、深化教育评价改革的重要内容。改革开放以来，我国基础教育质量监测与评价体系经历了以督导评估为依托的萌芽期（1978—2001）、开展教育质量监测的探索和试点期（2002—2014）、监测与评价体系的建设和完善期（2015 至今）三个阶段。①

2015 年，国务院教育督导委员会办公室印发《国家义务教育质量监测方案》，决定从 2015 年起在全国开展义务教育质量监测工作。2021 年，教育部印发《国家义务教育质量监测方案（2021 年修订版）》。与 2015 年版监测方案的内容及架构相比，2021 年修订的方案总体沿用 2015 年版，主要有四个方面的突破。一是拓展学科领域。为落实中共中央、国务院《关于全面加强新时代大中小学劳动教育的意见》等要求，增加劳动教育领域；为落实《中小学心理健康教育指导纲要》，促进学生心理健康发展，增加心理健康领域；为监测义务教育英语学科学习质量，推动英语教学改革、提高英语学习效率，依据《义务教育英语课程标准》，增加英语学科，实现了“五育并举”全覆盖。二是提升服务质量。对标《义务教育质量评价指南》设计指标，紧扣课程标准（或指导纲要）开发工具，突出能力素养导向，新增区县教育管理者问卷，系统挖掘影响因素。三是创新方式方法。充分运用人工智能与大数据、脑科学等领域前沿技术方法，试点开展人机

① 陈慧娟，辛涛．我国基础教育质量监测与评价体系的演进与未来走向［J］．华东师范大学学报（教育科学版），2021（4）：42-52.

交互测试，探索多领域综合评价和跨年度增值评价。四是强化结果运用。增加区县监测诊断报告和政策咨询报告，建立监测问题反馈和预警机制，将监测结果与优质均衡督导评估等挂钩，推广典型地区经验案例，推动各地建立监测结果运用机制，加强地方监测机构建设。

根据《国家义务教育质量监测方案（2021 年修订版）》，监测内容主要包括两个方面：一是学生发展质量监测，重点监测学生德智体美劳教育质量状况，主要包括德育、语文、数学、英语、科学、体育与健康、艺术、劳动、心理健康；二是相关影响因素监测，如各学科领域的课程或教育活动开设、学生学业负担、教学条件保障、教师配备、教育教学、学校管理以及区域教育管理情况等。方案并没有给出一个明确的教育质量监测评价指标，仅指定了两方面的监测内容，最终的评价指标和监测工具都需要各地结合自身的特点进一步明确。

基于对欧盟各国教育监测体系的研究，有学者指出教育监测体系可分为三个层面：学校外部评估、学校内部评估和学生学业成就评估。① 教育监测与评价或由各国政府建立，有国家强制力和相应的政策法规做保障，或由著名国际组织倡议组织，具有较强的专业实力和国际影响，其实施主体多为政府或其他评估机构，其目的是推动教育质量的提升而非学生个体的学习改进或升学。② 因而，教育质量监测与评价具有较强的行政管理导向，在我国教育管理体制下往往更能够发挥制度优势，以促进基础教育质量的整体提升。

国内关于教育质量监测评价指标构建的相关研究有限，截至 2022 年，以“教育质量监测评价指标”为关键词在知网上检索，相关文献仅有 13 篇。陈慧娟和辛涛等人的研究总结了我国基础教育质量监测与评价体系建设的基本经验：在价值定位上，为国家战略和教育发展服务，引领正确教育价

① 俞可，陈丹，赵帅. 循证：欧盟教育实证研究新趋向［J］. 华东师范大学学报（教育科学版），2017（3）：142-149，173-174.

② 杨涛，李曙光，姜宇. 国际基础教育质量监测实践与经验［M］. 北京：北京师范大学出版社，2015.

值观；在监测内容上，基于学科领域素养，坚持全面发展的综合质量导向；在组织实施上，坚持标准化规范化，确保准确把握教育质量状况；在结果应用上，指向发展，兼顾问责，旨在改进提升；在运行体系上，促进多元主体共同参与，推进教育治理现代化。①

1.2.3 国内关于教育质量评估监测工具的评价指标构建的相关研究

一套有效的教育质量评估监测工具需要经历科学严谨的研发流程，需要不同领域的专家共同合作。无论是各种国际大型教育评估项目，还是各国基础教育质量监测工作，都将工具研发视为教育质量监测工作的核心内容。如果监测工具的质量高、效果好，则意味着成功考查了人们所需要测试的被试的潜在能力，反之亦然。在教育质量监测中，研究者都对监测工具的质量非常重视。

监测工具的质量分析是针对教育质量监测过程中所使用的工具（主要是测验工具）的优劣进行分析，从而达到对整个教育质量评估监测工具的综合分析和评价。一般来说可以从两个角度对监测工具进行评价。

一是质性分析。质性分析是我国目前各类教育质量监测和教育考试评价中被广泛采用的方法，依靠大批有经验的专家和教师，结合设计蓝图，对相关测验工具的内容、考查角度以及学生的作答情况进行详细分析。但质性分析的方法过于依赖经验，导致判断具有很强的主观性及片面性，特别是在专家意见不一致的情况下，容易出现各执一词的局面。另外，专家判断与考生实际作答也会存在较大的偏差。

二是量化分析。量化分析是从统计学的角度，利用统计结果来考查每个试题项目的质量、效果，为试题编制者提供客观的指标，为改进试题提供客观的依据。目前对测验工具质量的量化分析主要以两大测验理论为分析基础：一个是经典测量理论，另一个是项目反应理论。但量化分析也有局限性，突出表现为分析过程较复杂，且这些指标必须在测试后才能得到。另外，借助统计分析指标的量化分析必须与学科内容严密结合起来，才能

---

① 陈慧娟，辛涛．我国基础教育质量监测与评价体系的演进与未来走向［J］．华东师范大学学报（教育科学版），2021（4）：42-52.

有效地改善评价工具。一些教育与心理测量或考试评价的实践研究涉及评价量表、问卷或试卷的相关标准。在心理量表方面，黄希庭等在评价青少年时间管理倾向量表、何小亚等在评价初中生数学态度量表时都选用了信度（包括重测信度、内部一致性信度、分半信度）和效度（包括内容效度和结构效度）作为评价指标。在考试评价方面，在很多公开发表的普通高等学校招生全国统一考试试题评价报告及部分省、市的高考、中考试题评价报告中，评价者都部分或全部选用了信度、效度、难度和区分度作为评价指标。其中，使用最多的是难度和区分度。但是，这些报告大多记录了各个测评工具在评价指标上的具体实际数值，并没有对指标范围和标准予以明确规定，也没有上升到标准和行业规范的理论高度。

国内有关教育质量评估监测工具评价指标构建的文献很少，仅刘玥、游森在监测工具公平性的有关研究中指出，教育质量监测工具的公平性将影响到整个教育质量监测结果的有效性和可信度。相关的教育测验评价标准，如美国《教育与心理测试标准》和《ETS 质量与公平性标准》为保证测验的公平性提供了参考。为满足这些标准的要求，合理充分地运用测验等值、项目功能差异分析和低利害测验中的不努力作答分析等技术手段是保证教育质量监测工具公平性的重要方式。[①] 吴小峰用项目反应理论模型（IRT）对教育质量监测工具进行评价。[②] 也有一些研究指出要以心理测量理论、教育评价技术、数理统计方法作为支撑，保障监测工具的质量。[③] 但这些研究均没有给出明确的教育质量监测工具的评价指标构建的标准。

在国内，虽然目前尚无全国性的教育质量评估监测工具标准和行业规范，不过在 2014 年，四川省教育科学研究院申请的项目“四川省基础教育学业质量监测工具标准研究”圆满结题，并于 2015 年申请成为四川省

① 刘玥，游森 . 教育质量监测工具的公平性研究［J］. 中国教育学刊，2019（8）：24–28.

② 吴小峰 . Rasch 模型在教学质量监测工具评价上的应用：以高中遗传学核心概念为例［J］. 教育研究与评论（中学教育教学），2018（12）：45–49.

③ 侯燕燕，李勉，张丹慧 . 区域教育质量影响因素监测工具的研发［J］. 中国考试，2018（6）：44–48，71.

地方标准。该标准在借鉴国内外大型教育监测项目技术报告、心理量表质量分析、调查问卷质量分析、中考试题评价、初高中毕业生学业水平考试评价研究文献等资料中对工具质量的规定的基础上，结合自行研发工具的评价结果和大量的实践数据，提炼出了“四度四性”（信度、效度、难度、区分度，科学性、准确性、公平性、适用性）作为全面评价学业质量监测工具质量的具体指标。该标准不仅包括各指标的定义，还有指标的范围和要求。这是我国在教育质量评估监测工具标准化制度建设上具有重要意义的早期探索和尝试，是国内第一个评价“教育质量监测工具”质量的地方性标准。

综上所述，我国关于基础教育质量评估工具指标标准问题的研究在建构理论、指标标准的信效度、教育质量监测指标体系与国际接轨等问题上的热度逐年升温。同时，也应看到我国目前关于基础教育质量评估工具的标准研究尚存在不足。一是全国性的实地调研分析样本研究较少，有的只是地方性的教育质量评估的调研数据。由于教育系统是一个极为复杂的系统，教育质量监测本身的复杂性又特别突出，除了监测的样本容量选择，评估监测如果没有在全国进行大范围的、长期的、有效的实地调研，就很难把握评估监测工具标准规范的本质。二是系列性研究或者持续性研究尚未起步。借鉴国际上如国际学生评估项目（PISA）或者其他学科较为成功的指标规范研究，可以发现任何一个较为权威的教育质量评估工具的研制，其监测指标体系或者指标标准基本要经历“理论探索—概念化框架构建—评价指标专业解读—评价指标试运行—评价指标修改—再运行—再完善”的过程，这样系统的工作必然要求对于评估工具标准的研制也应具有持续性、系统性。三是在研究评估工具标准时容易出现理论偏差。正是由于这项研究在国内尚处于探索期，现有研究大多都是借鉴国外指标体系成功的经验，尚未形成本土特有的理论建树。所以，我们应特别重视国内外该领域的文献研究，提炼已有研究评价标准的共性，由此建立工具评价的指标理论框架。此外，还应重视评估工具标准的实地检验与调研，重视各类工具评价指标在实际评价过程的可行性、可信性和有效性。理论文献研究与实践研究双管齐下，建构起基础教育质量评估监测工具的标准规范。

1.2.4 国外关于教育质量评价指标及其评价工具质量标准的相关研究

从国际上看，许多国家都十分重视对教育质量的监测，比如欧洲的教育质量监测指标体系具有较广的涵盖面和系统性，教育评价指标不仅没有局限于客观的定量指标的统计数据，还做到了定性指标的覆盖。近年来，拉丁美洲为了监测本地区的教育发展，开始致力于教育指标的研究。其中，包括对教育均衡指标的开发和研制。有代表性的是拉丁美洲国家与一些国际组织的合作，以及积极参与世界教育指标项目（WEI）和教育指标区域项目（EIRP）的研究工作。世界教育指标项目力图构建背景、资源、制度执行、质量和社会影响五种类型的指标，并在 1999 年的报告中指出，教育系统的不平等主要体现在入学机会、受教育年限和受教育质量三个方面。不可否认的是，世界教育指标项目的开展为参与国提供了推进教育公平方面的技术支持，但是拉丁美洲和加勒比的一些国家仍然缺乏一些基础数据。① 经济合作与发展组织（OECD）教育指标体系构建始于 1973 年，此次尝试由于政治的不支持与指标本身的设计问题而最终宣告失败，后来经过近 15 年的研究与完善又有了第二次尝试，第二次尝试主要围绕教育系统的指标进行。经过几十年的改进与修正，到 2021 年，OECD 教育指标体系反映的领域更为全面和科学。OECD 教育指标体系一个显著的特点是变动性和发展性，经过不断变动，促进理论研究的深化。② 联合国教科文组织每年出版的《世界教育报告》比较侧重第三世界国家的统计数据。联合国教科文组织采用的世界教育发展指标体系包括 5 个一级指标：教育需求、教育供给、入学和参与、教育内部效率、教育产出；二级指标包括：公共教育开支占国民生产总值的百分比、公共教育开支占政府公共总开支的百分比、生均教育经费开支、生师比、教育成就、成人文盲数、入学率、辍学率、升学率、预期受教育年限、留级生所占的百分比、分年级的保留率、识字率、留级率、每名毕业生的年均投入等。联合国教科文组织的教

① 白俊英 . 义务教育均衡评价指标体系的构建及应用研究［D］. 太原：山西财经大学，2011.

② OECD . Education at a glance：OECD indicators 2005［R］. Paris：OECD，2005.

育指标体系主要是依据确定其理论框架，演绎与其相关的特定的指标集，对已有的数据进行统计、分析和整理，筛选出与指标集相关的信息四个步骤来进行指标统计。它具有明显的内在逻辑性，结构严谨，数据资料容易采集，计算容易，但遗憾的是，其指标无法全面、完整地描述教育指标的整个发展变化过程。①

PISA（2018）的教育评价指标突出“改变话题”或“完善选择”的原则，一级指标共有6个，分别为“学生知道和能做什么”“学生都能成功的地方”“学校生活对学生生活的意义”“学生在金钱方面聪明吗”“成功学校的有效政策”“学生准备好在相互联系的世界中茁壮成长了吗”。其中，“学生知道和能做什么”审查了学生在阅读、数学和科学方面的知识，以及他们可以利用所知做什么。这是迄今为止对学生学习成果最全面和最严格的国际评估。国际数学和科学趋势研究（TIMSS）2019年的教育评价也格外引人注目，ETIMSS首次出现，是TIMSS的数字版本，专为基于计算机和平板电脑的管理而设计。ETIMSS提供了一个引人入胜、有互动性、视觉上有吸引力的评估，使TIMSS（2019）能够更好地评估数学和科学框架。TIMSS（2019）选择了8项任务作为一级指标（四年级4项，下分50项二级指标；八年级4项，下分55项二级指标）并作为主要数据收集。这8项任务涵盖了一系列数学和科学内容领域的主题，大多数任务都涉及应用和推理。

可以看到，OECD等国际组织从一个评估周期到下一个评估周期，实现这一目标的成就项目（评价指标）是相似的，让每个周期保持与过去评估的连续性，同时又跟上当前的主题和技术，使每一轮教育评估具有独特的表征。除了国际组织，还有美国、澳大利亚、中国等许多国家也在组织实施基础教育质量评估监测，并在开发教育质量评估监测工具方面，具有扎实的理论基础和丰富的实践经验，但是截至2022年却仍然没有形成普遍一致的，专门针对基础教育质量评估监测的工具评价指标和标准。

① 陈家全．县域义务教育均衡发展评价指标体系构建的研究［D］．重庆：西南大学，2017.

目前只有一些较为成熟的关联性标准，例如美国的《教育与心理测试标准》。它们存在于一些大型教育质量监测项目的技术手册中，例如 TIMSS 2011 技术报告及使用说明（U.S. TIMSS and PIRLS 2011 Technical Report and User's Guide）、PISA 2018 技术报告（PISA 2018 Technical Report）中关于工具质量标准的相关描述。梳理国外教育监测评价理论研究与实践经验发现，与教育质量评估监测工具标准和行业规范相关的研究可以分为两类：一是明确的标准或规范，二是教育质量评估监测工具质量报告或技术手册。

（1）明确的规范或标准

目前，国外与教育质量评估监测工具标准和行业规范相关的标准主要有美国教育研究协会（AERA）、美国心理学会（APA）和全美教育测量学会（NCME）制定的《教育与心理测试标准》，美国教育考试服务中心（ETS）制定的《ETS 质量与公平性标准》。

《教育与心理测试标准》是美国制定较早、权威性较高、应用较为普遍的教育标准。它旨在为鉴定各种测验、测验过程中的实际操作及使用测验的效果提供一套准则，从而帮助测验制作的专业人员、主办人员、发行人员和使用人员考虑到所有的注意事项。2014 年，美国教育研究协会、美国心理学会和全美教育测量学会共同颁布了《教育与心理测试标准》（第六版）。《教育与心理测试标准》（第六版）共 5 部分，第一、二部分为前言和介绍；第三部分为主体内容，包含三大板块，共 13 章，合计 222 条标准；第四部分为词汇表；第五部分为索引。主体内容如表 1-2-1 所示。

表 1-2-1 《教育与心理测试标准》（第六版）主体内容

板块	名称	内容	标准数（条）
第一板块（3 章）	基础	效度	25
		信度（测量中的精度和误差）	20
		测试中的公平性	2

续表

板块	名称	内容	标准数（条）
第二板块（6章）	操作	测试的设计和开发	25
		分数、量表、常模、分数链接和及格分数	23
		测试实施、评分、分数报告和解释	16
		测试支持文档	14
		考生的权利和责任	12
		测试使用者的权利和责任	23
第三板块（4章）	测试的应用	心理测试和评估	18
		工作场所测试和职业证书	16
		教育测试和评估	19
		测试项目评估、政策研究和问责	9

《ETS 质量与公平性标准》是判断所有 ETS 产品（如 TOEFL 考试、GRE 考试）和服务优秀与否的基准。它的目的在于帮助 ETS 及其下属成员设计、研发公司产品，并在技术上提供合理、公平、实用的产品和服务，帮助审计者评估这些产品和服务。《ETS 质量与公平性标准》包括“公平性”“效度”“信度”等 13 部分。具体内容如表 1-2-2 所示。

表 1-2-2 《ETS 质量与公平性标准》内容

内容	标准数（条）
企业责任	11
广泛适用的标准	5
非测试产品及服务	7
效度	7
公平性	7
信度	6

续表

内容	标准数（条）
测试的设计与开发	8
等值、关联、常模及分数线	10
测试实施	6
评分	4
报告测试结果	5
测试的使用	5
应试者的权利与责任	5

此外，部分地区还对当地的教育质量监测设有地方性规范，如美国佛罗里达州综合评估测验 2.0（The Florida Comprehensive Assessment Test 2.0）的试题规范。其中包含一些一般性规范，如使用图形时的规范、试题风格和排版规范等，以确保试题能够更好地考查它意图考查的内容。但是，这些标准都是对工具开发以及工具质量报告的基本要求，并没有对具体的指标及其标准予以详细规定。

（2）教育质量评估监测工具质量报告或技术手册

国外各类大型教育质量监测项目，如 PISA、TIMSS 等，都会在公开发表的技术手册中详细介绍工具开发的流程和标准，特别是在关于测验设计和测验研发、背景问卷研发、质量保证等章节中，有工具研发流程及工具质量标准的内容，这些都是形成工具质量标准和行业规范的重要参考。例如，对于区分度这一指标，PISA 的技术手册中就规定选择题区分度应高于 0.20。其规定的区分度水平和对题目的处理建议为：区分度大于 0.39 的水平为“很好”，建议“保留”；区分度处于 0.30 ～ 0.39 的水平为“好”，建议“可以提升”；区分度处于 0.20 ～ 0.30 的水平为“中等”，建议“需要检查”；区分度为 0.01 ～ 0.20 的水平为“差”，建议“删除或仔细检查”；区分度小于 0.01 的水平为“很差”，建议“直接删除”。但是，各项目的技术手册中关于相同指标的标准也有区别，并没有形成统一的规定。

1.3 国内外教育与心理测量学著作、教材中的测量学指标理论研究

国内外很多关于教育测量、心理测量的理论论著或者大学教材，都包含了教育质量评估监测工具质量评价相关指标的定义、发展、计算、理解和使用等内容。例如，张敏强《教育测量学》第三章“教育测验的质量评估”，介绍了测验信度和效度的定义、种类、计算公式及估算方法。美国R.迈克尔·弗《心理测量学》第五章“信度的概念基础”、第六章“信度的经验估计”、第七章“信度的重要性”、第八章“效度的概念基础”、第九章“聚合效度与区分效度的证据”，介绍了复本信度、重测信度、内部一致性信度、分半信度、效度及其量化方法等。另外，一些教育测量的相关教材也对难度、区分度等指标的定义、计算公式等做了详细介绍。这些论著和大学教材一般只是提出了这些测量学指标的定义、计算方法和公式，多数并没有具体提出测验工具可接受或者优良指标值的范围和标准，对工具标准和行业规范的参考标准需要进一步研究。

1.4 本课题的学术价值和应用价值

1. 学术价值

该领域已有研究要么是关于教育与心理测量学指标的理论研究，例如信度的估算方法、各类信度系数计算公式、效度及其理论模型和各种指标系数计算公式或者软件程序（见诸相关专著和大学教材），而没有指出关于基础教育质量评估监测工具的质量标准到底是什么；要么是关于某一个具体测量工具的研发报告，这些报告一般也会报告该工具的信度、效度，但也仅仅是列出工具的具体信度值、效度值是多少，没有提出标准是多少（见诸相关刊物上发表的论文和报告）。本课题相对已有研究的独到学术价值是运用测量学的理论，服务于基础教育质量评估监测的功能实现，满足于基础教育质量评估监测对工具的高质量需求，解决评估监测过程中工具开发、施测、评分、结果解释与运用等实际问题，而研究建立一套普适性的专业标准或规范。它不属于教育评价、教育测量、心理测量的基础理论研究，而是在已有基础理论上的实际运用标准规范研究，属于运用技术研

究范畴。标准一向被视为以科学、技术和经验的综合成果为基础的人类集体智慧的结晶，是科技成果或知识产品的集合，并拥有“专利池”（patent pool）的美称。基于标准的这种属性，它一直被当作生产力的重要因素之一。因此，本课题研究建立的“中国基础教育质量评估监测工具标准规范”是科学地开展基础教育质量评估监测的技术保障，是促进中国基础教育质量发展、提高人才素质的生产力要素。

2. 应用价值

通过本课题研究将建立“中国基础教育质量评估监测工具标准规范”，该专业标准或技术规范，能够直接指导基础教育各个学段、各个学科学生学业发展水平评估监测工具的开发；能够直接指导基础教育各个学段学生品德发展水平、身心发展水平、审美素养或者兴趣特长养成、劳动教育的评估监测工具的开发；能够直接指导基础教育各个学段学生学习负担调查、学生学习背景调查的问卷开发；能够评估和检验上述所有评估监测工具的质量如何，即检验工具质量是否达标；能够判断评估监测结果的可信性、有效性，是否可用等，并推动实现教育质量评价的国际实质等效。上述是直接的应用。

进一步的应用，则使教育质量评价具有重要的导向作用，这是教育综合改革的关键环节。通过该标准规范引领、指导的全国各地的基础教育质量评估监测，由于有了技术保障，评估监测结果的价值可以得到真正体现。如把教育质量综合评价结果作为完善教育政策措施、加强教育宏观管理的重要参考，作为评价和考核学校教育工作的可靠依据；指导学校正确运用评价结果改进教育教学，更好地实施国家课程方案和课程标准，发挥以评促建的作用。

第二章

研究内容、思路与方法

2.1 研究对象、总体框架和主要目标

2.1.1 研究对象

本课题针对全国各级教育部门、中小学校，业已广泛开展的基础教育质量监测、教育质量综合评价、学校考试等需要的各类测评工具（学科考试测评试卷、素质测评量表、学习背景调查问卷和学习负担调查问卷），通过理论分析、经验总结、实证研究等手段，建立具有普适性的工具质量标准或技术规范。本课题的研究对象是基础教育质量评估监测或考试评价的工具质量的标准规范。

2.1.2 总体框架

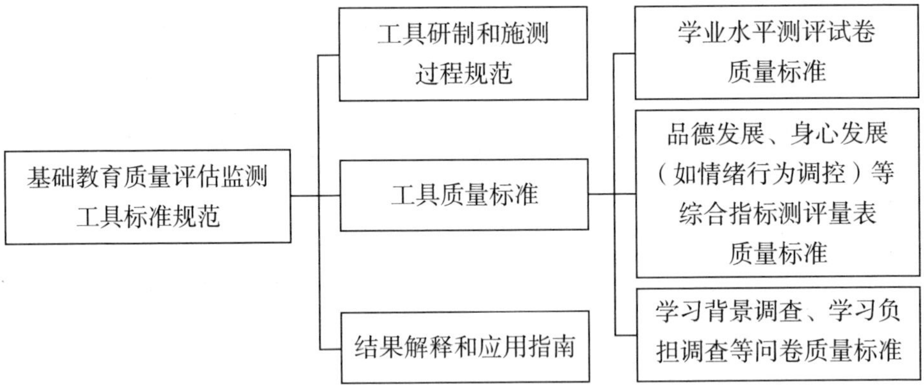

图 2-1-1　研究总体框架图

1. 工具研制和施测过程规范

工具研制和施测过程规范包括工具研制流程规范、命题人员选择与构

成规范、测验蓝图标准规范、试测取样规范、审题与修改规范、测评组织实施规范。

2. 工具质量标准

（1）学业水平测评试卷质量标准

研究内容包括：学业成就测验中题目选择的一般标准研究（例如，测验蓝图与课程标准的吻合程度，测验题目的内容与测验蓝图中的知识和技能、能力要点吻合程度，测验题目的作答缺失率，测验公平性与测验倾向性控制，选择题的选项要求，整个测验内容分类是否准确、认知分类是否准确，学生能否在合理的时间内完成任务等）；测验题目难度，题目的区分度（题目鉴别力指数或者各个试题的得分与总分的点二列相关）；整套试卷的难度及其与测验目的、功能的吻合程度；信度标准；效度标准；等等。

（2）教育质量综合指标测评量表质量标准

研究内容包括：信度标准；效度标准（包括内容效度、各种模型假设条件下的结构效度系数标准、效标效度等）；评分、量表、常模建立规范；等等。

（3）学习背景调查等问卷质量标准

研究内容包括：问卷结构标准、问卷题目审定标准、问卷内容效度认定规范、问卷信度标准、问卷结构效度标准等。

3. 结果解释和应用指南

研究内容包括：评分规范，分数转化、分数等值，水平等级划分，分数解释和测评结果应用规范等。

2.1.3 主要目标

本课题通过研究，制定《中国基础教育质量评估监测工具标准规范》，包括学业水平测评试卷质量标准、教育质量综合指标测评量表质量标准、学习背景调查和学习负担调查等问卷质量标准，还包括工具研制、施测过程规范、结果解释和应用指南，为全国各地落实《义务教育质量评价指南》《普通高中学校办学质量评价指南》，科学开展基础教育质量监测、中小学教育质量综合评价提供技术指引或技术保障，促进国家课程方案和课程标准更好地贯彻落实，促进中国基础教育高质量发展和高素质人才的培养。

2.2 研究思路与方法

2.2.1 标准规范的研制原则

1. 通用性原则

通用性原则是指各种类型的教育质量监测评价，如基础教育质量监测、中小学期中期末考试、各级学业水平考试、心理测验、规范性调查问卷或量表，均能在《中国基础教育质量评估监测工具标准规范》（以下均简称《规范》）中找到适用的判断工具质量的指标和标准。

2. 协商一致原则

协商一致原则是指在研究过程中，遇到不同文献、不同实践的不同论点或做法，应采取专家评定的方法，由专家协商一致，最终形成较为统一的意见。这既是标准编制的原则，又是一种具体方法，同时也是标准规范编制的显著特点之一。本研究的具体措施是，遵循众多专家正式发表的或者权威机构公开的指标及其参考阈值范围的共性因素，提取它们的公因子，实现协商一致原则。

3. 可行性原则

可行性原则是指在确保《规范》科学性的同时，还要确保其可证实和可达到，从而保障《规范》可靠、可用。为此，在《规范》中，课题组对工具质量指标都进行了定性解释和实践意义解释，并给出相应案例或参考阈值，以方便使用者操作。以项目区分度指标为例，《规范》不仅给出了项目区分度指标的操作性定义和计算方法，还给出了参考阈值（例如，0.40以上就属于非常好）。

4. 协调性原则

协调性原则是指文件的起草宜遵守基础标准和领域内通用标准的规定，如有适用的国际文件，宜尽可能采用。

2.2.2 基本思路

标准是以科学、技术和经验的综合成果为基础的人类集体智慧的结晶，是科技成果或知识产品的集合，因此，研制标准规范除了需要建立在教育测量学基本理论基础上，还需要特别关注已有的经验，例如国际国内知名的大型学业测评或质量监测的规范与标准，在该领域处于世界领先水平的美国教育研究协会、美国心理学会和全美教育测量学会率先制定的《教育与心理测试标准》等。本课题研究首先关注国际国内已有测评的优质测评工具或者知名权威测评项目的规范与标准，寻找它们的共性因素，提取它们的公因子，以这种“客观的方法”广泛征求同行专家意见，实质性实现专家“协商一致”。然后进行实证检验，并归纳总结。本课题研究的基本思路如图 2–2–1 所示。

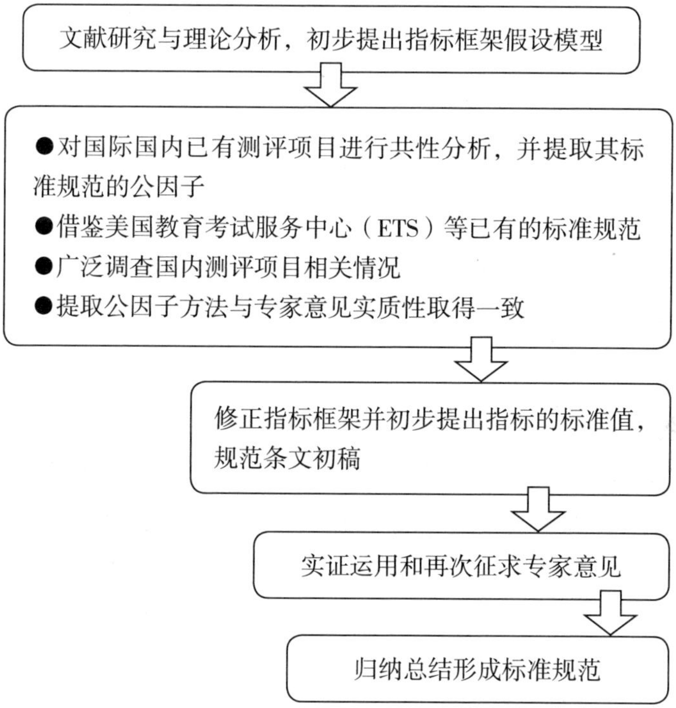

图 2–2–1　研究思路与工作流程图

2.2.3 具体研究方法

具体研究方法包括文献方法、理论分析与思辨研究方法、调查方法、经验总结方法、德尔菲法、试验方法（试验运用）。

第三章

教育质量评估监测工具研制和施测过程规范

教育质量监测通过科学的手段，获得学生学习质量和身心健康状况以及影响学生发展的相关因素的客观数据，从而全面了解基础教育质量状况及其发展趋势，为各地教育部门的决策和管理提供数据支撑。因此，监测工具的质量对所收集数据资料的真实性和科学性有着重要的影响。只有遵循一套严格、科学的研发流程和施测过程，才能保证监测工具和所得数据的有效性和可靠性。

3.1 工具研制流程规范

教育质量评估监测工具的研发是教育质量监测实施的关键环节，对监测结果的质量、监测目的的实现有着重要的影响。根据当前国内外大型的教育质量监测项目的情况来看，教育质量评估监测工具主要包括两种类型的工具：学业水平测验工具和问卷类工具。不同类型的监测工具有不同的特征，在具体的研发过程中也存在着差异，但主要流程和原则是一致的。安德森提出了一套科学的教育质量监测的系统流程以及监测工具研发的一般流程。[①] 图 3-1-1 显示了工具研发工作过程的重要性。

① ANDERSON P, MORGAN G. Developing tests and questionnaires for a national assessment of educational achievement [M] . Washington, DC : The World Bank, 2008.

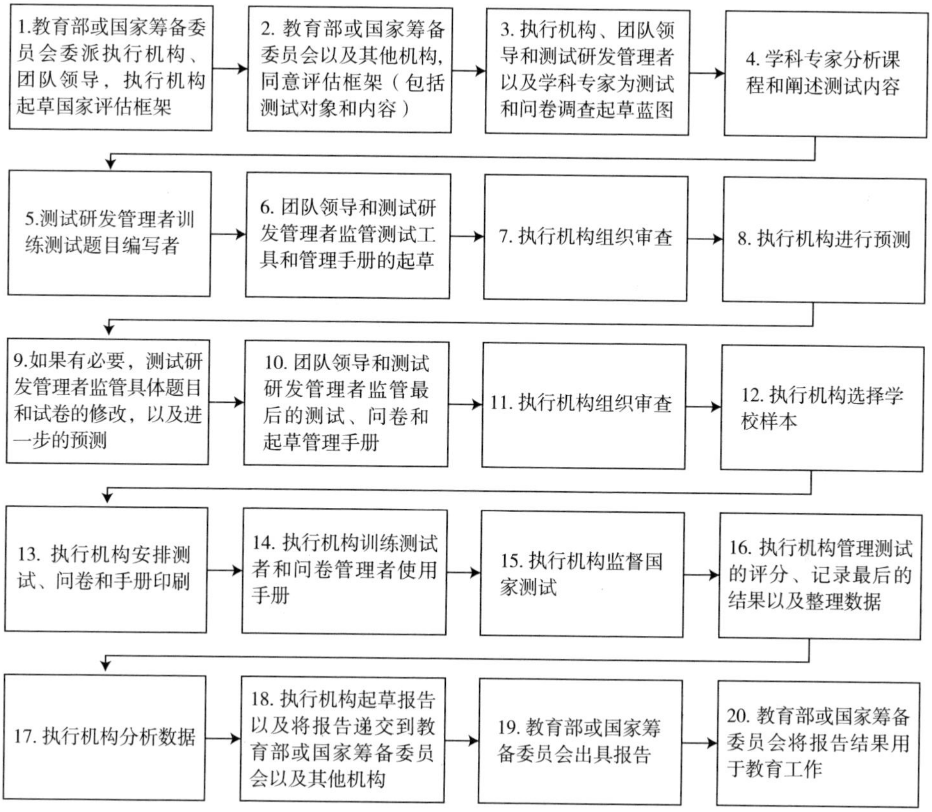

图 3-1-1　国家或地区教育质量测评实施过程图

表 3-1-1 总结了监测工具研发的一般流程，包括工具研发的整体设计，监测工具的初步编制，实施预测，工具的修订，工具的正式形成。

表 3-1-1　监测工具研发的一般流程

阶段	活动	时间	相关人员
一	厘清国家评估的目的、监测实施的目的，确定测试框架，选择合适的监测人群	4 周	教育部、国家筹备委员会、执行机构、测试研发管理者、资金管理者以及政策制定者

续表

阶段	活动	时间	相关人员
一	制定工具研发的整体设计，包括测验蓝图、问卷调查框架等，并进行广泛咨询和确认	4～6周	教育部、国家筹备委员会、执行机构、测试研发管理者、专家团队、有经验的一线教师、学科专家、数据分析人员、有经验的测试题目编写者、资金管理者和政策制定者
二	编制测验、问卷及相关工具	12～14周	测试研发管理者、学科专家、测试题目编写者以及资金管理者
	设计预测方案和预测题本	4周	团队领导、测试研发管理者、测试题目编写者、设计规划专业人员以及校对人员
	打印预测材料及配套实施手册、信息记录表等	2周	执行机构、团队领导、测试研发管理者以及测试题目编写者
	打包和分发预测材料及配套实施手册、信息记录表	2～3周	执行机构
三	实施预测	2～3周	执行机构和测试研发管理者
	如果需要，对试题进行评分	2周	团队领导、测试研发管理者、学科专家、测试题目编写者
	分析预测数据	2周	执行机构、数据分析员、测试题目编写者以及测试研发管理者
四	筛选和修订题目	2周	测试研发管理者、数据分析人员、测试题目编写者以及资金管理者
	形成正式的测试工具和管理手册	2周	执行机构、测试研发管理者、设计规划专业人员、校对人员、测试题目编写者
五	印刷正式的测试工具及相关材料	4周	执行机构、团队领导、测试研发管理者
	打包和分发正式测试工具	2～3周	依赖于测试实施的距离和可行性、执行机构和测试研发管理者

由美国教育考试服务中心(ETS)负责的美国国家教育进步评价(NAEP)对于监测工具的研发严格按照工具编制的标准化程序进行试题开发。首先，由ETS测验开发人员和课程顾问根据NAEP工具制定委员会的指导意见和建议，编写评价试题和练习；其次，ETS组织富有经验的各科测验开发专家对这些试题和练习的相关内容进行审核和修改，并通过小规模试测，再次对试题进行修订；最后，通过实地施测，对结果进行分析和评价，选择最佳试题。在第三次修改后最终确定正式评价中所用的试题册。

泛加拿大评估计划（PCAP），主要是由来自不同教育部门的代表商议形成PCAP测评工具的框架，这个框架得到了参与测评的各省教育部门的认可，并将其作为形成测验项目的基础。测验项目是由双语团队研究得出的。测验项目分别由英语和法语两种语言表达，并且这两种语言表达的意义和难度是一致的。各教育部门为确保用不同语言表达的测验项目的公平性和合理性，会对测验项目的翻译进行反复查验，然后对分数进行分析，各教育部门的代表检查题目并选出最好的题目，组成两份试卷。

巴西全国基础教育评价体系（SAEB）工具的研发是全国教育调查研究所根据测评标准的要求，开发出一个科目一套、能反映学生在不同阶段知识掌握水平和相关认知能力发展状况的测评量表。同时也编制能反映学生学业背景信息的调查问卷，包括学生问卷、教师问卷和校长问卷。具体的编制过程如下。

试卷编制。为使效度尽可能高，各年级各学科的试卷含150个题项，并根据课程内容指导标准编制题项的参考矩阵，即测验的结构框架，尽可能多地涵盖更多课程要求的技能和内容。各学科的测验项目编制好后会根据项目反应理论模型进行分析，以确保最终纳入的题项能准确反映学生某项能力的发展水平，并使得结果能进行跨科目、跨时间的比较。

问卷编制。根据调查人群的不同，问卷包括教师问卷、校长问卷和学生问卷。

国际数学和科学趋势研究（TIMSS）工具的编制是由各参与国指定能够代表该国的数学和科学学科教育专家组成国际数学科学题目委员会编制

题目，国际教育成就评价协会（IEA）国际研究中心负责第一次审阅，确保题目没有超过已经编制的框架范围；同时，IEA 国际研究中心组织各国协调员举行碰头会，各国协调员负责审阅与该国相关的题目；IEA 秘书处负责审核翻译的准确性。之后，在各参与国的试点学校进行预测，国际数字科学题目委员会、IEA 国际研究中心和各国协调员共同根据预测结果对试题进行调整，删除太难或太容易的题目，只保留大家都没有争议的题目，形成试题库。相关因素调查问卷的编制过程和数学科学成就的编制程序相同，但有关课程的调查问卷由国际数学科学题目委员会和 IEA 国际研究中心共同研制，各国协调员网上作答。

国际学生评估项目（PISA）评价的核心是"素养"，其工具的编制由 PISA 管理委员会和国际联合处共同完成。PISA 管理委员会挑选阅读、数学、科学等领域的世界级专家组成专家组，负责设计每次 PISA 问卷调查的理论框架，组织问卷调查专家负责并指导 PISA 问卷的编制。PISA 国际联合处自行设计或邀请所有的 PISA 参与国提交具体的测试问题，然后由 PISA 国际联合处及各参与国审阅，只选取大家都无异议的问题，最终确定试题库。PISA 还会在所有参与国进行试测，试测证明在某些国家太难或太容易的题目都会在正式施测时取消。测试由各国专家翻译成本国的文字，学生用本国语言作答。

综上，结合国内外大型监测项目工具研发的情况，课题组制定了一套针对不同监测工具且具有普适性的研发过程规范，具体如下。

3.1.1 学业水平测验工具的研发流程规范

在基础教育质量监测中，测验法应用广泛。学业水平的监测是各大型基础教育质量监测中的基本评估内容，用于评估学生学业水平的状况和发展趋势，是课程效果的直接反映。一个好的学业水平测验工具的研发，要求测验研发人员在研发过程中遵循科学、严谨的编制流程。

美国、澳大利亚、德国、法国、日本等国以及中国港台地区在其各自教育质量评估监测目的中明确表明要对本国家（地区）学生的学业成绩进行监测，评估学生学业发展水平的变化情况。从心理测量学的角度来说，学业水平测验采用的是测验法中的一种，可以对学生的学业水平进行量化处理和分析。

PISA编制的学业水平测验主要包括阅读素养、数学素养和科学素养，用于评估义务教育阶段学生运用知识和技能迎接现实生活挑战的能力。NAEP编制的学业水平测验包括阅读、数学、科学、写作、历史、地理、公民学、经济学、外语、艺术等，全面评估学生的学业表现。学业水平测验是标准化的测验，数据量化程度高，且可与课程内容、课程标准直接挂钩，如同一把自制的精确的尺子。

标准化测验是指测验的编制、施测、评分以及解释测验分数的程序的一致性。对于学业水平测验而言，测验标准化的基本要求是：命题组卷标准化、施测标准化、评分标准化、测验分数解释标准化。

结合本项目主持人在各地实施教育质量监测的经验，本项目总结出了一套符合我国教育发展现状的学业水平测验工具研制的标准化过程规范体系。

1. 确定测验目的，选定测验编制方法

在教育质量监测中，学业水平测验可根据目的的不同分为两类：一类是学业成就测验，另一类是学业能力倾向测验。

学业成就是指个体经过一定的学习或训练后所掌握的知识水平或所达到的能力水平，它是针对特定的学习经验，强调个体目前已达到的水平。换言之，成就测验是对个体过去学习经验的总结。我国最具代表性且最权威的、标准化程度最高的成就测验便是高考和全国义务教育质量监测，以及各地的中考。

学业能力倾向是指个体在不同能力因素上潜在的优劣倾向。任何能力都在一定程度上既依赖于遗传的潜能，又依赖于生活环境中所积累的经验。能力倾向虽然也依赖于个体的生活经验，但并不直接依赖于专门的教学或训练。卡罗尔等人的研究发现，具体的课程教学或知识技能训练可以显著改善学生成就测验的成绩，而对能力倾向测验的成绩却没有影响。因而能力倾向测验的目的不在于总结过去，而在于预测将来，即个体在将来的学习或工作中可能达到的成功程度。

当前许多教育质量监测工作者对上述两种学业水平测验的概念是混淆的，认为学业水平测验就是传统的考试，即成就测验。其实不然，国际上各种大型的教育质量监测项目对于学业水平的测验，更多是融合了学业成就测验和学业能力倾向测验，如PISA。所以，学业水平测验工具研制的首要任务，就是明确测验的目的，可以是了解被测者已掌握的知识，也可以是了解被测者的能力发展水平。与此同时，根据所选用的测验不同，后续的数据分析方法也会不同。

具体而言，测验的目的需要综合考虑以下几方面。

①为什么测。如果是为了考查学生学习情况，则要编制考查性测验；如果是为了诊断学生是否存在学习困难，就要编制诊断性测验。

②如何衡量学生的水平。如果是要比较学生学业的优劣，则要编制常模参照测验，例如中考、高考；如果是要鉴别学生对于学科知识的掌握是否达标，则要编制标准参照测验，例如学校的期中期末考试、各级各类教育质量监测、初中和高中的学业水平考试。

③测什么。各学科的测验应由相应的学科专家参与，所编制的测验要遵循学科课程标准。

④测试对象。考虑测试对象的年龄、年级、文化背景等，施测于不同对象的测验应该有不同的编制特征。

只有明确以上问题，才能明确测验的目的，才能选择准确的测验编制方法。

2. 分析测量目标，编制测验蓝图

测量目标的分析需要结合学科专业知识和测量学知识，还要有丰富的教学实践经验，因此需要集结相关领域的专家共同完成。测量目标的分析，最终得到的不能是一个笼统的、抽象的结果，而是要尽量细致、明确，达到可操作化的程度，只有这样才能供试题编制时使用。因此，测量目标的分析是一项十分困难的工作。根据商定的测量目标，编制测验蓝图。

3. 编题、征题与选题组卷

测验由一道道试题组成，是测验质量的主要体现。一般来说，试题的来源可以是组织相关的学科专家编写相关测试试题，也可以向社会征集。试题的编写或征集都只是第一步，接下来需要对试题进行筛选，主要包括两个方面：一是要从试题的文字内容、逻辑、科学、文字表达等多方面进行筛选；二是根据统计分析获得的预测数据进行量化分析，以判断试题的质量。组卷时需要严格执行编制计划所拟定的内容。

特别要注意的是，根据标准化测验的要求，理应同时编制一套等值的测验副本。但实际情况是，由于人力、物力以及时间等因素，往往很多的监测项目都没有提前准备测验副本。

4. 预测分析，编制测验常模

一般来说，所有新编制的测验都需要通过预测，以评估试题试卷的质量。从测量学的角度来说，对试题、试卷质量评价的指标主要包括难度、区分度、信度以及效度。前两者主要用于评估试题质量，而后两者主要用于评估试卷质量，具体的内容将在教育质量评估监测工具质量标准中进行详细阐述。

如果编制的测验的各项指标达不到统计学的要求，则需要根据指标的表现，对试题进行修改或重新命制。预测时需要注意测验样本的选择的代表性问题，以及预测环境要尽量与正式施测时一致。

5. 编写测验指导手册，形成正式的测验

根据预测结果，对试题进行筛选、分析和修订试题，组成正式的测验；然后对测验进行标准化，撰写测验指导手册。测验指导手册的内容主要包括测验目的、测验编制原理和方法介绍、测验适用对象和范围、测验操作要求、测验质量参数、标准答案、评分规则等项目。

3.1.2 教育质量监测问卷工具的研发流程规范

问卷是科学研究中用来收集资料的一种重要工具，其最大的特点是能在短时间内收集大量的资料。在教育质量监测中，问卷常被用于评估学生的学习质量和状况，收集影响教育质量的相关因素和信息。例如在 PISA

测验中，除了学业成就测验的评估，还有问卷评估学生对各学科的情感态度、学习策略、学习特点等。并且 PISA 还通过问卷收集学生家庭、学校相关因素，分析影响学生学业成就水平的因素。

本项目结合国内外大型的教育质量监测项目，以及在各区实施教育质量监测的实际经验，总结了一套教育质量监测问卷工具研制的标准化流程。

1. 确定问卷的目的

与学业水平测验工具的编制一样，编制问卷工具需要先确定的依旧是问卷目的。问卷的目的需要与教育质量监测的目的契合。监测的目的不同、关注的重点不同，问卷编制的目的和内容也会不同。

2. 制定问卷的框架

问卷的调查框架包括问卷目的、问卷内容、调查对象、题目形式、问卷结果公布的具体方式等一系列内容。教育质量监测的目的决定了问卷调查的目的，也决定了问卷调查的内容。问卷内容可以从以下几个方面考虑。

①教育系统层面。涉及的指标有人均 GDP、教师工资福利、社会参与、决策层级、学校性质等。

②学校层面。涉及的指标有校长的领导力、学生整体情况、课程设计、课外活动、建校规模、学校支持、班级规模、学生构成、师资情况、教学资源、课堂环境等。

③教师层面。涉及的指标有专业培训的影响、教师对反馈的重视程度、教师的满意度、教师交流与协作、教师效能感、师生关系等。

④学生层面。涉及的指标有学生的社会经济背景、学生的学习风格、学生的性格特点、学生的学习态度和学习行为等。

确定问卷内容后，便可以根据调查内容的信息来源选择对应的调查对象。

3. 编制问卷

制定好问卷框架后，便可以根据问卷框架编制正式的问卷。与学业水平测验不同的是，问卷的编制需要进行大量的前期探索工作，包括查找有关的资料文献、进行调查访谈等。其中最为重要的是对相关人员的访谈。访谈可以获取他们对问卷形式和内容的看法，如提问方式、题目形式、题目数量、选项信息等。

4. 预测与修订问卷

问卷编制完成后，需要进行预测。问卷的预测主要包括两部分：一是根据正式问卷调查的条件、环境以及被调查者代表性样本进行预测，收集预测数据，检验信度，并运用探索性因素分析方法和验证性因素分析方法进行结构效度检验；二是向同一领域的专家、与调查内容相关的人员征求对问卷的意见，看是否存在不恰当或者与实际不符合的问题。

5. 形成正式的问卷

根据预测过程中反映的问题，对问卷内容逐一进行修改后，可编制形成正式的问卷及配套的管理和说明手册。

综上，监测工具的研发流程如图 3–1–2 所示。

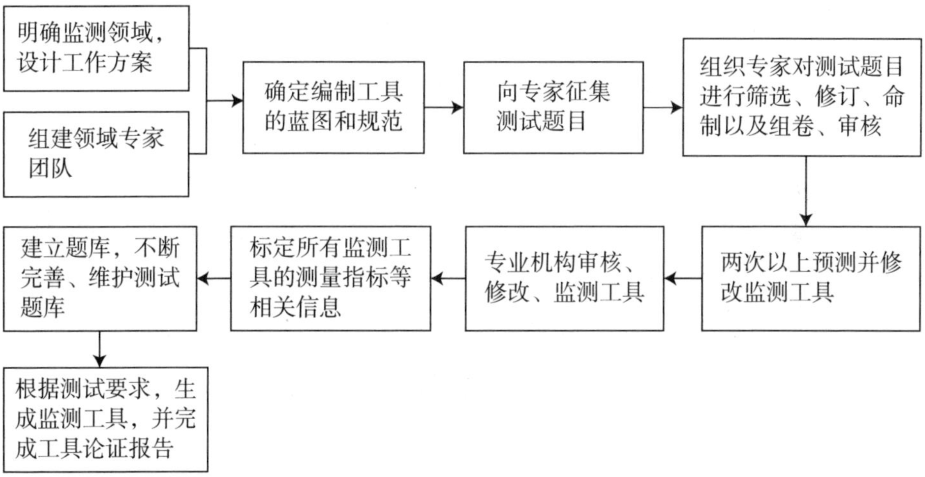

图 3–1–2 监测工具的研发流程图

3.2 命题人员选择与构成规范

基础教育质量监测工作专业性强，技术含量高，涉及的专业领域和工作内容较多。在开展教育质量评估监测工具的研发前，需要组建一支工具研发团队。PCAP 项目中命题人员的构成主要包括不同教育部门的代表、各教育部门的任课教师和一名负责监督科目的评估专家；NAEP 项目中命题人员的构成主要包括 ETS 测验开发人员、课程顾问、富有经验的各科测验开发专家；德国国家考试则主要是由德国国家教育发展研究院及相关科研机构的教育管理人员、教师培训人员、教育研究者、教育测量学者组成团队；PISA 则是由阅读、数学、科学等领域的世界级专家组成专家组，并由多国机构组成 PISA 国际联合处（主要由一些国际大型的测评机构组成，如 ETS 等）。

综上所述，工具编制需要测试研发管理者、领域专家、试题编写者共同参与。学业水平测验工具编制需要学科专家、测量专家和题目编写者共同参与。中小学教师和教研人员等学科专家熟知学科知识，但缺乏教育评估的理论和技术；测量专家懂得教育评价理论和技术，但缺乏学科知识。因此，学业水平测验工具编制的团队需要包括学科专家和测量专家，并保证两类成员专业知识和技术融合，使编制的学业水平测验不会变成传统的升学考试试题，也不会变成针对性不足、操作性不强的学术研究试题。

3.3 测验蓝图标准规范

确定了测验的目的、内容、对象后，便可考虑测验内容与测验工具形式的问题，以及制定测验蓝图。测验蓝图，也称双向细目表，是一种考查目标（能力）和考查内容之间的列联表，由测验的内容维度和行为技能构成。测验蓝图的编制，能使编题工作更有计划性，提高命题的效率和质量，对题目的审查也有重要的指导意义。

根据商定的测量目标，编制测验蓝图。测验蓝图是一个“双向多维”的细目表，应当包括以下方面的内容。

①测验的时间长度、试题总数量。

②测验所测内容（知识点）的分布比例。

③测验所测教学目标（关键能力或素养）的比例。

④测验试题题型分布比例。

⑤测验试题难度的分布比例。

⑥测验试题区分度的分布比例。

3.4 试测取样规范

上述内容已经详细总结了工具研制的流程规范，其中，试测样本的选取关系到最终的命题质量，且统计学上抽样的方法很多，具体抽样方法的选取需要根据监测项目的具体要求而定。

在抽样方法上，PISA 对目标总体采用了基于年龄的界定。PISA 选取的样本是在测试开始时年龄在 15.3 岁至 16.2 岁之间的在校学生，不管学生在哪个年级或哪种教育机构就读，也不考虑他们接受的是否为全日制教育，但不包括未在教育机构就读或在国外上学的学生。每个国家制定的特定样本设计和样本大小的抽样效率都是将学生层面估计值最大化。PISA 在各国的样本范围为 4500 ～ 10000 名学生。

TIMSS 采用联合国教育、科学及文化组织的国际教育标准分类中四年级和八年级的学生作为测试对象。所有被试的学生必须是正规公立学校的学生，私立学校和职业中学的学生不参与该研究。由于各参与国的学生入学年龄不同，各国学制有所差异，为保证受测学生年龄差异不会太大，TIMSS 规定，被测试的四年级学生的平均年龄不得低于 9.5 岁，八年级学生的平均年龄不得低于 13.5 岁。在抽样方法上，TIMSS 采用的是二阶整群抽样的方法，一阶由样本学校组成，二阶由样本学校目标年级的班级组成。一般来讲，一个国家大概有 150 所学校会被抽中。同时，被抽中的学校和班级在正式测试中的参与率至少达到 85%，否则该学校或班级的测试结果无效。

新西兰教育监测项目不是对全体四年级和八年级的学生进行监测，而是随机抽取 1440 名四年级学生和 1440 名八年级学生组成样本进行监测，这些学生大约是全国各自年级层次学生总数的 2.5%。1440 名学生被平均分成 3 组，每组 480 人，分别来自 120 所学校（每所学校 4 人），每组参与并完成整个监测任务的三分之一。

澳大利亚教育监测项目一般都以澳大利亚国内所有学校为抽样框架进行抽样，抽样框架由澳大利亚教育研究委员会提供，同时参考了多种数据来源，包括澳大利亚统计局以及地区和州教育部门的数据。一些检查项目按注册学生人数比例抽样，也称为二阶整群抽样，并且考虑地域分层抽样法，旨在对数据进行地域比较。为深入了解澳大利亚全国的基础教育质量和绩效，监测项目进行了随机抽样，同时还考虑到地区差别、城乡差异，以保证样本有足够的代表性，可以代表整个澳大利亚的基础教育成果。

综上所述，结合各国监测项目的抽样方案，以及本项目研究者在实际开展监测工作过程中积累的实践经验，本研究尝试制订一个规范的、适合我国教育质量监测的抽样方案。

教育质量监测属于大规模施测，因此监测需要采用三阶段分层不等概率抽样的方法，抽取有代表性的样本进行施测，具体如下。

第一层，抽取区县。先根据参与地区测试对象的总人数比例确定每个地区内抽取的区县数量；然后在每个地区内，依据教育质量评估的各种指标对区县进行分层；最后在每个层次内，根据区县内的学生比例按照不等概率方法进行抽样，确定区县名单。

第二层，抽取学校。先依据学校位置和办学条件等指标对学校进行分层，然后依据各层次学校的数量确定各层次抽取的学校数量，最后进行规模大小成比例的概率抽样，确定抽取学校名单。

第三层，抽取学生。在学校内部所调查的年级采用简单随机抽样的方法，抽取一定数量的学生进行测试。

3.5 审题与修改标准

审题与修改涉及对试题和问卷质量的分析，此部分的标准参见第四章“教育质量评估监测工具质量标准”。

3.6 施测过程规范

按照上述工具研发流程规范命制成型的测验可以正式交付使用，但实际的测验分数不仅包含与测验目的有关的变量引起的变异，还可能包含与测验目的无关的变量引起的变异。换言之，测验分数不仅仅取决于测量工具本身，也受测验实施过程的影响。因此，为降低测验施测过程中产生的随机误差，测验实施过程需要遵循一套规范的标准，即给予被试的指示、施测条件和评分步骤都遵循同样的标准。

NAEP 项目主要由西斯特公司负责完成数据采集与评价实施工作。全国评价与州评价同步进行，从每年 1 月份的最后一周开始到 3 月份的第一周结束。长期趋势评价按照学生样本年龄的不同分为三个阶段，即 13 岁学生的评价在秋季进行，9 岁学生的评价在冬季进行，17 岁学生的评价在春季进行。评分由美国国家计算机系统负责，选择题使用光电阅读器评分，开放式问题由经过培训的评分者依据评分指南和量表进行评分。

新西兰教育监测项目的具体施测一般在学年的下半年，即 8 月至 11 月之间进行。先进行八年级学生的监测与评估，为期五周；接着是四年级学生的监测与评估，为期五周。每个学生在为期一周的时间内参与四个小时的评估活动。监测结果都是任务导向的，因此按照任务对监测的结果和数据进行分析和对比，呈现任务中学生的总体表现，而不是某个学生某个测试的总成绩。

TIMSS 的测试过程，除了各国教育协调员负责各国测试的具体执行，IEA 国际研究中心还培训各国监察员负责监督测试过程。各国的监察员必须在测试当天实地考察 15 所学校的测试情况，并撰写实地考察报告。由于 TIMSS 的测试对象是四年级和八年级的学生，而南北半球对此的界定并不相同，因此北半球在 5、6 月份安排测试，南半球在 10、11 月份安排测试。

在 PISA 的具体施测中，各参与国政府要任命一个国家项目经理来负责监督每个参与国的评价实施情况。PISA 的测评形式是纸笔测试，测试均在学生所就读的学校内进行。测试包括两个部分：素养测试，个人背景与学习情况问卷。每个学生的素养测试时间为 2 小时，学生的个人背景与学习情况问卷填写时间约为 30 分钟。学校校长要填写一份费时 20 ～ 30 分钟的问卷，回答学校的人口分布特征及学校的学习环境等问题。

上述大型监测项目的施测过程的规范都十分具体和详尽，其目的就是尽量减少施测过程的误差。综合上述各国的施测规范，本研究总结出了一套标准化的施测过程。

（1）测验前的准备

①事先告知被试。在测验前应该事先告知被试测验的确切时间、地点、

目的、内容范围以及试题的类型等，这样可以使被试对测验有充分的心理准备，减少测验焦虑。有时为了避免被试的防御，测验前可以不告知被试该测验的真实目的，但是测验后或研究完成后，测验者应对此有一个交代和解释，并有责任消除因此可能会给被试带来的消极影响。

②主试自身的准备。测验的实施并不是简单地分发、收回试卷或问卷，对于某些个别测验和团体测验来说，测验的实施还有许多专业化的技术性工作。此外，主试还要做好应对各种突发状况的准备，并提供有效的应对措施。

（2）施测过程的标准化

在正式施测前，需要对参与施测的相关工作人员进行统一培训，让施测的工作人员充分了解测验的目的、相关指导语，以及施测指导手册中的各种要求。

①指导语标准化。施测过程标准化的第一步是指导语的标准化，即在测验实施过程中使用统一的指导语。指导语一般分为两种：一种是针对被施测者的，另一种是针对施测者的。给被施测者的指导语一般包括反应形式、如何记录反应、时间限制等。给施测者的指导语通常需要单独付印，主要包括对测验的进一步解释及其注意事项。

②施测时间标准化。对于在标准化施测指导手册中有明确时限要求的测验，施测者需要严格按照时间要求收发测验，不能随意调整。此外，对于施测时间的选取，也需要综合各方面的因素进行选择，不同时间进行测试，测试结果也有可能产生误差。

③施测环境标准化。施测过程的标准化不仅包括指导语、测验材料、测验时间等，还包括施测的环境，如考场布置、候考室安排、座位编排等。施测的环境是十分重要的因素。因此，施测手册中必须明确施测的环境。如果在施测过程中出现意外情况，施测者必须记录下来。

④评分标准化。评分标准化要求施测者严格按照评分手册的规定进行打分，尽量客观。

第四章

教育质量评估监测工具质量标准

4.1 标准编制的原则和依据

4.1.1 标准编制的原则

教育质量评估监测工具质量标准的研制应遵循七大原则，具体如下。

①客观规范原则。采取抽样调查方法，科学设计监测指标，规范监测流程，客观反映被试的教育质量水平以及潜在的影响因素。

②超前预防原则。标准化的对象不仅要在依存主体的实际问题中选取，而且更应从潜在问题中选取，以避免该对象非标准化后造成的损失。

③全面引导原则。以义务教育课程标准为依据，充分考虑我国不同地区、不同学生的差异，监测学生德智体美劳各方面情况，推进素质教育有效实施。

④协商一致原则。标准化的成果应建立在相关各方协商一致的基础上。

⑤统一有度原则。在一定范围、一定时期和一定条件下，对标准化对象的特性和特征应作出统一规定，以实现标准化的目的。

⑥变动有序原则。标准应依据其所处环境的变化而按规定的程序适时修订，保证标准的先进性和适用性。

⑦阶梯发展原则。标准化活动过程是阶梯状的上升发展过程。

4.1.2 标准编制的依据

1. 政策依据

全面实施素质教育是我国教育发展的战略主题。党中央和国务院对全面实施素质教育、深化教育领域综合改革作出了全面部署，对培养什么人、怎样培养人这一核心问题作出了具体回答。全面实施素质教育就是要培养德智体美劳全面发展的社会主义建设者和接班人，不断增强学生的社会责任感、创新精神、实践能力，促进学生身心健康、体魄强健，提高学生的审美和人文素养；就是要鼓励教师和校长在实践中大胆探索，创新教育思想、教育模式和教育方法，形成教学特色和办学风格，造就一批教育家，倡导教育家办学；就是要树立科学的教育质量观，通过直接评价学生的品德发展水平、学业发展水平、身心发展水平、兴趣特长养成、学业负担状况来评价学校的教育教学质量。

因此，教育评估监测要能引导学校提高教育教学质量、办出特色，促进学生全面而有个性地发展，从而推动素质教育的全面实施。用以规范工具研发和保障工具质量的标准就要以此为指导，符合相关政策精神，引导研发者研发出能够有效发挥诊断和改进功能的工具，以促进素质教育的全面实施。

2. 理论依据

（1）经典测量理论

真分数理论是最早实现数学形式化的测量理论。它从 19 世纪末开始兴起，20 世纪 30 年代形成比较完整的体系，而后渐趋成熟。1968 年，洛德和诺维克的《心理测验分数的统计理论》一书，将真分数理论发展至巅峰状态，并实现了向现代测量理论的转换。真分数理论作出了两个重要推论：第一，真分数等于实际分数的平均数；第二，在一组测量分数中，实际分数的变异数（方差）等于真分数的变异数（方差）与误差分数的变异数（方差）之和。经典测量理论在真分数理论假设的基石上构建起了它的理论大厦，主要包括信度、效度、项目分析、常模、标准化等基本概念。

真分数是指被测者在所测特质（如能力、知识、个性等）上的真实值。但由于测量误差的客观存在，测量结果不可能是完全没有误差的真分数，而是包含测量误差在内的实际分数。经典测量理论假定，实际分数与真分数之间是一种线性关系，实际分数是真分数与误差之和。

依据经典测量理论框架编制工具，最重要的任务就是在研发工具的各个环节上，通过各种方法和技术尽量减小测验误差，以提高测验的可靠性。这成为项目组研制学业质量监测工具标准的基本出发点，相应地，经典测量理论框架下的信度、效度以及用以项目分析的难度和区分度便成为评价学业质量监测工具质量的关键性测量学指标。

（2）项目反应理论

项目反应理论也称潜在特质理论或潜在特质模型，是一系列心理统计学模型的总称。项目反应理论是针对经典测量理论的局限性提出来的，它有三条基本假设。假设一：能力单维性假设，是指组成某个测验的所有项目都是测量同一潜在特质；假设二：局部独立性假设，是指对某个被试而言，项目间无相关存在；假设三：项目特征曲线假设，是指被试在某项目中的正确反应概率遵循一定的函数关系。

项目反应理论最大的优点是题目参数的不变性，即题目参数的估计独立于被试组。它假定，被试在某一试题上的成绩不受他在测验中其他试题的成绩影响；同时，试题中各个被试的作答也是彼此独立的，仅由各被试的潜在特质水平所决定，一个被试的成绩不影响另一被试的成绩。项目反应理论所得出的一切推论都必须以局部独立性假设为前提。项目反应理论通过项目反应曲线综合各种项目分析的资料，使人可以综合直观地看出项目难度、鉴别度等项目分析的特征，从而起到指导项目筛选、编制测验和比较分数等作用。

4.2 学业水平测评试卷质量标准

在教育质量评估监测工具研制过程中，测验工具的质量影响着整个监测的结果。一般来说，一个好的测验工具应具备以下特点：首先是符合考试（监测）的目标；其次是体现教学理念；最后还需要符合教育测量学的要求。对测验工具的质量分析，是工具研制过程中不可忽略的重要环节。一般来说，可以从两个角度对测验进行分析。

一是质性分析。质性分析是我国目前各类考试评价中被广泛采用的方法，依靠大批有经验的专家和教师对试卷的内容、考查角度以及学生的作答情况进行详细的分析。因为这些专家或者教师多年从事教学工作，积累了大量的经验，他们能提出更有针对性、可行性的修改意见。一般来说，质性分析方法更依赖于经验，容易导致判断具有一定的主观性和片面性。另外，专家的判读与考生的实际作答情况也会存在偏差。

二是量化分析。量化分析主要是从统计学的角度，利用统计结果考查每道试题的质量、效果，为试题编制者提供较为客观的指标，为改进试题提供客观依据。目前对测验工具质量的量化分析主要以经典测量理论和项目反应理论为基础。一般来说，量化分析的过程较为复杂，且相关的指标只有在施测后才能获得。另外，借助统计分析指标的量化分析必须与科学内容严密结合起来，才能有效提高试题质量。

因此，对于试题质量评价最合理的方法是先进行量化分析，然后再邀请专家进行论证，实施质性分析，最后才能达成修改意见。

关于监测工具质量的评价标准，课题组重点研究的是量化分析中的相关指标。一般来说，量化分析主要从“四度”，即难度、区分度、信度以及效度来对监测工具的质量进行评价。其中，难度和区分度主要是针对试题的评价，信度和效度主要是针对试卷的评价。

4.2.1 选项分析

进行测验质量分析之前，要先了解被试在每个选项（选择题）或者采分点（主观题）上的作答情况。这一分析是为后面的难度和区分度分析做铺垫。选项分析的结果通常统计在一个汇总表中（见表 4-2-1）。

表 4-2-1　作答情况表

题目	作答情况				
	A	B	C	D	无效作答
第一题					
第二题					
第三题					
第四题					
第五题					
……					

有时为了方便对照选项分析后续的难度、区分度情况，还可以将被试按高低分分组（一般选择前后 27% 的学生）分别统计作答情况。

单选题的质量受问题、最佳选项和干扰项质量的共同影响。从质量来看，干扰项有功能干扰项与非功能干扰项之分：功能干扰项是合理且有一定迷惑性的选项，是基于对正确答案的普遍误解；非功能干扰项是指考生很少选择或未达其他测评要求的选项。高质量的单选题需要有高质量的干扰项，最理想状态是所有干扰项都是功能干扰项。大量的研究者将选择率低于 5% 的选项视为非功能干扰项。①②③④

综上所述，对于选择率低于 5% 的选项，专家应该考虑从条目中移除并替换，或者修改它以提高学生对条目的辨别能力。但在某些情况下，这一建议可以被忽略。例如，如果一道多项选择题非常简单（超过 90% 的学生回答正确），那么大多数干扰因素的出现频率就会很低。然而，这些简单的项目仍然可以在测试中保留，以维护内容覆盖率或满足测试蓝图中的内容需求。

4.2.2 项目难度

在经典测量理论中，难度一般用 P 表示，即考生在试题上作答的通过率、得分率或答对率。P 值越大，表示题目越容易，反之则题目越难。

在监测（考试）中，试题的难度应该控制在什么范围内、试题的难度如何分布，这些均与考试的性质、目的、类型及试题间的相关度有关。

《基础教育质量监测——抽样设计与数据分析》一书指出，难度值在 0.80 及以上为容易，0.30 ～ 0.80 为中等难度，0.20 以下为难题。整卷的难

---

① CIZEK G J, ROBINSON K L, O' DAY D M. Nonfunctioning options : A closer look [J] . Educational and Psychological Measurement，1998，58（4）：605–611.

② ROGERS W T, HARLEY D. An empirical comparison of three–and four–choice items and tests : Susceptibility to testwiseness and internal consistency reliability [J] . Educational and Psychological Measurement，1999，59（2）：234–247.

③ TARRANT M，WARE J，MOHAMMED A M. An assessment of functioning and non–functioning distractors in multiple–choice questions : A descriptive analysis [J] . BMC Medical Education，2009（9）：40.

④ GIERL M J，BULUT O，GUO Q，et al. Developing，analyzing，and using distractors for multiple–choice tests in education : A comprehensive review [J] . Review of Educational Research，2017，87（6）：1082–1116.

度是试卷所有试题难度的平均值，根据不同的测试目的，对整卷难度的要求各不相同。①

《心理与教育测量（第三版）》一书指出，一般的标准化常模参照测验，目的在于尽可能地区分被试的个体差异，要求测验结果能够将被试的水平尽可能拉开，此时，测验项目难度值应尽量接近 0.50。② 如果一个测验大多数项目的难度值范围在 0.30 ～ 0.70，就能最大限度地获得有关个体间差异的信息。③

本研究的教育质量评估监测工具的难度分析标准如表 4-2-2 所示。一般来说，选拔性测验的平均难度值在 0.50 ～ 0.60；达标性测验的平均难度值为 0.80。

表 4-2-2　试卷难度分析表

难度值	难度描述	题目数	题号	分值
(0，0.20]	难			
(0.20，0.39]	较难			
(0.39，0.69]	中等			
(0.69，0.79]	较易			
(0.79，1]	容易			
最小难度值				
最大难度值				
平均难度值				

4.2.3 项目区分度

试题区分度是指对不同能力被试的区分程度，反映了这道试题用来测试不同水平被试的符合实际的灵敏度。水平高的被试得分高，水平低的被试得分低。在经典测量理论背景下，比较常用的计算区分度的方法有以下

① 张丹慧，张生，刘红云．基础教育质量监测：抽样设计与数据分析［M］．北京：北京师范大学出版社，2015.

② 戴海崎，张峰，陈雪枫．心理与教育测量［M］．3 版．广州：暨南大学出版社，2011.

③ 卡普兰．心理测验：原理、应用及问题［M］．赵国祥，李勇峰，李永鑫，等译．5 版．西安：陕西师范大学出版社，2005.

几种。

1. 鉴别力指数（D）

$$D = P_{\mathrm{H}} - P_{\mathrm{L}}$$

上式中，D 为试题的鉴别力指数，P_{H} 为高分组的答对率（前 27% 学生的得分率），P_{L} 为低分组的答对率（后 27% 学生的得分率）。

1965 年，美国测验专家伊贝尔根据长期经验提出的鉴别力指数评价标准如表 4–2–3 所示。

表 4–2–3　试题鉴别力指数与试题质量的关系

鉴别力指数	试题质量等级
(0.39，1]	非常好
(0.29，0.39]	良好，可继续改进
(0.20，0.29]	勉强可以，但需要改进
(0，0.20]	差，淘汰

此标准在《基础教育质量监测——抽样设计与数据分析》《教育测量》《心理与教育测量（第三版）》等众多教育测量学的专业图书中被引用。因此，上述标准依旧可以作为教育质量监测中区分度的衡量标准之一。

一般来说，在对测验工具进行项目（题目）区分度分析后，需要将结果汇总成一个表格（见表 4–2–4）。

表 4–2–4　试卷区分度分析表

区分度	区分度描述	题目数量	题号	分值
(0，0.20]	淘汰			
(0.20，0.29]	勉强可以，但需修改			
(0.29，0.39]	良好			
(0.39，1]	优秀			
最小区分度值				
最大区分度值				
平均区分度值				

2. 题目—总分相关系数

根据被试在某题上的得分与该被试总分之间的相关系数，可以判断该题是否具有良好的区分度。如果题目分是连续变量，则使用皮尔逊相关系数；如果题目是二值计分，则使用点二列相关系数。

一道试题的区分度不仅关系到测试结果的信度，还关系到测验的效度。一道试题的得分与总分相关系数高，则这道题对整个测验内部一致性信度贡献就大。测量目的不同的测验对区分度的要求不同。对于常模参照测验而言，其目的是要将被试尽量区分开来，因此，区分度越高，试题越好。

《基础教育质量监测——抽样设计与数据分析》指出，如果使用的是相关系数作为区分度指标，则区分度0.35以上为良好，0.20以下则需要改进。[①]

4.2.4 测验信度

试题质量好的前提是该题的测量结果必须可靠。所谓可靠，是指多次考试的结果能够保持一致。经典测量理论通常将测试结果的可靠程度称为信度。其测量学上的定义为一组测量分数的真实值的变异与观测值的变异的比例，用 r 表示。

在实际操作中，常用的信度估计方法有重测信度、复本信度、分半信度、内部一致性信度以及评分者信度等。

1. 内部一致性信度

表 4-2-5 汇总了国内外大型考试对于内部一致性信度的评价标准。

表 4-2-5　学业发展水平测验内部一致性系数参考值文献表

文献来源	工具名称	内部一致性系数
PISA 2018 技术报告[②]	PISA 2018 数学测验	CBA 国家评估：0.86；PBA 国家评估：0.82

① 张丹慧，张生，刘红云 . 基础教育质量监测：抽样设计与数据分析 [M]. 北京：北京师范大学出版社，2015.

② OECD. PISA 2018 results：Volume I [R/OL] .（2018-10-03）[2022-05-01] . https://www.oecd.org/pisa/publications/pisa-2018-results-volume-i-5f07c754-en.htm.

续表

文献来源	工具名称	内部一致性系数
PISA 2018 技术报告	PISA 2018 阅读测验	CBA 国家评估：0.94；PBA 国家评估：0.91
	PISA 2018 科学测验	CBA 国家评估：0.89；PBA 国家评估：0.83
TIMSS 2015 技术报告①	TIMSS 2015 数学和科学学业发展水平测验	国际内部一致性系数中位数为 0.92
	TIMSS 2015 数学测验	各国四年级内部一致性系数中位数为 0.83，八年级为 0.88
	TIMSS 2015 科学测验	各国四年级内部一致性系数中位数为 0.78，八年级为 0.83
NAEP 1998 技术报告②	NAEP 1998 阅读课测验	四年级各题册内部一致性系数为 0.69～0.80，八年级各题册内部一致性系数为 0.70～0.81，十二年级各题册内部一致性系数为 0.58～0.79
	NAEP 1998 公民课测验	四年级各题册内部一致性系数为 0.50～0.55，八年级各题册内部一致性系数为 0.70～0.76，十二年级各题册内部一致性系数为 0.74～0.84
中国儿童青少年心理发育特征调查项目③④⑤	数学学业成就测验	三个学段各题本的内部一致性系数为 0.79～0.90
	语文学业成就测验	四个学段各题本的内部一致性系数为 0.75～0.89
2009 年高考数学试题分析⑥	2009 年高考数学试卷	理科甲卷内部一致性系数为 0.8138，理科乙卷内部一致性系数为 0.8503

① IEA. TIMSS 2015 technical report［R/OL］.（2018-11-01）［2021-08-21］https://nces.ed.gov/pubsearch/pubsin=2018020fo.asp?pubid.

② NCES. NAEP 1998 technical report［R/OL］.（2001-06-01）［2021-08-11］https://nces.ed.gov/nationsreport card/pubs/main1998/2001509.asp.

③ 董奇，林崇德 . 中国儿童青少年心理发育标准化测验简介［M］. 北京：科学出版社，2011.

④ 董奇，林崇德 . 中国儿童青少年心理发育特征调查项目技术报告［M］. 北京：科学出版社，2011.

⑤ 董奇，林崇德 . 中国 6～15 岁儿童青少年心理发育关键指标与测评［M］. 北京：科学出版社，2011.

⑥ 教育部考试中心 . 高考理科试题分析：2010 年版［M］. 北京：高等教育出版社，2009.

续表

文献来源	工具名称	内部一致性系数
2003年普通高等学校招生全国统一考试试题评价报告——理科综合能力测试①	2003年普通高等学校招生全国统一考试理科综合能力测试	0.85
2003年普通高等学校招生全国统一考试试题评价报告——数学②	2003年普通高等学校招生全国统一考试数学考试	现行课程文科数学内部一致性系数为0.8791，理科数学内部一致性系数为0.8011；新课程文科数学内部一致性系数为0.8356，理科数学内部一致性系数为0.7978
高中数学考试质量分析的研究③	高中数学考试	内部一致性系数大于0.90，表明信度很高，达到最高的标准化考试水平；介于0.80至0.90之间，表明学校考试信度很好；介于0.70至0.80之间，表明学校考试大部分试题很好，可能少数试题需要改进；介于0.60至0.70之间，信度稍低，需要补充其他试题以确定分数或等次，部分试题需要改进；介于0.50至0.60之间，信度低，建议对试卷进行修改；小于0.50，信度差，考试基本无效
高考数学测量理论与实践④	学业考试	大规模数学考试（如高考），试卷内部一致性系数在0.80以上；学校自己命制的期中和期末考试，内部一致性系数在0.60以上即可认为考试信度较好

① 教育部考试中心．2003年普通高等学校招生全国统一考试试题评价报告：理科综合能力测试［J］．中国考试（高考版），2003（C3）：16-18.

② 教育部考试中心．2003年普通高等学校招生全国统一考试试题评价报告：数学［J］．中国考试（下半月），2003（11）：8-11.

③ 袁洁．高中数学考试质量分析的研究［D］．上海：上海师范大学，2011.

④ 教育部考试中心．高考数学测量理论与实践［M］．北京：高等教育出版社，2006.

续表

文献来源	工具名称	内部一致性系数
试卷质量的分析①	学业考试	大规模数学考试（如高考），试卷内部一致性系数在 0.90 以上；学校自己命制的期中和期末考试，内部一致性系数在 0.60 以上即可认为考试信度较高
给试卷打打分——考试质量的定量分析指标初探②		
关于试卷质量的分析方法③		
基于教育测量理论的中学数学试卷质量评价研究④	中学数学试卷	通常情况下，对标准化的大型测试的内部一致性系数要求在 0.90 以上，例如，托福考试的内部一致性系数大约为 0.95，学校教师自己命制的期中和期末考试，内部一致性系数在 0.60 以上即可认为考试信度较好。内部一致性系数小于 0.35 的属于低信度，应拒绝使用；大于 0.50 的，可认为考试可靠；大于 0.80 的表示考试信度较高
学业成就调查的原理与方法⑤	学业成就测验	一般来说，学业成就测验所有题目的内部一致性系数需大于 0.85
心理测量⑥	学业成就测验	学业成就测验要求内部一致性系数在 0.90 以上才能被称为是一个良好的测验
教育测量（修订版）⑦	学业成就测验等	标准化学习测验及能力测验的内部一致性系数应在 0.90 以上，标准化智力测验的内部一致性系数应在 0.85 以上

① 张琼．试卷质量的分析［J］．高教论坛，2004（4）：65−67，73.

② 司俊峰，胡洋．给试卷打打分：考试质量的定量分析指标初探［J］．河北教育（综合版），2007（2）：12−13.

③ 万金凤．关于试卷质量的分析方法［J］．山西师范大学学报（自然科学版），2006，20（1）：22−24.

④ 吴慧萍．基于教育测量理论的中学数学试卷质量评价研究［D］．武汉：华中师范大学，2012.

⑤ 田慧生，孙智昌．学业成就调查的原理与方法［M］．北京：教育科学出版社，2012.

⑥ 金瑜．心理测量［M］．上海：华东师范大学出版社，2001.

⑦ 王孝玲．教育测量：修订版［M］．2 版．上海：华东师范大学出版社，2005.

综合相关研究和标准来看，学业发展水平测验的内部一致性信度要求如表 4-2-6 所示。

表 4-2-6　学业发展水平测验内部一致性信度水平标准

内部一致性系数	信度水平	意义
(0，0.60]	低	不宜用于评价和预测，不能用于团体比较
(0.60，0.75]	较低	勉强可用于评价和预测，可靠性低
(0.75，0.90]	较高	可用于评价和预测，可接受
(0.90，1]	高	可用于评价和预测，可靠性高

2. 评分者信度

评分者信度指的是多个评分者给同一批人的主观题答卷评分的一致性程度。考查评分者信度的方法是，随机抽取相当份数的试卷，由两位或多位评分者按记分规则分别给分，然后根据每份试卷的分数考查评分的一致性。

如果只有两位评分者，计算其评分的相关系数作为评分者信度，一般要求成对的、受过训练的评分者之间的平均一致性信度达到 0.90 以上，评分才被认为是客观的。当多位评分者评价多位评分对象，并以等级法记分时，可以采用统计软件 SPSS 计算肯德尔和谐系数作为评分者信度的估计。

对于学业发展水平测验中的主观性题目，应报告评分者信度。表 4-2-7 汇总了国内外大型考试对于评分者信度的评价标准。

表 4-2-7　评分者信度参考值文献表

文献来源	工具名称	评分者信度
PISA 2012 技术报告①	PISA 2012 学业发展水平测验	低于 0.85，即被认为是有问题的题目

① OECD. PISA 2012 technical report [R/OL]. (2014-01-01) [2022-01-01]. https://www.oecd.org/pisa/pisaproducts/pisa2012technicalreport.htm.

续表

文献来源	工具名称	评分者信度
TIMSS 2019 技术报告①	TIMSS 2019 数学和科学学业发展水平测验	标注评分者信度小于 0.80 的题目可能存在问题
	TIMSS 2019 数学测验	国际平均水平四年级国内评分者信度为 0.98，八年级为 0.98
	TIMSS 2019 科学测验	国际平均水平四年级国内评分者信度为 0.95，八年级为 0.95
中国儿童青少年心理发育特征调查项目②③④	数学学业成就测验	三个学段的评分者一致性系数都高于 0.90
大学英语四、六级考试非面试型口语考试效度研究⑤	大学英语四、六级口语考试	口语考试的评分者信度达到 0.80 以上被认为是满意的

综合相关研究和标准来看，评分者信度标准如表 4-2-8 所示。

表 4-2-8　学业发展水平测验评分者信度水平标准

评分者信度值	信度水平	意义
（0，0.85）	低	评分结果可靠性低，应对题目、参考答案、评分标准等进行重新审查，或对评分者进行重新培训、评价和筛选
[0.85，0.90）	中	评分结果比较可靠，建议对题目、参考答案、评分标准等进行重新审查，或对评分者进行重新培训、评价和筛选
[0.90，1]	高	评分结果可靠性高

① IEA. TIMSS 2019 technical report [R/OL].（2020-01-01）[2022-01-01]. https://eric.ed.gov/?id=ED610099.

② 董奇，林崇德. 中国儿童青少年心理发育标准化测验简介 [M]. 北京：科学出版社，2011.

③ 董奇，林崇德. 中国儿童青少年心理发育特征调查项目技术报告 [M]. 北京：科学出版社，2011.

④ 董奇，林崇德. 中国 6～15 岁儿童青少年心理发育关键指标与测评 [M]. 北京：科学出版社，2011.

⑤ 金艳，郭杰克. 大学英语四、六级考试非面试型口语考试效度研究 [J]. 外语界，2002（5）：72-79.

4.2.5 测验效度

效度是指一个测验或某一量表能够测出它所要测量的特征或功能的程度，效度高表示该测验能达到它所要测量的目的。效度涉及测验的最本质的问题：测验测的是什么，是否测出了所要测量的特质的相关数据。在经典测量理论中，效度的测量方式有多种。在学业水平的测量中，常用的效度为内容效度和效标效度。

1. 内容效度

内容效度是指试卷和试题对想要考查的内容范围选择的适当程度。内容效度是以内容为基础的验证方法，它评价的是测验项目取样的适当性，主要与测验内容有关，故称为内容效度。一份试卷要具备较好的内容效度必须满足两个条件：第一，要确定好内容范围；第二，测验试题应是已界定的内容范围的代表性样本。

对内容效度的判定方法一般有三种：专家判定法、同质性检验法和复本法。

专家判定法是一种定性分析的方法，即由学科专家和测量专家对测验项目所涉及的内容范围进行符合性判断。学科专家要充分了解本次测验的目的、测验的蓝图、相关教学内容等，然后与试题进行系统比较，并作出判断。测量专家需要评判内容效度比（CVR），要求 $CVR > 0.70$。计算公式：

$CVR=(ne-N/2)/(N/2)$。

公式中 CVR 为内容效度比，ne 为判断项目的具有代表性的专家人数，N 为参与评判的专家总人数。

同质性检验法就是计算每题与总分的相关系数、分测验与总测验的相关系数，相关系数越大，则同质性越高，内容效度越大。这种方法要么事前做试测分析，要么事后分析计算。

复本法认为，内容效度可根据一组考生在取自同样内容范围的两个测验复本得分的相关来做数量上的估计。这种得分相关的高低是一种相对性的判断，因此并没有绝对的标准。

2. 效标效度

效标是衡量一个测验是否有效的外在标准，它独立于测验并可以从实践中直接获得。衡量学业水平测验的有效性，最好的方法是分析测验结果与效标之间联系的程度。效标效度的计算，即求测验与效标之间的相关系数，其数值越大，意味着对于所选择的效标来说，测试结果越有效。一般认为，0.50 ～ 0.75 为较高程度的相关，大于 0.75 为强相关，而小于 0.25 则可视为弱相关或不相关。① 表 4-2-9 总结了一部分资料文献效标效度参考值范围的相关规定，依据表中资料，课题组认为学业能力倾向测验与学业成就测验之间的积差相关系数应达到 0.50 ～ 0.80，相同年级、相同科目的学业成就测验之间的积差相关系数应达到 0.80 ～ 1。

表 4-2-9　学业测验相关的效标效度资料文献表

文献来源	指标	参考值范围
心理测量②	组间相关、项目与测验总分的相关	杜克尔在 1946 年的《心理统计》第 11 期上发表的《等价测验项目的最大有效性》一文中提出，组间相关在 0.10 至 0.60 之间，项目与测验总分的相关在 0.30 至 0.80 之间，常会产生良好的效度和令人满意的信度
教育测量（修订版）③	效度系数	不能说效度系数为 0.4 的测验是无效的，也不能说效度系数为 0.5 的测验是有效的，因为效度系数的估计方法甚多……只要对效度系数经过统计假设检验，其结果表明有显著性，就可以认为测验是有效的
教育测量与评价④	智力测验、学业测验的效度系数	智力测验分数与教师对学生的等级评定之间的效度系数一般应达到 0.30 ～ 0.50；相同科目的标准测验成绩与教师对学生名次排列的相关系数一般应达到 0.60 ～ 0.70；两种不同的智力测验或标准测验之间的相关系数应达到 0.60 ～ 0.80，才能认为符合要求

① 邱皓政．量化研究与统计分析：SPSS（PASW）数据分析范例解析［M］．重庆：重庆大学出版社，2013.

② 金瑜．心理测量［M］．上海：华东师范大学出版社，2001.

③ 王孝玲．教育测量：修订版［M］．2 版．上海：华东师范大学出版社，2005.

④ 黄光扬．教育测量与评价［M］．2 版．上海：华东师范大学出版社，2012.

续表

文献来源	指标	参考值范围
问卷统计分析实务——SPSS 操作与应用①	积差相关	在推论统计中，两个变量间的相关是否达到显著，不能单从积差相关系数绝对值的大小来判断，必须依据积差相关系数显著性检验的概率值 P 来判定，若是显著性概率值 $P>0.05$，表示两个变量间的相关未达显著，即两个变量间没有呈显著的正相关或显著的负相关；相反的，若是显著性概率值 $P<0.05$，表示两个变量间的相关达到显著，相关系数不是偶然造成的，两个变量间呈显著的正相关或显著的负相关。当两个变量间的相关系数达到显著时，可以再从相关系数绝对值（r）的大小来判别两个变量的关联程度，一般的判别标准如下： 低度相关：$r<0.40$；中度相关：$0.40 \leqslant r \leqslant 0.70$；高度相关：$r>0.70$

4.2.6 基于项目反应理论（IRT）的测验质量评价标准

经典测量理论有一定的局限性：严重依赖样本，测验的观测分数之间难以比较，测量误差估计不精确，项目难度和被试水平不在同一量纲上。针对上述局限，后来发展起来的项目反应理论就显得更有优势。目前 ETS、PISA、TIMSS 等国际教育测量机构与大型教育测量评估活动均采用项目反应理论进行分析研究。

项目反应理论包含两大类参数：一是描述被试能力水平的被试能力（特质）参数；二是描述题目属性和性能的项目参数（难度、区分度、猜测度）。依据项目反应理论的模型的不同，提供的项目参数会有所不同。

根据项目反应函数（模型）会得出一条 S 形的项目特征曲线，反映了被试在项目上的正确概率与项目本身难度、区分度以及猜测度之间的函数关系。项目反应理论中的难度与经典测量理论的难度概念相同，也就是题

① 吴明隆. 问卷统计分析实务：SPSS 操作与应用［M］. 重庆：重庆大学出版社，2010.

目的难易程度，通常用符号 b 表示，对应项目特征曲线的中心拐点，b 值的范围从负无穷到正无穷，b 值越小说明题目越容易，反之则越难。

区分度（a）对应的是曲线拐点的切线的斜率，斜率越大，说明项目的区分度越大。区分度的取值范围是 0 到正无穷，但一般在 3 以下。如果拐点的斜率为 0，那么项目特征曲线就是一条平行于横轴的直线，说明项目毫无鉴别能力。

相较于经典测量理论，项目反应理论中的参数具有样本不变性，且考生的能力和试题的难度在同一量尺上，因此，在实际应用中更为科学合理。尤其是项目特征曲线，能充分反映考生能力水平与试题之间的关系。

此外，项目反应理论中也有与经典测量理论中信度相对应的概念，即信息函数。信息函数分为项目信息函数和测验信息函数，其在进行项目和测验分析以及指导测验编制的过程中有着重要的应用价值。

项目信息函数反映了不同参数的项目在评价不同被试时的信息贡献量，其大小由项目参数和被试能力共同决定。项目提供的信息量越大，参数估计就越精确，即该项目在评价该被试的能力水平时提供的信息越多。项目只有在考查那些能力与项目难度相当的被试时，才能提供最精准的结果。

测验信息函数是项目信息函数的累加，测验信息函数反映了整个测验在评价不同能力被试时的信息贡献的大小。测验信息量越大，则说明该测验评价被试水平的能力越高。一般认为当测验信息量达到 25 时，测验质量良好；信息量为 16 ～ 25 时，测验质量有待提升；低于 16 时，测验质量较差。表 4-2-10 呈现了关于测验信息量的相关参考值。

表 4-2-10　测验信息量参考值文献表

文献来源	工具名称	整体信息量值（范围）
学业成就调查的原理与方法[①]	学业成就测验	通常，学业成就调查的测验信息量应在 25 以上

① 田慧生，孙智昌 . 学业成就调查的原理与方法［M］. 北京：教育科学出版社，2012.

续表

文献来源	工具名称	整体信息量值（范围）
计算机化自适应测验选题策略研究——以GRM和DINA模型为例[①]	计算机化自适应测验	通常，学业成就调查的测验信息量应在25以上
多级评分题计算机自适应测验选题策略比较[②]		
基于GPCM的计算机自适应测验选题策略比较[③]		
等级反应模型下计算机化自适应测验选题策略[④]		
引入曝光因子的计算机化自适应测验选题策略[⑤]	计算机化自适应测验	测验信息量应大于等于16
多级评分计算机化自适应测验动态综合选题策略[⑥]		
等级评分模型下的最大信息量分层选题策略[⑦]		
用测验信息量分析试卷质量[⑧]		

① 汪文义．计算机化自适应测验选题策略研究：以GRM和DINA模型为例[D]．南昌：江西师范大学，2009.

② 戴海琦，陈德枝，丁树良，等．多级评分题计算机自适应测验选题策略比较［J］．心理学报，2006，38（5）：778-783.

③ 刘珍，丁树良，林海菁．基于GPCM的计算机自适应测验选题策略比较［J］．心理学报，2008，40（5）：618-625.

④ 陈平，丁树良，林海菁，等．等级反应模型下计算机化自适应测验选题策略［J］．心理学报，2006，38（3）：461-467.

⑤ 程小扬，丁树良，严深海，等．引入曝光因子的计算机化自适应测验选题策略［J］．心理学报，2011，43（2）：203-212.

⑥ 罗芬，丁树良，王晓庆．多级评分计算机化自适应测验动态综合选题策略［J］．心理学报，2012，44（3）：400-412.

⑦ 程小扬，丁树良，朱隆尹，等．等级评分模型下的最大信息量分层选题策略［J］．江西师范大学学报（自然科学版），2012，36（5）：446-451.

⑧ 熊建华，丁树良，漆书青，等．用测验信息量分析试卷质量［J］．江西师范大学学报（自然科学版），2002，26（3）：225-228.

续表

文献来源	工具名称	整体信息量值（范围）
中国儿童青少年心理发育特征调查项目 ①②③	数学学业成就测验	报告了各学段的整个测验信息函数图
	语文学业成就测验	报告了各学段的整个测验信息函数图

4.3 品德发展、身心发展等综合指标测评量表质量标准

教育质量监测除了监测学生的学业发展情况，还需要监测学生的品德发展、身心发展、审美素养、劳动与社会实践等综合素养情况，而相关综合素养指标的评价只能以问卷量表或者问卷的形式进行监测。例如，PISA 设计了评估学生对各学科的情感态度、学习策略、学习特点等问卷；TIMSS 设计了影响因素问卷，了解学生的学习态度、兴趣、学习习惯、学习风格等。

本课题组参考了国内外大型教育监测项目技术报告、心理量表质量分析、调查问卷质量分析等资料，汇总了问卷工具质量评价的报告或规定，具体如表 4-3-1 所示。

表 4-3-1　量表、问卷或试卷定量评价指标

文献来源	量表、问卷或试卷名称	评价指标
教育与心理测试标准 ④	教育与心理测验	信度（内部一致性信度、评分者信度）、效度（内容效度、结构效度、效标效度）、难度、区分度

① 董奇，林崇德．中国儿童青少年心理发育标准化测验简介［M］．北京：科学出版社，2011.

② 董奇，林崇德．中国儿童青少年心理发育特征调查项目技术报告［M］．北京：科学出版社，2011.

③ 董奇，林崇德．中国 6 ～ 15 岁儿童青少年心理发育关键指标与测评［M］．北京：科学出版社，2011.

④ 美国教育研究协会，美国心理学协会，全美教育测量学会．教育与心理测试标准［M］．燕娓琴，谢小庆，译．沈阳：沈阳出版社，2003.

续表

文献来源	量表、问卷或试卷名称	评价指标
简式父母教养方式问卷中文版的初步修订①	简式父母教养方式问卷	信度（内部一致性信度）、效度（结构效度、效标效度）、区分度
情绪调节困难量表在中国人群中的初步测试②	情绪调节困难量表	信度（内部一致性信度）、效度（结构效度）
父母教养方式量表编制③	父母教养方式量表	信度（内部一致性信度、分半信度）、效度（内容效度）
青少年道德情感问卷编制④	青少年道德情感问卷	信度（内部一致性信度）、效度（结构效度）
中小学生移情量表编制研究⑤	中小学生移情能力量表	信度（内部一致性信度、重测信度）、效度（结构效度）
大学生挫折应对能力形容词量表的编制⑥	大学生挫折应对能力形容词量表	区分度、信度（内部一致性信度、分半信度、重测信度）、效度（结构效度、效标效度）
青少年暴力犯罪人格问卷的编制⑦	青少年暴力犯罪人格问卷	区分度、信度（内部一致性信度、重测信度）、效度（结构效度、区分效度）

① 蒋奖，鲁峥嵘，蒋苾菁，等 . 简式父母教养方式问卷中文版的初步修订［J］. 心理发展与教育，2010（1）：94-99.

② 王力，柳恒超，杜卫，等 . 情绪调节困难量表在中国人群中的初步测试［J］. 中国健康心理学杂志，2007，15（4）：336-340.

③ 马福存，石惠 . 父母教养方式量表编制［J］. 知识经济，2012（24）：144，148.

④ 文福荣，肖少北 . 青少年道德情感问卷编制［J］. 教育与教学研究，2010，24（3）：50-52，90.

⑤ 周念丽 . 中小学生移情量表编制研究［J］. 心理科学，2001，24（5）：610-611，635.

⑥ 田宝伟，郑日昌，吴九君 . 大学生挫折应对能力形容词量表的编制［J］. 北京交通大学学报（社会科学版），2011，10（3）：132-136.

⑦ 肖利军，刘旭峰，苗丹民 . 青少年暴力犯罪人格问卷的编制［J］. 实用预防医学，2010，17（11）：2140-2142.

综上所述，综合指标测评量表及问卷的评价，需要对量表问卷题目进行评价，但主要是对整个量表的质量评价，因此适合的指标是区分度（题目—总分相关系数、题目因素负荷量）、信度和效度。区分度和信度的分析方法与上述学业水平测验的一样，但是指标的标准值与对学业水平测验的要求有较大的差异。效度主要采用的是结构效度，也会使用内容效度和效标效度。

4.3.1 量表、问卷的题目数和题目的因素负荷量

表 4-3-2　量表、问卷题目数和题目因素负荷量文献表

文献来源	指标	参考值范围
问卷统计分析实务——SPSS操作与应用①	量表题项数	最后定稿的正式量表题项数应该为多少最适宜，并没有绝对的标准。就一般情形而言，若该份量表是测量一种普遍的或多重向度的变量，其题数在 20 ～ 25 题即已足够；若要测量的是特定的变量，以 7 ～ 10 题为适宜；若每个量表包括不同因素层面的子量表，每个子量表（因素层面）所包括的题项以 3 ～ 7 题较为适宜。量表题项数的多少，应考虑实际研究情况，如一份问卷共使用了几种量表、受试对象的年龄与身心成熟度如何、受试者的时间是否许可等因素。如果问卷的题项数过多或问卷设计过于复杂，则对受试对象而言是一种身心的煎熬，受试者在填答时可能较为马虎，如此，便无法真正搜集到正确的信息
中国农村 6 ～ 11 岁小学生忽视评价常模的研制②	量表题项数	两种常模量表最终保留题项数分别为 69 个、58 个，均包含身体、情感、医疗、教育、安全和社会 6 个忽视层面（每个因素平均 10 ～ 12 题）

① 吴明隆 . 问卷统计分析实务：SPSS 操作与应用［M］. 重庆：重庆大学出版社，2010.

② 潘建平，杨武悦，陈晶琦，等 . 中国农村 6 ～ 11 岁小学生忽视评价常模的研制［J］. 中华预防医学杂志，2014，48（6）：476-483.

续表

文献来源	指标	参考值范围
初中生数学元认知水平调查问卷的设计与编制①	量表题项数	建立了 81 道题目的初始问卷，其中数学元认知知识维度 22 题，数学元认知体验维度 12 题，数学元认知监控维度 42 题，测谎题 5 道；经过项目分析后，问卷保留题目 65 道；4 次探索性因素分析共删除 17 道题，剩余 48 道题；验证性因素分析后，最终剩余题目 31 道（平均每个维度 10 题）
基于机器学习简化 MMPI 量表的有效性研究②	量表题项数	通过 LASSO 算法简化量表，男性测评者由原来的 399 道题目优化为 250 道题目，缩短了 37.3% 的测评时间，女性测评者由原来的 399 道题目优化为 243 道题目，缩短了 39.1 % 的测评时间（平均每个分量表 24 ～ 25 题）
青少年日常学校生活事件量表的编制及信度效度与跨学段测量等值性检验：基于有序分类数据③	量表题项数	青少年日常学校生活事件量表由经济困扰、学习困扰、人际困扰、恋爱困扰和受罚与失败等 5 个维度共 20 题构成（平均每个维度 4 题）
心理测量——历史、原理及应用（原书第 5 版）④	题目（变量）因素负荷量	因子矩阵包含了一个因子载荷的相关表格。因子载荷（取值范围是 −1.00 ～ 1.00）表示了每个变量在每个因子上面的重要性

① 崔宝蕊，李健，王光明 . 初中生数学元认知水平调查问卷的设计与编制［J］. 数学教育学报，2018，27（3）：45−51.

② 孙启科，董问天，王克，等 . 基于机器学习简化 MMPI 量表的有效性研究［J］. 青岛大学学报（自然科学版），2021，34（2）：23−28.

③ 欧贤才 . 青少年日常学校生活事件量表的编制及信度效度与跨学段测量等值性检验：基于有序分类数据［J］. 中国健康心理学杂志，2021，29（5）：710−716.

④ 格雷戈里 . 心理测量：历史、原理及应用：原书第 5 版［M］. 施俊琦，等译 . 北京：机械工业出版社，2012.

续表

文献来源	指标	参考值范围
结构方程模型的原理与应用①	题目因素负荷量	就组成一个因素的个别题目而言，当题项测量误差越小，表示测量题目受到误差的影响越小，能够测到真分数的程度越高。因素负荷量除了反映测量误差的影响，还同时反映了个别题目能够用来反映潜在变量的程度。判别标准：≥ 0.71，优秀；0.63 ～ 0.71，非常好；0.55 ～ 0.63，好；0.45 ～ 0.55，普通；0.32 ～ 0.45，不好；0.32 以下，不及格
问卷统计分析实务——SPSS 操作与应用②	共同性与题目因素负荷量	一般而言，共同性值若低于 0.20（此时因素负荷量小于 0.45），表示题项与共同因素间的关系不密切，此时，此题项可考虑删除。判别标准：≥ 0.71，甚为理想；0.63 ～ 0.71，非常好；0.55 ～ 0.63，好；0.45 ～ 0.55，普通；0.32 ～ 0.45，不好；0.32 以下，舍弃。样本大小与因素负荷量选取的标准：50 人，0.75；60 人，0.70；70 人，0.65；85 人，0.60；100 人，0.55；120 人，0.50；150 人，0.45；200 人，0.40；250 人，0.35；350 人，0.30
中小学生公民素养测评工具研究③	量表题项数、题目因素负荷量	样本量 15000 人。小学生公民素养量表题目数和因素负荷量：因子 1，7 道题，0.695 ～ 0.854；因子 2，8 道题，0.403 ～ 0.740；因子 3，3 道题，0.693 ～ 0.761；因子 4，4 道题，0.608 ～ 0.809。中学生公民素养量表题目数和因素负荷量：因子 1，5 道题，0.730 ～ 0.854；因子 2，5 道题，0.657 ～ 0.774；因子 3，6 道题，0.672 ～ 0.801；因子 4，9 道题，0.637 ～ 0.877；因子 5，4 道题，0.539 ～ 0.868；因子 6，7 道题，0.669 ～ 0.825；因子 7，7 道题，0.629 ～ 0.785

量表、问卷题项数的多少会影响测评对象的作答状态。如果问卷的题目数过多或问卷设计过于复杂，则受试者在填答时可能较为马虎，无法真正搜集到正确的信息。单维度或者单因素的测试题目数，本课题组建议在 3 ～ 12 题较为合适，5 ～ 7 题为较佳。

① 邱皓政，林碧芳. 结构方程模型的原理与应用［M］. 北京：中国轻工业出版社，2009.

② 吴明隆. 问卷统计分析实务：SPSS 操作与应用［M］. 重庆：重庆大学出版社，2010.

③ 秦建平，张惠，陈飞鹏. 中小学生公民素养测评工具研究［J］. 上海教育科研，2018（7）：5–10.

测验问卷中彼此高度相关而又与别的变量相对独立的一组变量聚合成群便是一个因素，测验的项目（题目）与因素的相关系数就是题目的因素负荷量，又叫因子载荷。它反映潜在变量对观察变量变异的解释率，也就是单个题目能够反映潜在变量的程度。该指标用于量表、问卷的项目（题目）分析。研究样本在 50 人左右，最低需要达到 0.75 ；数百人的样本，要达到 0.50 及以上；数千人的样本要达到 0.40 及以上。一般大规模测评情况下，达到 0.71 及以上，优秀；0.63 ～ 0.71，非常好；0.55 ～ 0.63，好；0.45 ～ 0.55，普通，需修订题目；0.32 ～ 0.45，不好，需修订题目或者放弃；0.32 以下，不及格，可舍弃题目（见表 4–3–3）。

表 4-3-3　题目因子载荷的判断标准表

因子载荷绝对值	潜在变量对观察变量变异的解释率	意义
[0.71，1)	≥ 50%	优秀
[0.63，0.71)	≥ 40%	非常好
[0.55，0.63)	≥ 30%	好
[0.45，0.55)	≥ 20%	普通，需修订题目
[0.32，0.45)	≥ 10%	不好，需修订题目或者放弃
0.32 以下	< 10%	不及格，可舍弃题目

4.3.2 量表、问卷的信度

表 4-3-4　量表、问卷信度标准参考值文献表

文献来源	测验名称或种类	参考值范围
心理测量①	量表、问卷	性格、兴趣、价值观等人格测验的信度系数达到 0.80 以上。瑟斯顿态度量表：信度系数为 0.80 ～ 0.90。罗森伯格自尊量表：内部一致性系数为 0.77 ～ 0.88，稳定系数为 0.85

① 金瑜 . 心理测量［M］. 上海：华东师范大学出版社，2001.

续表

文献来源	测验名称或种类	参考值范围
教育测量（修订版）①	量表、问卷	人格测验的信度系数应在 0.80 以上
心理测量——历史、原理及应用（原书第 5 版）②	量表、问卷	总体而言，一个完全不可信的测验（测量误差非常大）所产生的信度系数接近于 0，而一个非常可信的测验（测量误差非常小）所产生的信度系数接近于 1。因此信度系数的取值范围就是 0 ～ 1。在实际工作中，信度的取值应该在这两个取值之间，当然，信度的取值越是接近 1，表示测量的信度越佳。16 种人格因素问卷的主要弊端在于每种人格特质只是基于 10 ～ 13 个条目得到的。像这样简短的问卷，其信度不是很高。16 个维度的分半信度只有 0.54，相同维度在不同版本的量表中得分的相关系数在 0.50 左右。如果立即重测或间隔一天重测，每个版本的重测信度为 0.70 ～ 0.80，如果重测间隔延长，重测信度会更低。艾森克人格问卷的信度很不错，比如时隔一个月的重测信度是 0.78（P）、0.89（E）、0.86（N）和 0.84（L）。精神质维度（P）的内部一致性系数是 0.70 以上，其他三个维度（E、N、L）的内部一致性系数在 0.80 以上。明尼苏达多项人格调查表第二版（MMPI-2）表现出的测量特征时好时坏；信度数据一般来说比较好，内部一致性系数的中位数一般在 0.70 ～ 0.89。加州人格问卷的信度系数是非常令人满意的，这一点反映了该问卷设置量表时对信度的考虑，大部分重测相关系数在 0.80 左右，范围在 0.50 ～ 0.90。儿童人格测试 2 的信度不错，重测信度在 0.82 ～ 0.92，内部一致性系数在 0.81 ～ 0.92。态度测量的问卷调查量表的信度不错，内部一致性系数在 0.82 ～ 0.87

① 王孝玲 . 教育测量：修订版［M］. 2 版 . 上海：华东师范大学出版社，2005.

② 格雷戈里 . 心理测量：历史、原理及应用：原书第 5 版［M］. 施俊琦，等译 . 北京：机械工业出版社，2012.

续表

文献来源	测验名称或种类	参考值范围
问卷统计分析实务——SPSS 操作与应用[①]	量表、问卷	内部一致性系数值介于 0 至 1 之间，内部一致性出现 0 或 1 两个极端值的概率甚低（但也有可能）。究竟内部一致性系数要多大才算有高的信度，持有不同方法论的学者对此看法也不尽相同。学者农纳利（Nunnally）认为内部一致性系数值等于 0.70 是一个较低但可以接受的量表边界值。学者德维利斯（DeVellis）也提出以下观点：内部一致性系数在 0.60 至 0.65 之间最好舍弃；介于 0.65 至 0.70 之间是最小可接受值；介于 0.70 至 0.80 之间相当好；介于 0.80 至 0.90 之间非常好

信度标准：学术界普遍使用内部一致性系数（Cronbach α）检验量表的内部一致性信度。有专家指出，内部一致性系数大于 0.70，表明量表的可靠性较高。也有人指出，问项（问卷题目）数量小于 6 个时，内部一致性系数大于 0.60，表明量表是有效的。在探索性研究中，内部一致性系数可以小于 0.70，但应大于 0.60。

综上所述，本课题组提出量表、问卷的信度标准如表 4-3-5 所示。

表 4-3-5　量表、问卷内部一致性信度水平标准表

信度系数	维度	全量表水平
（0，0.50）	不理想，舍弃	非常不理想，可舍弃
[0.50，0.60）	修改题目	不理想，需修订或重新编制问卷
[0.60，0.70）	题目数小于 6 个，可接受；题目数大于 6 个，需修改	勉强可接受，需要增加题目数量或者修改题目表述
[0.70，0.80）	信度高	可接受
[0.80，0.90）	信度很高	信度很高
[0.90，1）	非常理想	非常理想

① 吴明隆．问卷统计分析实务：SPSS 操作与应用［M］．重庆：重庆大学出版社，2010.

4.3.3 量表、问卷的结构效度

结构效度，又称构想效度，是指一个测验实际测到所要测量的理论结构（理论构想）和潜在特质的程度。它是测验分数能够说明理论的某种结构或特质的程度，也是检测实验与理论之间一致性的指标，即检验实际测验是否真正测量到假设（构造）理论的指标。

结构效度的概念最初由美国心理学会、美国教育研究协会和全美教育测量学会联合委员会提出，发表于《心理测验和诊断技术的技术建议》，本意是在测验者所测属性没有确定的标准测量，而必须使用间接的测量时，用于证实理论有效的情况。结构效度关系到人们依据测试分数所做的、对评价测试结果的解释是否有意义并且恰当。

结构效度的量化分析方法主要是因素分析方法。因素分析是一种多变量统计分析的方法。它将彼此高度相关而又与别的变量相对独立的一组变量聚合成群，并称其为“因素”或“因子”。因素分析的基本思路是根据相关性的高低把变量分组，使得组内的变量间相关性较高，不同组变量间的相关性较低。每组变量代表一个基本结构，即因素。因素分析有探索性因素分析（EFA）和验证性因素分析（CFA）两种方法。运用“EFA+CFA”进行结构效度分析，一般需要先进行 EFA，清理掉对应关系出现严重偏差的测量项目（如因素负荷量低的题目），再运用 CFA 进行模型拟合。根据拟合的结果，测度模型可能需要调整，抛弃质量差的测度项目，然后再拟合，直到模型的拟合度可以接受为止。

量表和问卷可接受的结构效度建议如表 4-3-6 所示。

表 4-3-6　量表、问卷结构效度指标可接受标准表

指标名称与性质	范围	判断值	适用情形
拟合优度指数（GFI），假设模型可以解释观察数据的比例	0 ～ 1	＞ 0.90	说明模型解释力
调整拟合优度指数（AGFI），考虑模型复杂度后的 GFI	0 ～ 1	＞ 0.90	不受模型复杂度影响，指数值可能会超过范围

续表

指标名称与性质	范围	判断值	适用情形
简约指数（PGFI），考虑模型的简效性	0～1	＞0.50	说明模型的简单程度
规范拟合指数（NFI），比较假设模型与独立模型的卡方差异，NFI 与 CFI 性质接近	0～1	＞0.90	说明模型较虚无模型的改善程度
非规范拟合指数[TLI（NNFI）]，考虑模型复杂度后的 NFI	0～1	＞0.90	不受模型复杂度影响，指数值可能会超过范围
增量拟合指数（IFI）	0～1	＞0.90	用于弥补 NFI 容易受到样本容量影响的缺点
比较拟合指数（CFI），假设模型与独立模型的差异程度	0～1	＞0.95	说明模型较虚无模型的改善程度，适合小样本
近似误差均方根（RMSEA），比较理论模型与饱和模型的差距，是评价模型不拟合的指数，如果接近 0 表示拟合良好	0～1	＜0.05 良好；＜0.08 可接受	不受样本数与模型复杂度影响
未标准化假设模型整体残差（RMR）	—	越小越好	了解残差特性
标准化假设模型整体残差（SRMR）	0～1	＜0.08	了解残差特性

注意，当实际测量的资料无法证实人们的理论假设时，并不一定就表明该测验结构效度不高。当测验结果不能验证原来的构想时，也不能确定构想有错误，还是测验本身缺乏内容效度，或者实验设计有问题。这是结构效度的局限性，其发展还未完全成熟。

表 4-3-7　量表、问卷结构效度指标文献表

文献来源	指标	参考值范围
结构方程模型的原理与应用①	GFI 与 AGFI 指数	GFI 与 AGFI 均具有标准化的特性，数值介于 0 至 1 之间，数值越大（越接近 1）表示拟合越佳；越接近 0，表示拟合越差。一个能够拟合观察数据的 SEM，其 GFI 与 AGFI 都会非常接近 1，一般需要大于 0.90 才可以视为具有理想的拟合度
	IFI 指数	一般情况下，IFI、NFI、NNFI 值都会介于 0 至 1 之间，数值越大表示拟合度越佳，同时系数数值需大于 0.90 才可以视为具有理想的拟合度
	RMSEA 指数	Hu 与 Bentler 建议 RMSEA 指数低于 0.06 可以视为一个好模型，大于 0.10 表示模型不理想。McDonald 与 Ho 则建议以 0.05 为良好拟合的门槛，以 0.08 为可接受的拟合门槛
	CFI 指数	CFI 指数的数值是越接近 1 越理想，表示能够有效改善非中央性的程度，其性质与 NFI 接近，一般是以 0.95 为通用的门槛，同时对小样本进行 SEM 分析，用来评估模型的拟合度
错失焦虑量表测评大学生的效度和信度②	模型拟合指数	CFI=0.95，GFI=0.97，TLI=0.92，IFI=0.95，RMSEA=0.08
大学生活力量表的编制③	模型拟合指数	CFI=0.96，GFI=0.91，AGFI=0.89，PGFI=0.74，NFI=0.94，IFI=0.96，TLI=0.95，RMSEA=0.05
中小学生公民素养测评工具研究④	模型拟合指数	CFI=0.973，TLI=0.969，RMSEA=0.043

① 邱皓政，林碧芳 . 结构方程模型的原理与应用［M］. 北京：中国轻工业出版社，2009.

② 李琦，王佳宁，赵思琦，等 . 错失焦虑量表测评大学生的效度和信度［J］. 中国心理卫生杂志，2019，33（4）：312−317.

③ 宋传颖，秦启文，潘孝富，等 . 大学生活力量表的编制［J］. 中国心理卫生杂志，2020，34（3）：212−218.

④ 秦建平，张惠，陈飞鹏 . 中小学生公民素养测评工具研究［J］. 上海教育科研，2018（7）：5−10.

4.4 学习背景调查、学习负担调查等问卷质量标准

基础教育质量监测需要对学生的各方面状况以及影响学生发展的因素进行全面、系统、深入的监测，涉及教育对象、教育者，以及教育过程中相关的信息和资料，因此常采用问卷的形式收集影响教育质量的相关因素信息，如学校领导力、学校学习环境和氛围、师资力量等。通过对这些信息的收集，可以深入分析影响学生发展的重要因素，及时发现教育过程中出现的问题及背后的原因。例如，国际阅读素养进展研究项目（PIRLS）除评估学生的阅读素养外，还设计了学生、家长、教师、校长问卷，用于收集与学生阅读素养相关的家庭和学校因素信息。

汇总国内外大型教育监测项目技术报告、心理量表质量分析、调查问卷质量分析等资料，了解问卷工具评估的方法和标准，具体汇总如表4-4-1所示。

表 4-4-1　问卷调查情况汇总表

文献来源	量表、问卷或试卷名称	评价指标
TIMSS 2007 技术报告	学生水平指标、教师水平指标、学校水平指标	定量评价：信度（内部一致性信度、评分者信度）、效度（内容效度、结构效度）、难度、区分度
中国儿童青少年心理发育特征调查项目技术报告①	背景问卷	定性评价：指标和题目的适用性（不同地区、不同年级的适用性，例题、指导语、题目理解等）；施测方式的适用性（完成测试所需时间等）
中国儿童青少年心理发育特征调查项目技术报告②	学业成就测验	定性评价：题目的表述、题目的形式、识字量因素等是否影响学生作答，学生能否在预计的时间内完成，题目在本学段内各年级的适应性

① 董奇，林崇德. 中国儿童青少年心理发育特征调查项目技术报告［M］. 北京：科学出版社，2011.

② 董奇，林崇德. 中国儿童青少年心理发育特征调查项目技术报告［M］. 北京：科学出版社，2011.

续表

文献来源	量表、问卷或试卷名称	评价指标
ETS 质量与公平性标准[①]	ETS 各种测验	定性评价：符合 ETS 的使命和价值观；公平性；保证符号、语言和一般被认作与性别主义、种族主义和攻击性等有关的内容所带来的影响降到最低；研发及使用产品和服务时，应考虑英语不是母语的客户的需求；内容的准确性、语言的适当性、题目或任务与测验说明的匹配性、对不同受测人群的公平性、出版过程需要考虑的事项和完整性、指导语和题目样例的清晰性、计分规则的适当性、呈现和反映方式的合适性以及难度的合适性
高考命题公正的现实困境与两难选择[②]	高考试题	对试题内容、试卷难度、题型设计、试卷组配、试题情景等问题进行公正性审查，使其不受年龄、性别、体能、种族、国家、宗教、性倾向、语言背景或其他个人特性的限制
中国大学生生涯阻碍因素量表的编制[③]	中国大学生生涯阻碍因素量表	学校科系、经济因素、个人特点、性别偏见、家庭责任、自我认识、学习状况、他人支持的内部一致性系数分别为：0.87、0.84、0.81、0.86、0.79、0.79、0.72、0.73
考试焦虑简表在大学生中应用的信效度[④]	考试焦虑简表	信度（内部一致性信度、重测信度）、效度（结构效度、会聚效度、发散效度）。内部一致性系数为 0.81

① 美国教育考试服务中心 . ETS 质量与公平性标准［Z］. 教育部考试中心评价处，译 . 2006.

② 王后雄 . 高考命题公正的现实困境与两难选择［J］. 教育研究，2008（8）：24-31.

③ 白茹，侯志瑾，李文希 . 中国大学生生涯阻碍因素量表的编制［J］. 中国临床心理学杂志，2010，18（3）：297-300.

④ 董云英，周仁来，高鑫，等 . 考试焦虑简表在大学生中应用的信效度［J］. 中国心理卫生杂志，2011，25（11）：872-876.

续表

文献来源	量表、问卷或试卷名称	评价指标
情绪调节困难量表在中国人群中的初步测试①	情绪调节困难量表	信度（内部一致性信度、重测信度）、效度。总量表的内部一致性系数为 0.89
自杀意向量表在中国高中学生中的评估——信度和效度研究②	自杀意向量表	信度（内部一致性信度、分半信度）、效度。自杀意向量表有较高的信度，内部一致性系数为 0.85
事件影响量表修订版的信度和效度分析③	事件影响量表修订版	信度（内部一致性信度、分半信度）、效度（结构效度、效标效度）。总体 22 个项目的内部一致性系数为 0.89
学校—社会行为量表的信度和效度④	学校—社会行为量表	内部一致性信度高于 0.80 表示内部一致性极好，在 0.60 至 0.80 之间表示较好，低于 0.60 则表示内部一致性较差。经分析，该量表的人际交往技能维度、自我管理技能维度、学业技能维度、敌对—易怒维度、反社会—攻击维度、冲动性—强求维度的内部一致性系数分别为 0.96、0.95、0.93、0.94、0.94、0.93

从表 4-4-1 可知，相关问卷工具的评价与综合素养评价采用的方法相同，均是问卷法，因此相关问卷工具评价最适合的评价指标也是因子载荷、信度和结构效度，其标准可参考综合素养测验工具评价的标准。

① 王力，柳恒超，杜卫，等. 情绪调节困难量表在中国人群中的初步测试［J］. 中国健康心理学杂志，2007，15（4）：336–340.

② 张杰，宋振韶. 自杀意向量表在中国高中学生中的评估：信度和效度研究［J］. 临床精神医学杂志，2008，17（6）：367–368.

③ 郭素然，辛自强，耿柳娜. 事件影响量表修订版的信度和效度分析［J］. 中国临床心理学杂志，2007，15（1）：15–17.

④ 韩少梅，徐涛，王雁，等. 学校—社会行为量表的信度和效度［J］. 基础医学与临床，2006，26（7）：766–769.

第五章

结果解释和应用指南

5.1 结果报告与解释

教育质量监测所获得的数据往往丰富多样，既包括学生发展质量的数据，也包括教师、家长、学校甚至是教育部门的数据，同时数据的类型也是多种多样，因此如何科学地对结果作出解释和报告显得至关重要。只有经过讨论和验证后的结果才能向社会和有关部门公布。

在教育质量监测中，对结果的解释最终以报告的形式呈现，项目组织者或实施方会根据实际需求和项目特点，设计不同类别的监测报告，并组织撰写工作。因此，在实际操作中，各项目所报告的监测结果需要根据报告的类型而定。表 5-1-1、表 5-1-2、表 5-1-3 分别呈现了具有参考价值的几个大型项目的报告结果。

表 5-1-1　国际学生评估项目（PISA）的结果报告种类

编号	报告类别	主要对象	内容介绍或相关说明
1	结果分析报告	无特定群体	包括学生的核心素养、教育公平、学校层面的影响因素、学生在学校的参与度和情感体验等多方面内容
2	焦点报告	无特定群体	每期围绕一个与 PISA 相关的热点话题进行探讨
3	测试框架报告	相关研究人员	界定学生需要掌握的内容、需要完成的过程和知识与技能应用的情境。每个部分都有例题作为说明

续表

编号	报告类别	主要对象	内容介绍或相关说明
4	指导手册	研究人员、数据采集实施者等	包括技术标准、国家项目管理手册、翻译与修正指导手册、统计分析软件 SAS 与 SPSS 数据分析指导手册等
5	技术报告	相关研究人员	包括抽样设计、分析数据的方法、项目技术特征、质量控制机制等
6	深度报告	相关研究人员	对学生、学校、政府层面的问题进行深入分析，内容主要包括阅读、数学与问题解决、科学与技术、学生的学习与教育、公平、教育经济学、强大的实践者与成功的改革者

表 5-1-2　美国国家教育进步评价系统（NAEP）的结果报告种类

编号	报告类别	主要对象	内容介绍或相关说明
1	标准报告卡	无特定人群	主要呈现了学生在各学科的总体表现结果以及不同学生群体（包括不同种族、性别、家庭收入等）的表现差异
2	重点报告	无特定人群	主要就评估中的重要发现和结果进行深入分析，以引起相关方面的重视
3	州快照报告	州政策制定者、学校管理人员	呈现州的测查结果，包括该州的总体表现（与全国水平相比）和州内不同学生群体的差异分析
4	趋势报告	无特定人群	呈现 NAEP 长期评估趋势的分析结果
5	焦点报告	相关研究人员、感兴趣的公众	探讨富有教育含义的深度问题
6	技术方法报告	相关研究人员	包括框架设计、样本设计、试题开发、数据收集及分析等相关技术内容

续表

编号	报告类别	主要对象	内容介绍或相关说明
7	专题研究报告	相关研究人员	主要对五大类专题教育问题进行研究，包括高中成绩单、印第安人教育情况、不同学生群体的成绩差异、NAEP-TIMSS 联合研究等
8	指导手册	对详细内容感兴趣的人员及数据使用者	包括 NAEP 项目介绍、年度结果简介、网站使用介绍、NAEP 评估的技术步骤

表 5-1-3　中国国家基础教育质量监测的结果报告种类

编号	报告类别	主要对象	内容介绍或相关说明
1	国家总报告	教育系统人员	系统报告国家基础教育在学生学业表现、身心健康、课业负担、区域均衡、学校环境等方面的年度进展与趋势
2	国家总报告摘要	教育系统人员	摘取总报告的部分重要内容进行报告
3	国家教育政策咨询报告	教育行政人员	根据教育行政关注的热点、难点问题提供深入、详细的数据，同时辅以分析、判断、建议
4	样本省反馈报告	省级教育系统人员	报告省级教育质量监测的数据结果
5	样本县反馈报告	县级教育系统人员	报告县级教育质量监测的数据结果
6	学科研究报告	科研、教研人员及教师	分析监测范围内各学科和领域方面，学生的课程标准达成度以及相关影响因素
7	专题研究报告	相关研究人员	就教育热点、难点问题进行专门的研究分析

续表

编号	报告类别	主要对象	内容介绍或相关说明
8	技术报告	专业技术人员	系统说明监测各环节工作的程序和方法，包括监测工具设计、抽样方法、数据采集方法、数据清理与数据分析的主要技术等
9	监测指标体系论证报告	科研、教研人员	对监测指标体系的研制理念、依据、程序、技术等进行系统说明和论证
10	基础数据结果报告	科研、教研人员	围绕监测设计的主要变量，采用表格的形式呈现以县为单位的基础数据结果

从上述国内外大型监测项目的结果报告来看，对于结果的解释和呈现要视报告使用的对象而定。但总体上来说，都需要做以下几方面的工作，才能保证结果解释的科学性和可靠性。

①共同研讨。在监测结束后，需要组织利益相关者讨论监测结果，并梳理出监测结果的含义，找寻结果背后的原因，对出现的问题提出解决方案。各种机构、专家和利益相关者都可以在解释结果、发现问题和探讨解决办法中发挥作用。其中，具有一线教学工作经验的成员参与讨论是非常重要的，因为他们更了解学生，更了解实际情况。

②参照标准。教育质量监测结果分数的解释，主要参照学科课程标准，以及《义务教育质量评价指南》《普通高中学校办学质量评价指南》对应的学生发展质量“五育”标准问题，而不是主要依靠常模。另外，纵向、横向比较也是必要的，与全国、省市、区县的平均值比较，与自身过去的数据比较，也是有意义的解释。

③引用其他相关研究结果。在对结果作出解释时，可以通过引用其他研究，为监测中的因果推论提供更加坚实的基础，同时也为政策的制定提供更加可靠的证据。研究结果可以来自不同的渠道，包括对学校和教师教育有效性的研究、学校和家庭因素对学生学习的影响的研究、课堂教学过程的影响的研究、班级规模的影响的研究等。

④保护隐私。对教育质量监测评价结果的报告、解释，都要注意保护

被试的个人隐私，学校、区县、省市的数据应依据组织监测评价的教育行政部门的规定进行报告和呈现。

⑤防止“标定效应”。教育质量监测评价的分数解释要避免简单地给被试、被监测评价的学校、区县等贴标签。尤其是对成绩不好的学生、学校单位等，要保护监测评价对象的自尊心，杜绝“污名化”，鼓励改进。

5.2 监测评价结果运用

基础教育质量监测评价的目的是服务政府决策，服务政府管理与问责，促进教育教学改进，引导社会树立科学的教育质量观等；其功能是诊断学生是否达到学科课程标准和《义务教育质量评价指南》《普通高中学校办学质量评价指南》对应指标的育人质量最低标准，有别于中考、高考等选拔性考试。主要达到以下几方面的目的。

①把握现状，为教育决策与管理提供参考。

②诊断问题，为教育教学改进提供依据。

③检验质量是否达标，为政府评价与问责提供依据。

④引导舆论，为社会、学校树立导向。

根据教育质量监测的目的，本研究从教育政策、教学质量提升、教育管理以及社会舆论四个方面给出了应用指南。

5.2.1 教育质量监测评价结果在教育政策中的应用

教育质量监测评价的主要目的是描述学生的发展，但它所起到的作用绝不仅限于对结果的简单描述。结果的解释需要结合学生表现、不同学生群体表现的分布特点等，为政府决策提供服务。

政策导向性的教育研究结果显示，教育质量监测结果对教育政策的影响往往是观念上的。因此监测结果往往并非直接运用于政策领域，而是通过其他的方式来影响政策，例如通过一般性的建议或启发性的建议来帮助决策者意识到问题。其中，公众对教育问题的关注有利于促进各级政府加大教育投入以及加强对教育问题的重视，从而加大教育改革力度。

与此同时，报告结果可以对具体问题予以回应。但需要注意的是，政策的制定和决策者需要考虑监测结果促进改革的可行性以及成本效益问题。

监测结果的应用有赖于一些干预性的行动。这些干预行动主要分为两类：一是针对教育系统的，如提升学生学业表现、行为表现、关键能力或素养的系统干预；二是针对某个群体或某个部门的，如为有特殊学习需求的学生提供额外的资源等。

5.2.2 教育质量监测评价结果在教学质量提升中的应用

教育质量监测评价除了能为政策制定者和教育管理者提供相关信息，还将对教育教学诊断和改进起到促进作用。学校将教育质量监测结果直接应用到课堂实践是一项具有挑战性的工作，要想让监测结果在学校和课堂教学实践层面得到有效的应用，需要做到以下几个方面。

一是需要有学校层面的监测数据，让校长和整个学校领导团队知道本校的教育质量状况，知道本地方和全国的教育质量状况。

二是加强校长、教师对监测结果的理解，很多时候监测结果是对整体情况的反映，但每个学校甚至每个班级都有不同的实际情况，因此学校和教师必须结合自身所处的情境特点来理解结果所提供的信息。

三是与一线教师沟通讨论监测结果，结合实践情况分析原因，并制定出有针对性的调整策略。其中，在设计改进学生学习效果的策略时必须要有可操作性，不能停留在分析解说理念、理论的层面。例如教师需要明确自己在教学实践中有哪些方面需要改变，希望达成的教学目标有哪些，了解自身水平与达成目标之间的差距，在操作层面上确定实现目标的步骤与具体措施。

四是学校要确立质量目标，建立学校教育质量内部保障制度。例如中国教育学会在 XX 市龙泉驿区开展中小学教育质量综合评价监测，根据评价结果指导每所学校按照《深化新时代教育评价改革总体方案》中对改革学校评价的要求，建立起了学校教育质量内部保障制度，明确了学生在品德发展、学业发展、身心发展、审美素养、劳动与社会实践等方面的保底质量标准，及其达成目标、标准的实施机制。

5.2.3 教育质量监测评价结果在教育管理中的应用

通常来说，教育政策制定者是教育监测评价结果最主要的使用者，因此，教育质量监测评价的结果需要为教育政策制定者和教育行政管理者提供实际的帮助。教育质量监测评价的结果呈现通常包括描述、分析教育质量状况等内容。这些结果可以为教育管理者提供教育质量是否达标的依据、评价业绩的依据、问责的依据、判断教育投入产出效益的依据、分配教育资源的依据、确定教育质量目标的依据、修订课程标准及教材的依据、修订教育质量评价指南或者评价方案的依据。

5.2.4 教育质量监测评价结果在社会舆论中的应用

将教育质量监测评价的结果向社会公布，有助于增加公众对教育问题的关注。公众对于监测结果的争议，以及所引发的讨论有利于提高公众对教育问题的参与度和支持度，同时也会让教育管理者意识到公众对教育质量的关注，进而重视自身的工作。监测评价结果公布不是把整个质量监测评价报告简单地呈现、公布发表，也不必向公众发布技术报告，而是把政府关注、家长关心、社会热点的相关监测数据与分析结果向社会公布。

中编

工具标准规范的运用案例

中国教育学会课题组在研究和草拟“基础教育质量评估监测工具标准规范”的过程中，也在一些省市、区县开展教育质量监测与质量综合评价，并在上海市、广东省、广西壮族自治区、甘肃省等 23 个省、自治区、直辖市开展中小学生课业负担全国抽样调查。在这个过程中，不断试用、检验标准规范的适切性，并修订工具标准规范。

第六章

工具标准规范在学业监测中的运用

6.1 小学学业成就测验中的运用案例

学生的学业水平是教育质量的直接体现，是课程效果的直接反映。与学业相关的能力对学生的未来生活、工作等都有重要的影响。因此，学生的学业表现是基础教育质量评估的基本内容。无论是国际大型的监测项目还是各国的基础教育质量评估，学生学业表现的评价都是主要关注的内容。

学业成就测验是标准化的测验，数据量化程度高，而且可与课程内容、课程标准直接挂钩，含义清楚，如同一把铸造精良的尺子，能客观地反映学生学业质量的整体状况；能有效地反映学生学业水平的发展状况；能准确反映不同学校、不同地区、不同国家的学生在学业表现上的差异；能与其他数据和信息进行关联分析，寻找影响学生学业水平发展的重要因素。这就有助于教育决策者、管理者等客观地把握教育质量的现状和发展趋势，为教育决策提供科学的数据依据。

教育质量监测中的学业水平测验并不是平时教育实践中的“学科考试”，其考查内容并不仅仅是课程和教学内容，而且学业成就测验的标准化程度要求更高，需要遵循一套科学的、标准化的流程进行编制。

6.1.1 小学科学学业成就测验

2020 年，为了推进 XX 市中小学教育质量综合评价改革工作，客观了解 XX 市刚进入五年级（即四年级水平）的学生对科学课程标准要求的基础知识的理解和掌握情况，XX 市教育局委托中国教育学会作为第三方机构采用抽样的方式对五年级新生开展科学学科的学业发展水平评价工作。

2020 年 XX 市科学学科学业发展水平测试试卷的编制主要以教育部《全日制义务教育科学（3 ～ 6 年级）课程标准（实验稿）》为依据，采用认知诊断和多维项目反应理论与技术来设计此次测试的结构并指导编制测量工具。测量工具的内部一致性系数为 0.817，测量工具模型拟合的 GFI 为 0.981，RMSEA 为 0.020，均达到标准。

根据 2001 年教育部《全日制义务教育科学（3 ～ 6 年级）课程标准（实验稿）》，并参考 2017 年教育部《义务教育小学科学课程标准》的教育教学内容，评价工作主要就以下指标对 2020 年 XX 市五年级科学学科进行了考查。科学学科学业发展水平评价指标的具体内容如表 6-1-1 所示。

表 6-1-1　2020 年 XX 市五年级科学学科学业发展水平评价的指标及其解释

评价指标		指标解释
科学知识	物质科学	以物质的基本性质和变化、能量的表现形式为考查内容
	生命科学	以生物体的主要特征、生物体的生命活动和生命周期、人体和健康以及生物体与环境的相互作用为考查内容
	地球宇宙科学	以地球、月球和太阳三个天体的运动规律，地球的组成物质，人类与环境的关系为考查内容
认知目标	理解	考查学生对科学知识、概念的含义以及基本原理和基本方法等进行解释说明、比较、分类的水平
	认知	考查学生对已学过知识点记忆、再现的水平
	分析	考查学生根据已知的条件或结论，分析各部分或条件之间的关系以解决问题或对结论作出合理解释的水平
	应用	考查学生将所学的科学知识、原理、定律和方法运用于具体情境解决问题的水平
思维能力	梳理概括	考查学生学习之后整理、归纳、记忆、分类的思维能力
	概念辨析	考查学生对科学基本概念的理解、辨别、分析的思维能力

续表

评价指标		指标解释
思维能力	分析推理	考查学生以科学知识和事实为基础，对问题进行综合判断、推理得出正确的结论或作出正确的判断，或提出假设并据此解决问题的思维能力
	概念应用	考查学生将所学的科学概念和方法运用于具体情境解决问题的思维能力

分析评价的指标如表 6–1–2 所示。

表 6-1-2　2020 年 XX 市五年级科学学科学业发展水平评价分析评价指标表

分析评价指标	指标解释
全市平均得分率	反映 XX 市全体参测学生该学科的得分情况
全市中位数得分率	反映 XX 市该学科百分等级为 50% 的参测学生的得分情况
全市差异系数	反映 XX 市全体参测学生该学科得分的整体离散程度
区县平均得分率	反映各区县参测学生该学科的得分情况
区县中位数得分率	反映各区县该学科百分等级为 50% 的参测学生的得分情况
区县差异系数	反映各区县参测学生该学科得分的整体离散程度

测试前，本次学业成就测验在其他省市进行了试测，难度适中。通过分析试题和相关数据，可以分析出 2020 年 XX 市及其区县学生的科学学科学业水平。试题样例和解析如下。

例题 1：

下图三种电路连接中，灯泡能亮的是（　　）。

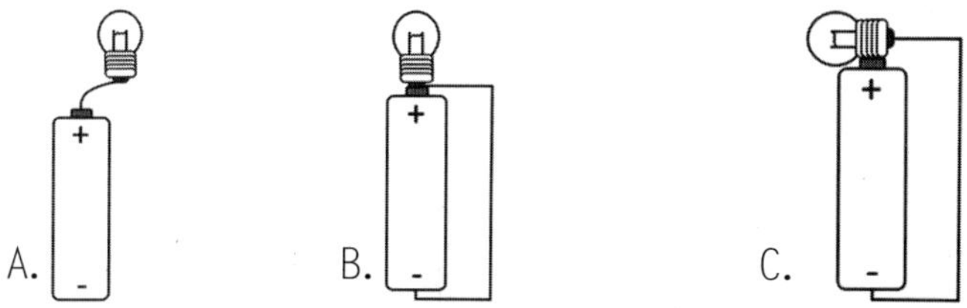

解析：

本试题主要考查学生对电路知识的理解，也考查学生是否经历了有效的探索活动。本试题中，选项A反映了学生对小灯泡发光电路的原有概念不理解，且没有经历过电路知识学习，即可视作学生完全不具备本节课的知识。选项B反映了学生曾经学过这方面的内容，但是对电路的概念掌握不到位，也可视为教师的教学没有达到理想的效果。选项C则反映了学生真正掌握了电路的概念，也可以视作学生在实际操作中曾经做过类似的活动。

本试题中，6.22%的学生选了A，可以推断有相当比例的学生没有真正学过电路单元的内容；61.53%的学生选了B，可以看出过半学生的学习效果不理想。根据外省相关检测的结果，这种现象反映出学生缺少实际操作，也反映出教师在引导学生转化错误前概念、建构“回路”概念时不够扎实。32.25%的学生选对了C，说明这部分学生是真正理解了电路的概念，也意味着这部分学生有真正的实践操作经验作为支撑。

教师在教学中应该尽可能地丰富学生的实践经验，并通过多种方式引导学生进行概念转化。一是教师要设计指向科学概念的多途径的学习活动。这些学习活动，有的能支持前概念中的正确认识，比如用不同的方法让小灯泡发光；有的可以剔除前概念中的错误观念，比如将无法使小灯泡发光的电路连接归为一类。二是尽可能地为每个学生提供参与实践的机会。比如，将演示实验改为分组实验，将四人组改为二人组。或者将某些关键的、必要的实验作为单元或期末的实践考核项目等。三是教师要关注概念建构的过程。在交流过程中，教师要引导学生充分地表达不同的观点，组织学生进行相互评价和质疑。在总结提升时，教师可以提供一些更为开放的实例，以帮助学生理解概念、应用概念。

例题2：

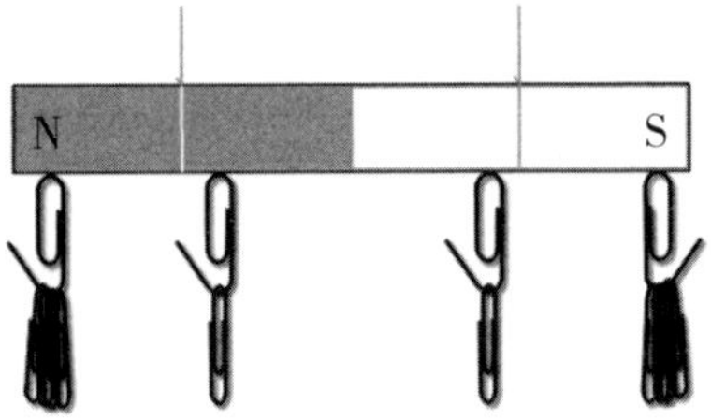

将条形磁铁水平悬挂起来，然后在磁铁的不同部位吸挂一些回形针，如图所示。这个实验要研究的主要问

题是（　　）。

A. 磁铁什么地方的磁力更大

B. 磁铁能隔着物体吸引铁吗

C. 条形磁铁能指南北方向吗

解析：

本题主要考查学生如何提出问题，这是科学探究的基本要素之一，它是学生开启科学探究的第一步。本题源自教材中的实验，但与教材内容略有不同的是，学生需要从试题的文字描述以及实验图示中，倒推出实验的设计意图，再进一步倒推出实验所要探究的问题。或者，学生也可以从选项中的三个研究问题出发，分别进行演绎式的实验设计，通过分析与比对，判断哪个研究问题与试题描述的信息最为契合。同时，也可以看出学生是否真正做过这个实验，如果亲自实践过，这道题目的难度是不高的。

在本试题中，73.8% 的学生选择了正确选项 A，反映出大多数教师在引导学生探究磁现象、培养学生提出问题能力等方面有成效：一是能够通过演示、分组等方式积极开展实验教学，有效落实教材中的基本实验；二是在教学设计过程中，能够把握教学活动的基本内涵，为学生的探究活动确定具体可操作的科学问题；三是在教学实施过程中，能将“提出问题”和后续的“作出假设”“设计方案”等要素联系起来，保持探究的一致性；四是逐步重视动手和动脑在科学探究中的协同发展，并取得一定的成效。

选项 B、C 是迷惑项，14.6% 的学生选择 B，11.6% 选择 C，说明约有 26% 的学生无法从现象倒推出研究的问题，在思维发展上有待进步。

6.1.2 小学阅读学业成就测验

2021 年 XX 市依据教育部中小学教育质量综合评价改革实验区的教育质量综合评价指标框架，结合 XX 市教育质量综合评价的经验以及各区县实际情况，确定 2021 年五年级学业发展水平（阅读）评价以阅读学业水平测试为主要测量工具，以问卷（校长问卷、教师问卷、学生问卷）作为辅助调查的工具。主要对学生的学业发展水平（阅读）表现、阅读学习态度与习惯、学校的阅读教育教学状况进行调查。

2021 年 XX 市阅读学业水平测试试卷的编制主要以《义务教育语文课程标准（2011 年版）》及学科教育目标（三维目标兼容学科核心素养）为依据，参考国际学生评估项目（PISA）阅读素养的框架，采用认知诊断和多维项目反应理论与技术，来设计此次测试的结构并指导编制测量工具。阅读试卷内部一致性系数为 0.833，属于信度较高层级，可用于评价和预测，是可接受的水准；阅读试卷的结构效度 GFI 为 0.948，RMSEA 为 0.038；全卷区分度为 0.30。各项指标符合工具质量标准。本次五年级阅读学业水平测试试卷中的文本情境均属于 PISA“阅读情景”维度下的“公共的情境”，文本形式包括连续文本（三篇）和非连续文本（一篇），考查的文本类型包括描述、说明、叙述，文本单位均为单文本，“结构和导航”均为静态文本，考查的策略包括信息定位、文本理解、评价和反思。2021 年 XX 市五年级学生学业发展水平（阅读）评价指标的相关内容见表 6–1–3、表 6–1–4。

表 6-1-3　2021 年 XX 市五年级学业发展水平（阅读）评价的测量工具及其指标释义表

测量工具	评价指标	指标解释
学业水平测试（阅读）	字词	对字词的音、形、义，以及对短语的意义、结构的认知、理解、应用等
	句子	对句子的意义、结构、关系以及句中标点符号的理解、应用等
	语段	对语段的内容、意义、结构、关系的理解、分析、应用等
	文章	对文章的内容、题材、体裁、意义、结构、写作手法、观点、所表达情感等的理解、分析、鉴赏等
学生问卷	学生背景	对学生的性别、走读寄宿情况、是否为独生子女、父母的背景的调查
	学业负担	学生完成作业时间、睡眠时间等表现的情况
教师问卷	教师教学行为	语文教师探究性教学行为的频率
	教师职业感受	工作满意度和留职意愿
校长问卷	教师专业性	工作中总能保持专业性的教师所占比例

表 6-1-4　2021 年 XX 市五年级学业发展水平（阅读）评价分析评价指标表

分析评价指标	指标解释
全市平均得分率	反映 XX 市全体参测学生该学科的得分情况，当具有区域代表性时，可以代表本市学生该学科的得分情况
全市中位数得分率	反映 XX 市全体参测学生中该学科百分等级为 50% 的学生的得分情况
全市差异系数	反映 XX 市全体参测学生该学科得分的整体离散程度，当具有区域代表性时，可以代表本市学生该学科得分的离散程度
区县平均得分率	反映各区县参测学生该学科的得分情况，当具有区域代表性时，可以代表该区县学生该学科的得分情况
区县中位数得分率	反映各区县参测学生该学科百分等级为 50% 的学生的得分情况
区县差异系数	反映各区县参测学生该学科得分的整体离散程度，当具有区域代表性时，可以代表该区县学生该学科得分的离散程度
不同学校类型或不同社会经济背景平均得分率	反映该类型或背景下全体参测学生该学科的得分情况，当具有区域代表性时，可以代表该类型或背景下学生该学科的得分情况
不同学校类型或不同社会经济背景差异系数	反映该类型或背景下全体参测学生该学科得分的整体离散程度，当具有区域代表性时，可以代表该类型或背景下学生该学科得分的离散程度

典型试题分析如下。

标点符号的应用

19. 给下面这段话加上合适的标点符号。

父亲正在给碧桃花接枝　听见我的声音　忙走过来　把笼子拿起来看看　说　你挂得太低了　鸟在大伯的玳瑁猫肚子里了

句子的应用

20. “有时一只鸟冒冒失失飞进那个花厅里，于是大家赶紧关门，关窗子，吆喝，拍手，用书扔，竹竿打，甚至把自己帽子向空中摔去。”你能仿照上面句子，写一段话吗？注意要含有三个以上表示连续动作的词语。

____

____

解析：

第19题属于需要“掌握”的题目，考查的是参测学生的标点符号使用能力，尤其是对于引号的使用方法。由数据分析可知，该题的得分率为85%，高分组平均得分率为93%，低分组平均得分率也有72%，说明学生熟悉引号的常见用法，能在具体的语境中正确使用标点符号。

第20题属于“运用与创新”的题目，考查的是参测学生仿照例句，连续用多个动词写句子的能力。由数据分析可知，该题的平均得分率为81%，高分组平均得分率为96%，低分组平均得分率为67%，说明学生能在一句话或几句话中精选一系列动词，并连贯地表述。

基于文章的表达

13. 如果你手上有5元钱，你会用来做什么事呢？

____

____

24. 你也有自己喜欢的动物吗？读了选文，你想到了什么？

____

____

解析：

第13题属于“文章的表达”类题目，考查的是学生熟读文本后对文本内容的思考或者是联系生活表达对文本的感想的能力。由数据分析可知，该题的平均得分率为95%，高分组平均得分率为99%，低分组平均得分率为87%，说明学生能联系生活实际进行有效表达。

第24题属于“文章的表达”类题目，学生需要在领悟文章主旨的前提下，运用恰当的语言形式，联系生活表达自己对文本的所思所感，表达自己的思想情感和价值观。XX市参测学生本题的平均得分率为74%，高于预测的平均得分率 72.4%。表明 XX 市参测学生对文本内容进行反思的能力和语言表达能力较为出色。

6.1.3 小学数学学业成就测验

2019 年 XX 市五年级学业发展水平评价以数学学科学业水平测试为主要测量工具，数学学科学业水平测试试卷的编制主要以《义务教育数学课程标准（2011 年版）》及学科教育目标（三维目标兼容学科核心素养）为依据，参考国际学生评估项目（PISA）数学素养的框架，测量工具及其指标解释具体如表 6-1-5 所示。数学试卷的内部一致性系数为 0.847，数学试卷的结构效度 GFI 为 0.996，RMSEA 为 0.032，均符合测量学标准。

表 6-1-5　2019 年 XX 市五年级数学学科学业发展水平评价的测量工具及其指标释义表

测量工具	评价指标	指标解释
数学学业水平测试	小数的意义和加减法	对小数的意义和加减法等相关知识点的考查
	认识三角形和四边形	对三角形和四边形等相关知识点的考查
	小数乘法	对小数乘法等相关知识点的考查
	观察物体	对观察物体等相关知识点的考查
	认识方程	对认识方程等相关知识点的考查
	数据的表示和分析	对数据的表示和分析等相关知识点的考查
	实践与综合	综合应用已有的知识和经验，解决与生活密切联系的、具有一定挑战性和综合性的问题
学生学习环境及学科学习焦虑	师生关系	学生认为自己以及其他学生与教师相处的情况
	学校归属感	学生在认知和情感上对学校的认同的情况
	校园欺凌	学生之间蓄意或恶意通过肢体、语言及网络等手段，欺负、侮辱同学造成伤害的事件

续表

测量工具	评价指标	指标解释
学生学习环境及学科学习焦虑	学科学习焦虑	学生在处理与数学学科相关问题时所产生的不安、紧张、畏惧等情绪
教师因素	教师满意度	教师对自己的职业和当前工作的满意度
	教师效能感	教师对自己影响学生学习活动和学习结果的能力的信心程度
	师生关系	教师与学生在教育教学过程中结成的相互关系
	教师交流与协作	教师在教学专业上的合作以及在教师交流上的频次情况
	教师对反馈的重视程度	教师对反馈内容以及反馈者的重视程度
	专业培训的影响	专业培训对教师的积极影响
学校因素	课外活动	对学校是否开展课外活动进行调查
	师生不当行为	调查学校里师生的不当行为对学生学习情况产生的影响
	教师内部专业发展培训	调查学校是否进行教师内部专业培训

此次数学学业发展水平试题在其他地区进行了预测，通过分析试题和相关数据，可以将XX市与其他省市学生的数学学科学业发展水平进行比较。现从中选取部分典型试题进行分析，具体试题和分析结果如下。

2. 下面是四年级（1）班四名同学参加50米赛跑的成绩：

姓名				
成绩（秒）	8.50	9.26	10.03	9.29

赵强跑得最快，李畅比刘峰跑得慢，比王力跑得快，李畅的成绩是（　　）秒。

3. 一个两位小数按“四舍五入”法精确到十分位得出的近似数是6.0，这个两位小数最大是（　　　），最小是（　　　）。

4. 一本书厚 0.75 厘米，1000 本这样的书摞起来一共厚（　　）米。

22.（1）用竖式计算 1.35×0.7=　　（2）用竖式计算 28.98÷46=

24. 用递等式计算　10.01−0.44×0.5

解析：

第 2 题考查小数大小的比较，该题 XX 市五年级参测学生的得分率为 68%（预测得分率为 95%），高分组的得分率是 85%，低分组的得分率是 49%。第 3 题考查小数的近似数，该题得分率是 48%（预测得分率为 93%），高分组的得分率是 79%，低分组的得分率是 20%。第 4 题考查的是小数点的移动，该题的得分率是 30%（预测得分率为 45%），高分组的得分率是 58%，低分组的得分率仅为 8%。这三题的得分率情况均低于预测，得分率低主要是低分组学生导致的。

第 22 题考查小数的乘除法，本题学生的得分率是 88%。第 24 题考查小数混合运算，本题学生的得分率是 84%，高于预测的平均得分率。可见 XX 市五年级参测学生对于小数计算技能的掌握程度较好。

6.2 中学学业成就测验中的运用案例

针对初中学业监测，现阶段重点从测评选项分析、项目难度分析、项目区分度分析这三个主要方向进行监测工具标准及规范的相关应用研究。在该建议标准的应用实施案例中，对建议标准及其测验工具的实施与应用，主要是从质性分析、量化分析这两个角度来对测评工具及其测评质量进行分析。

一是质性分析工具及其测评。质性分析是我国目前各类考试评价中广泛采用的方法，一般来说，质性分析方法更依赖经验，专家的判读与考生的实际作答也会存在偏差，容易导致判断结果具有主观性和片面性。

二是量化分析工具及其测评。量化分析主要是从统计学的角度，利用统计结果来考查每道试题的质量、效果，为试题编制者提供较为客观的指标，为改进试题提供客观依据。目前对测验工具质量的量化分析主要以经典测量理论和项目反应理论为基础。

关于监测工具质量的评价标准，应用研究的重点是量化分析中的相关指标。一般来说，量化分析主要从“四度”对监测工具质量进行评价，即难度、区分度、信度以及效度。其中，难度和区分度主要是对试题的评价，信度和效度主要是对试卷的评价。

6.2.1 初中阅读测验

“语言建构与运用”是语文学习的核心素养，也是具有指引性的教学要求。在实际的教学中，教师应设计数量充足又能切实操作的语文实践活动，特别注意培养学生在语言文字运用过程中建构语言运用机制的能力；努力为学生提供多种学习机会，丰富学习经验，优化学习方式，拓展学习时空；关注跨学科融合，关注多元化学习；立足语文学科特点，培养学生的创新意识和实践能力。

教学中与语言运用能力培养并进的，是对学生思维品质的提升。教师应该有意识地依托语文学习和语言运用活动促进学生思维品质的培养，立足思维培养，聚焦思维品质提升，改变教学方式，增强学生思维能力，提升学生终身学习力。应用实施的其他具体细节如下。

2019 年 XX 市八年级学业发展水平评价以阅读水平测试为主要测量工具，问卷（校长问卷、教师问卷、学生问卷）作为辅助调查的工具。主要调查学生的学业发展水平（阅读）表现、阅读学习态度与习惯、阅读教育教学状况等。八年级参测学生来自 XX 市直属（直管）地区、20 个区县以及 XX 高新区和 XXX 高新区。

其中，2019 年 XX 市学业水平（阅读）测试试卷的编制主要以《义务教育语文课程标准（2011 年版）》及学科教育目标（三维目标兼容学科核心素养）为依据，参考国际学生评估项目（PISA）阅读素养的框架，采用认知诊断和多维项目反应理论与技术，来设计此次测试的结构并指导编制测量工具。阅读试卷的内部一致性系数是 0.712，结构效度 GFI 为 1.000，RMSEA 为 0.003，符合工具的测量学标准。

2019 年 XX 市八年级学业发展水平（阅读）评价指标与工具的具体内容如表 6-2-1、表 6-2-2 所示。

表 6-2-1　2019 年 XX 市八年级学业发展水平（阅读）评价的测量工具及其指标释义表

测量工具	评价指标	指标解释
学业水平测试（阅读）	字词	对字词的音、形、义，以及对短语的意义、结构的认知、理解、应用等
	句子	对句子的意义、结构、关系的理解、分析、应用等
	语段	对语段的内容、意义、结构、关系的理解、分析、应用等
	文章	对文章的内容、题材、体裁、意义、结构、写作手法、观点、所表达情感等的理解、分析、鉴赏、评价等

表 6-2-2　2019 年 XX 市八年级学业发展水平（阅读）评价分析评价指标表

分析评价指标	指标解释
全市平均得分率	反映 XX 市全体参测学生该学科的得分情况，当具有区域代表性时，可以代表本市学生该学科的得分情况
全市中位数得分率	反映 XX 市全体参测学生中该学科百分等级为 50% 的学生的得分情况
全市差异系数	反映 XX 市全体参测学生该学科得分的整体离散程度，当具有区域代表性时，可以代表本市学生该学科得分的离散程度
区县平均得分率	反映各区县参测学生该学科的得分情况，当具有区域代表性时，可以代表该区县学生该学科的得分情况
区县中位数得分率	反映各区县参测学生中该学科百分等级为 50% 的学生的得分情况
区县差异系数	反映各区县参测学生该学科得分的整体离散程度，当具有区域代表性时，可以代表该区县学生该学科得分的离散程度
不同学校类型或不同社会经济背景平均得分率	反映该类型或背景下全体参测学生该学科的得分情况，当具有区域代表性时，可以代表该类型或背景下学生该学科的得分情况
不同学校类型或不同社会经济背景差异系数	反映该类型或背景下全体参测学生该学科得分的整体离散程度，当具有区域代表性时，可以代表该类型或背景下学生该学科得分的离散程度

2019 年 XX 市八年级学业发展水平（阅读）评价共有直属（直管）地区及 22 个区县参加，抽样学生为 15000 人，有效成绩人数为 14637 人。

表 6-2-3　2019 年 XX 市八年级学业发展水平（阅读）评价总体概况

统计度量	评价指标				
	阅读	字词	句子	语段	文章
差异系数	0.26	0.44	0.29	0.36	0.32
平均得分率	53.27%	53.09%	60.92%	49.72%	51.16%
中位数得分率	54.00%	54.55%	65.22%	50.00%	52.38%

通过表 6–2–3 可以看出，在本次学业发展水平（阅读）评价中，XX 市八年级参测学生的学业发展水平（阅读）整体呈现如下特征。

① 2019 年 XX 市八年级参测学生学业发展水平（阅读）的平均得分率为 53.27%，差异系数为 0.26，中位数得分率高于平均得分率，表明 50% 以上参测学生的学业发展水平（阅读）高于 XX 市平均水平。

②从平均得分率来看，参测学生在各指标上的表现呈现出“句子”（60.92%）＞“阅读”（53.27%）＞“字词”（53.09%）＞“文章”（51.16%）＞“语段”（49.72%）的特点；从差异系数来看，参测学生在各指标上的表现呈现出“阅读”（0.26）＜“句子”（0.29）＜“文章”（0.32）＜“语段”（0.36）＜“字词”（0.44）的特点；从中位数得分率来看，各指标的中位数得分率都大于平均得分率，表明 50% 以上参测学生在各指标的表现水平都高于 XX 市平均水平。

③针对 XX 市八年级学业发展水平（阅读）表现出来的以上特征，借鉴国际学生评估项目（PISA）所关注的阅读素养测试维度（见表 6–2–4）分析：本次八年级阅读学业水平测试试卷中的文本情境均属于 PISA “阅读情境”维度下的“公共的情境”，“文本形式”为连续文本（四篇），所考查的“文本类型”包括描述、说明、叙述，“文本单位”均为单文本，“结构和导航”均为静态文本，所考查的“策略”包括信息定位、文本理解、

评价和反思。参测学生在“信息定位”方面的表现最佳，“评价和反思”次之，“文本理解”有待提高。

表 6-2-4　2018 年 PISA 阅读素养测试维度表

<table>
<tr><th colspan="2">维度</th><th>分类</th></tr>
<tr><td colspan="2">情境</td><td>个人的、公共的、职业的、教育的</td></tr>
<tr><td rowspan="4">文本</td><td>形式</td><td>连续文本、非连续文本</td></tr>
<tr><td>类型</td><td>议论、描述、说明、叙述、指示、互动</td></tr>
<tr><td>单位</td><td>单文本、多文本</td></tr>
<tr><td>结构和导航</td><td>静态文本、动态文本</td></tr>
<tr><td colspan="2">策略</td><td>信息定位、文本理解、评价和反思</td></tr>
</table>

④“字词”检测的结果显示，学生对现代文字词与文言文字词的掌握还有提升空间。文言文字词的主要问题是学生对实词含义的精准把握还需加强。而现代文中，部分参测学生对语境意义下的字词理解还有待加强，尤其是对“音同字异”类汉字的识记还有很大的提升空间。

⑤相较于其他指标，参测学生在“句子”指标上的表现最佳（平均得分率为 60.92%）。其中涉及现代文关键语句理解的检测，参测学生表现尤佳，实测得分率远超预测得分率。参照测试试题还可以发现，参测学生对文言文句子的理解、分析存在一定的问题，这提示了对此类学习还需加强。

⑥“语段”的问题存在于“思路结构”“语言表现力”等知识指标上。参照测试试题可以发现，参测学生对文章语段内容的分析理解尚可，但涉及“思路结构”“语言表现力”等的分析理解时则存在一定困难，存在分析不到位、答非所问等情况。

⑦参测学生在“文章”指标上的表现较好。其中，参测学生在文章重点内容分析等指标上的发挥超过试测地区的样本。参照测试试题可以发现，参测学生对作者的意图、思想感情等的揣摩尚不够准确。

结合《义务教育语文课程标准（2011 年版）》中第四学段（七至九年级）的“目标与内容”综合分析：参测学生对不同文本的段落内容理解、

关键语句分析上能力较强；在文言文和现代文的整体理解感知方面表现也较好；在结合文本信息推断作者的思想感情、把握文章思路结构、赏析语言特色等方面尚有提升空间；在综合运用多种信息解决问题上有待进一步提高。

6.2.2 初中数学测验

2021 年 XX 市八年级数学学科学业发展水平测试试卷的编制，以《义务教育数学课程标准（2011 年版）》及学科教育目标（三维目标兼容学科核心素养）为依据，参考 PISA 数学素养的框架，采用认知诊断和多维项目反应理论与技术，来设计此次测试的结构并指导编制测量工具。

进行测量的所有测量工具，均按照标准流程进行研发，各项指标均符合测量学要求，数学试卷全卷内部一致性系数达到 0.947，具有非常高的信度；数学试卷的结构效度 GFI 为 0.941，RMSEA 为 0.040；全卷区分度为 0.61。其中主要对学生的数学学业发展水平表现、数学学习态度与习惯、数学教育教学状况进行调查。

2021 年 XX 市八年级数学学科学业发展水平评价指标、数学学科学业发展水平分析评价指标分别如表 6-2-5、表 6-2-6 所示。

表 6-2-5　2021 年 XX 市八年级数学学科学业发展水平评价指标表

评价指标	指标解释
整式的乘除	对整式的乘除的相关知识点的考查，着重关注完全平方公式、平方差公式的检测
相交线与平行线	对相交线与平行线的性质、判定等相关知识点的考查
变量之间的关系	对变量关系的认识等相关知识点的考查，进行求函数关系式、函数知识简单应用的检测
三角形	对三角形、全等三角形、尺规作图等相关知识点的考查，渗透相关知识应用的检测
生活中的轴对称	对轴对称概念、性质、应用等相关知识点的考查
概率初步	对概率初步知识的考查，进行知识简单应用能力的检测

表 6-2-6　2021 年 XX 市八年级数学学科学业发展水平分析评价指标表

分析评价指标	指标解释
区 / 学校平均得分率	反映区 / 学校参测学生该学科的得分情况
区 / 学校中位数得分率	反映区 / 学校参测学生中该学科百分等级为 50% 的学生的得分情况
区 / 学校差异系数	反映区 / 学校参测学生该学科得分的整体离散程度
不同因素类型平均得分率	反映该类型下全体参测学生该学科的得分情况
不同因素类型差异系数	反映该类型下全体参测学生该学科得分的整体离散程度

2021 年 XX 市八年级数学学科学业发展水平评价共有 23 个区县及市直属（直管）地区参加，数学试卷满分为 150 分，全市平均分是 93.28 分，平均得分率为 62.19%。

数据结果如表 6-2-7 所示，在本次测试中，数学学业成绩整体呈现如下特征。

表 6-2-7　2021 年 XX 市八年级数学学科学业发展水平评价总体概况

统计度量	评价指标		
	数与代数	图形与几何	统计与概率
差异系数	0.43	0.45	0.4
平均得分率	59.81%	62.44%	74.65%
中位数得分率	64.2%	68.52%	80%

①“统计与概率”的平均得分率为 74.65%，超过了整卷平均得分率；“图形与几何”的平均得分率是 62.44%，与整卷平均得分率十分接近；“数与代数”的平均得分率偏低，低于 60%，说明学生对“数与代数”知识的掌握整体偏弱，这是一个比较严重的问题，对学生后续的学习、发展不利。

②从中位数得分率和平均得分率差值来看，各指标的平均得分率均低于中位数得分率，说明在这些指标方面有 50% 以上的学生表现水平高于市

平均水平。在“图形与几何”指标上，中位数得分率与平均得分率差值为6.08%，可见有部分学生对图形与几何的知识掌握得不太好，拉低了平均得分率。其他两项的中位数得分率与平均得分率差值分别为4.39%、5.35%，市平均水平受后进生影响较大。

③结合差异系数来看，各项指标的差异系数都不低于0.40，说明参测群体间的差异较大，均衡性差，这需要引起高度重视。

针对八年级学业质量监测（数学）表现出来的上述特征，结合《义务教育数学课程标准（2011年版）》中对学段（七至九年级）的课程目标分析，发现本次数学测试中八年级学生在以下方面表现较弱，问题解决能力较差：初步学会在具体的情境中从数学的角度发现问题和提出问题，并综合运用数学知识和方法等解决简单的实际问题，增强应用意识，提高实践能力。

另外，学生的计算能力也需要加强。PISA的数学素养框架也比较关注各种情境下的“问题解决能力”，这是与学科领域的专门知识技能紧密关联的，主要强调在情境（如个人的、职业的、社会的、科学的）中解决问题。

因此，从此次初中数学学科学业发展水平评价分析指标中，能发现当前教学环节中的针对性调整措施：在教师教学中，在加强学生基础知识和教师基本技能教学的前提下，注重问题解决能力的训练和培养等。

根据课程标准，结合此次学业评价的具体试题，将一级评价指标进行了细分，以期能够作出更确切的诊断。

通过表6-2-8可以看出，2021年XX市八年级数学学业发展水平评价各指标概况呈现出以下特征。

①“数与代数”问题主要存在于“变量之间的关系”知识点上。参照测试试题可以发现，参测学生利用图表理解变量之间的关系，读取信息、整合信息的能力较弱，综合应用代数知识解决数学问题的能力也不强。另外，涉及字母的计算也存在缺陷。

②“图形与几何”问题主要存在于“三角形”知识点上。参照测试试

题可以发现，参测学生对由一个或多个条件通过逻辑证明、分析判断得到结论的技能仍需要加强训练，解答几何计算题的能力也要加强。

③“统计与概率”考查了“概率的初步”的相关知识点，参照测试试题的得分情况发现，学生的问题主要出现在“对概率问题本质的理解”方面的题目上。

表 6-2-8 2021 年 XX 市八年级数学学业发展水平评价各指标概况表

指标	平均得分率 /%
整式的乘除	63.08
相交线与平行线	78.14
变量之间的关系	55.31
三角形	59.41
生活中的轴对称	62.60
统计与概率	74.65
整卷	62.24

6.2.3 初中英语测验

中国教育学会受 XX 市委托，依据教育部中小学教育质量综合评价指标框架，结合 XX 市教育质量综合评价的经验以及该市各区县实际情况，编制了 2017 年 XX 市八年级英语学业水平测验工具，以问卷（校长问卷、教师问卷）作为辅助调查的工具。

2017 年 XX 市八年级英语学业水平测试试卷的编制以《义务教育英语课程标准（2011 年版）》及学科教育目标（三维目标兼容学科核心素养）为依据，参考 PISA 阅读素养的框架，采用认知诊断和多维项目反应理论与技术，来设计此次测试的结构并指导编制测量工具。所有测量工具均按照标准流程进行研发，各项指标均符合测量学要求，具有良好的信度和效度。英语试卷知识、技能、能力测评对应的内部一致性系数分别为 0.934、0.927、0.927；结构效度指标 CFI 为 0.993，TLI 为 0.988，RMSEA 为 0.059。2017 年 XX 市八年级英语学业水平测试内容指标、学业评价分析评价指标、学业水平等级描述详见表 6-2-9、表 6-2-10、表 6-2-11。

表 6-2-9　2017 年 XX 市八年级英语学业水平测试内容指标表

指标	具体内容
知识	词汇：以单词或短语的词形、词义为考查内容
	词法：以词的形式及用法为考查内容
	句法：以句子各个组成部分和它们的排列顺序为考查内容
	对话：以句子的意义和固定应答为考查内容
	文章：以文章的体裁、意义、结构、观点、表达的情感等为考查内容
	写作：以按题目要求进行创造性表达为考查内容
技能	认知：考查考生再认、回忆所学英语词汇的音、形、义，固定词法和句法，使用时态及语态的技能
	理解：考查考生结合语境对单词、句子的意义进行解释和理解的技能
	信息提取：考查考生将问题中的信息与文中含义相同的词或暗含的信息相匹配，来找出所要求的新信息的技能
	综合概括：考查考生在理解文章内容的基础上，对文章的主旨大意进行归纳和概括的技能
	推理：考查考生根据文中提供的信息，借助思维的逻辑性、系统性，对文本内容进行推理的技能
	表达：考查考生综合运用英语语言知识，以记叙、议论或说明的方式记录事件、表达观点或传递信息的技能
能力	词汇辨析：考查考生对词汇音、形、义以及固定用法的异同进行分析和辨别的能力
	语言理解：考查考生理解语句、文章的字面义、隐含义的能力，以及根据文本所提供的信息进行客观性推理和综合概括等能力
	逻辑分析：考查考生借助思维的逻辑性、系统性对句子、语段、文章内容的意义和文章结构加以分析的能力

表 6-2-10　2017 年 XX 市八年级学业评价（英语）分析评价指标表

分析评价指标	指标解释
全市平均得分率	反映 XX 市全体参测学生该学科知识、技能和能力的得分情况
全市中位数得分率	反映 XX 市全体参测学生中该学科知识、技能和能力百分等级为 50% 的学生的得分情况
全市分化程度	反映 XX 市全体参测学生该学科知识、技能和能力的整体离散程度，当具有区域代表性时，可以代表本市学生学科知识、技能和能力的离散程度，公式为 S/M × 100
区县平均得分率	反映各区县参测学生该学科知识、技能和能力的得分情况
区县中位数得分率	反映各区县参测学生中该学科知识、技能和能力百分等级为 50% 的学生的得分情况
区县分化程度	反映各区县参测学生该学科知识、技能和能力的整体离散程度，当具有区域代表性时，可以代表该区县学生学科知识、技能和能力的离散程度，公式为 S/M × 100
不同学校类型或不同社会经济背景的平均得分率	反映该类型或背景下全体参测学生该学科知识、技能和能力的得分情况
不同学校类型或不同社会经济背景的中位数得分率	反映该类型或背景下参测学生中该学科知识、技能和能力百分等级为 50% 的学生的得分情况
不同学校类型或不同社会经济背景的分化程度	反映该类型或背景下全体参测学生该学科知识、技能和能力的整体离散程度，当具有区域代表性时，可以代表该类型或背景下全体学生学科知识、技能和能力的离散程度，公式为 S/M × 100
优秀水平人数百分比	处于优秀水平的参测学生人数占参测学生总人数的百分比
良好及以上水平人数百分比	达到良好及以上水平的参测学生人数占参测学生总人数的百分比
良好水平人数百分比	处于良好水平的参测学生人数占参测学生总人数的百分比

续表

分析评价指标	指标解释
合格及以上水平人数百分比	达到合格及以上水平的参测学生人数占参测学生总人数的百分比
合格水平人数百分比	处于合格水平的参测学生人数占参测学生总人数的百分比
不合格水平人数百分比	处于不合格水平的参测学生人数占参测学生总人数的百分比
学业水平等级	依据学科专家小组基于《义务教育英语课程标准（2011 年版）》为测验所制定的优秀、良好、合格学业水平分数线，对某学生群体在整卷或各领域的平均得分率进行判断，即可得到该学生群体在整卷或各领域的相应学业水平等级
标准分	根据学生的作答情况，按照平均分 500、标准差 100 转换成标准分数

表 6-2-11　2017 年 XX 市八年级英语学业水平等级描述表

标准分	水平等级	具体描述
526.25	优秀	处于优秀水平的八年级学生能够达到本年级的最高要求，即除了达到合格及良好水平的要求，还能够达到以下要求：能够辨析词汇意义以及词汇用法的异同；能够在特定语境中准确使用所学语法项目；具有优秀的综合运用英语的能力，能够准确把握文章大意，理解阅读材料上下文之间的关系；掌握描述时间、地点、方位等的表达方式，熟练、准确地运用所学语言知识，写出意思连贯、主题明确的简短文段
466.01	良好	处于良好水平的八年级学生能够达到本年级的较高要求，即除了达到合格水平的要求，还能够达到以下要求：能够理解和领悟词汇在特定语境中的意义；理解特定语境中的语法项目；能够理解和掌握本年级所学的语言表达形式；具有较好的综合运用英语的能力，能阅读较复杂的叙事文章和说明文等应用文体，根据上下文进行推理，运用所学词汇描述事物、行为和特征，根据提示写出意思连贯的句子

续表

标准分	水平等级	具体描述
375.26	合格	处于合格水平的八年级学生能够达到本年级的基本要求：掌握所学的单词、词组以及习惯用语；了解教材中学过的语法项目；能够掌握本年级所学的基本的语言表达形式；具有本年级所要求的基本的综合运用英语的能力，能够读懂简单的叙事文章并从中获取有关信息，能用简单的词组或句子为图片写出说明，基本做到词能达意
	不合格	处于不合格水平的八年级学生未能达到本年级的基本要求：对所学的单词、词组以及习惯用语、语法项目的掌握不够牢固；未能掌握本年级所学的基本的语言表达形式；语言基本的综合运用能力较差，不能读懂简单的叙事文章并从中获取有关信息，不能用简单的词组或句子为图片写出说明，词不达意

2017 年 XX 市八年级学业评价（英语）共有 22 个区县及市直属（直管）地区参加，参测学生为 15000 人，其中成绩有效人数为 14780 人。

通过表 6-2-12 可以看出，2017 年 XX 市八年级学生的英语成绩整体呈现如下特征。

表 6-2-12　2017 年 XX 市八年级学生学业评价（英语）总体概况

统计度量	评价指标		
	知识	技能	能力
区域分化程度	31.1	32.2	33.6
区域中位数得分率	78.3%	75.1%	72%
区域平均得分率	71.1%	68.4%	66%

2017 年 XX 市八年级参与此次学业评价的学生在“知识”“技能”“能力”三个维度上的平均得分率均超过 65%，其中在“知识”上的表现最好，“能力”上的表现最差；三个维度上的中位数得分率与平均得分率差值均

在 6 个百分点及以上，说明 50% 以上的学生的表现水平高于区域平均水平，区域整体水平受后进生影响较大；三个维度的分化程度均超过 30，说明 XX 市学生群体间均衡性较差，两极分化情况较为严重。

通过图 6–2–1 可以看出，2017 年 XX 市八年级学生英语学科“知识”“技能”“能力”三个维度各指标上的表现特征有以下几点。

①“知识”维度各指标中“对话”“句法”的表现较好，“写作”的表现最差，平均得分率仅有 36.8%；各指标中仅有“写作”的表现水平低于该维度的区域平均水平。

②“技能”维度各指标中“认知”“信息提取”“理解”的表现较好，“表达”的表现最差，平均得分率仅有 36.6%；各指标中“综合概括”“表达”上的表现水平低于该维度的区域平均水平。

③“能力”维度各指标中“语言理解”的表现最好，“逻辑分析”的表现最差，平均得分率仅有 32.0%；各指标中仅有“语言理解”的表现水平高于该维度的区域平均水平。

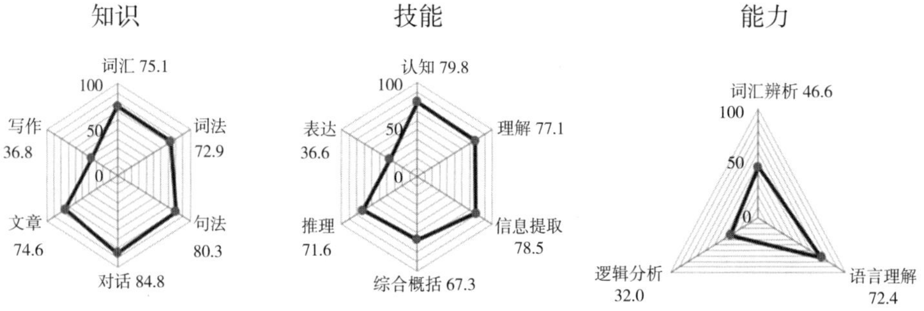

图 6–2–1　2017 年 XX 市八年级学生学业评价（英语）各指标概况

针对 2017 年 XX 市八年级学生学业评价（英语）表现出来的特征，结合课程标准以及 PISA 阅读素养框架，有以下几点发现。

①参与本次学业评价的学生对于句法、对话等基础语言知识的识记、理解以及“从简单的文章中找出有关信息”“在文本中获取和检索信息”等方面表现较好，而在词法的掌握以及“根据上下文猜测生词的意思”“理解文章大意”“整合并生成推论”等方面还有待提高。

②此次评价中书面表达部分的问题最为突出，学生在“写出简短的文段”“理解并运用恰当的语言形式描述人和物，描述具体事件和具体行为的发生、发展过程，描述时间、地点及方位，比较人、物体及事物等”方面存在严重不足。

“知识”“技能”“能力”三个维度中，“写作”“表达”“逻辑分析”三个指标表现最差。通过分析试题可知，这三个指标都只在书面表达部分涉及，说明教师在平时的教学过程中对学生书面表达方面的重视不够，学生日常学习中对这方面的训练严重不足，应予以高度重视。

根据课程标准，结合此次学业评价的具体试题，下面将“知识”维度各级指标进行了细分，以期能够作出更确切的诊断。

通过表 6-2-13 可以看出，2017 年 XX 市初中英语学业评价知识维度各指标概况呈现出以下特征。

①“词汇”“句法”“对话”几个指标上的表现较好。

②“词法”总的表现较为一般，问题主要存在于“情态动词”以及“限定词”两个指标上。参照测试试题可以发现，学生对情态动词在具体语境中的意义的理解能力以及词汇用法异同的辨析能力较为欠缺。

③“文章”指标中，“非连续文本”的表现水平明显高于“连续文本”，这与非连续文本主要考查学生从文本中提取信息的能力有关。进一步分析可以发现，“连续文本”中的“综合概括”“推理”表现较差，且在“信息提取”方面的表现也逊于“非连续文本”。这表明学生在学习过程中对连续文本类型的阅读理解训练有所欠缺，尤其是在根据文章上下文进行推论、概括文章大意等方面需要进一步提高。

④“写作”指标中，除“词数”外，其他各指标平均得分率均低于 50%，其中表现最差的是“语法”。这表明学生在对写作材料主题的理解和把握、所学词汇和语法知识的综合运用、句子以及段落间的逻辑关系分析、单词拼写以及标点使用等方面存在严重不足。

表 6-2-13　2017 年 XX 市八年级英语学业评价知识维度各指标概况

指标	词汇	词法				句法		对话
	词义	副词	比较级	情态动词	限定词	时态	there be 句型	情景对话
平均得分率	75.1%	78.6%	77.6%	70.1%	60.8%	79.7%	82%	84.8%
指标	文章		写作					
	连续文本	非连续文本	主题相关性	语法	词汇丰富性	逻辑性	拼写与标点	词数
平均得分率	72.8%	83.4%	46.1%	27.9%	30.5%	43.9%	32.2%	65.9%

6.3 中小学创新意识评价中的运用案例

教育部等六部门印发的《义务教育质量评价指南》中，在“学业发展”中提出关键指标“创新精神”，其考查要点包括好奇心、想象力和求知欲，信息收集整合、综合分析运用能力，自主探究、独立思考、发现问题、解决问题的意识与能力等。

中国教育学会于 2021 年对 XX 市 14719 名五年级学生进行了创新意识评价。使用 SPSS 23.0 对 XX 市 2021 年五年级学生的创新意识测量工具做信度检验。评价工具的内部一致性系数为 0.907，符合测量学要求，达到中国教育学会提出的工具质量试行标准中“信度高，可用于评价和预测，可靠性高”的标准水平。使用 AMOS 22.0 中的渐进分布自由估计法

（Asymptotically Distribution-Free，ADF）对XX市2021年五年级学生创新意识测量工具模型进行拟合估计。本次创新意识测量工具的拟合优度指数GFI达到0.948，误差均方根RMSEA低至0.031，高水平达到GFI＞0.9，RMSEA＜0.08的标准。调查结果发现，XX市五年级学生在“创新意识”上的平均得分率达到了83.91%，差异系数为0.14，表明XX市大多数五年级学生都具有较强的创造力，并且学生的创新意识在不同家庭背景上没有太大差异，但表现出明显的城乡差异和性别差异。

如图6-3-1所示，城市学校的学生在创新意识及实践能力、阅读水平等各指标上的平均得分率均高于农村学校的学生，且城市学校的学生的均衡性要好于农村学校的学生。

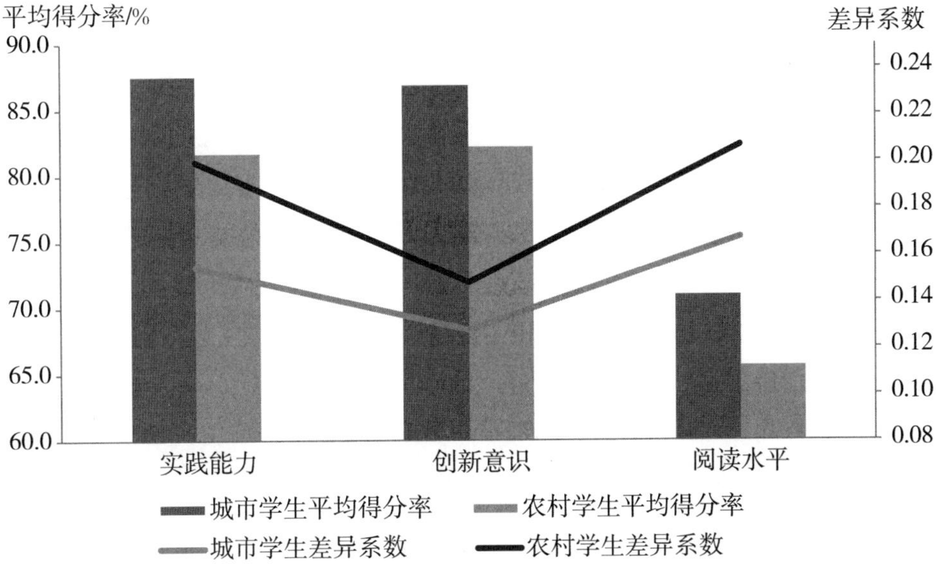

图6-3-1　不同城乡类型学生学业发展水平概况

由表6-3-1可知，父母受教育程度越高，XX市五年级参测学生在创新意识等学业发展水平各指标上的表现越好。根据父母受教育程度的不同对学生学业发展水平各指标的表现水平进行差异分析，结果显示，父亲受教育程度为“高中或中专”与“大专”的学生在“实践能力”指标上差异不显著；母亲受教育程度为“小学以下或没读书”与“小学”的学生以及母亲受教育程度为“高中或中专”与“大专”的学生在“实践能力”指标上差异不显著。父亲受教育程度为“小学以下或没读书”与“小学”以及“小学”与“初中”的学生在“创新意识”指标上差异不显著；母亲受教育程度为“小学”与“初中”以及“高中或中专”与“大专”的学生在“创新意识”指标上差异不显著。在“阅读水平”指标上，父母受教育程度不同的学生均存在显著差异，表明父母的受教育程度与学生的阅读素养水平有明显相关性。

表 6-3-1　父母受教育程度不同的学生学业发展水平指标差异分析

学业发展水平指标	受教育程度对平均得分率的影响					
	小学以下或没读书	小学	初中	高中或中专	大专	本科及以上
实践能力	低 → 高					
创新意识						
阅读水平						

如表 6–3–2 所示，男生在“创新意识”指标上的表现水平高于女生，女生在“实践能力”和“阅读水平”指标上的表现水平均高于男生，男女生之间三项指标均有显著差异。

表 6-3-2　不同性别学生学业发展水平指标差异分析

因素	组别 1	组别 2	实践能力	创新意识	阅读水平
性别	男	女	▽	▲	▽

注:（1）▲表示组别 1 的平均得分率大于等于组别 2 的平均得分率；▽表示组别 1 的平均得分率小于组别 2 的平均得分率。（2）灰色底纹表示差异显著；无底纹表示差异不显著。

中国教育学会还对 XX 市 14631 名八年级学生进行了创新意识评价。使用 SPSS 23.0 对 XX 市 2021 年八年级学生创新意识测量工具完成了信度检验。测量工具的内部一致性系数为 0.908，符合测量学要求，达到中国教育学会提出的工具质量试行标准中“信度高，可用于评价和预测，可靠性高”的标准水平。使用 AMOS 22.0 中的渐进分布自由估计法对 XX 市 2021 年八年级学生创新意识测量工具模型进行拟合估计。本次创新意识测量工具的拟合优度指数 GFI 达到 0.921，误差均方根 RMSEA 低至 0.039，高水平达到 GFI > 0.9，RMSEA < 0.08 的标准。调查发现，XX 市八年级学生在“创新意识”上的平均得分率达到了 81.10%，差异系数为 0.14，表明 XX 市大多数八年级学生都具有较好的创造力。

如图 6-3-2 所示，城市学校的学生在“创新意识”等各指标上的平均得分率均高于农村学校的学生，且城市学校的学生的均衡性要好于农村学校的学生。

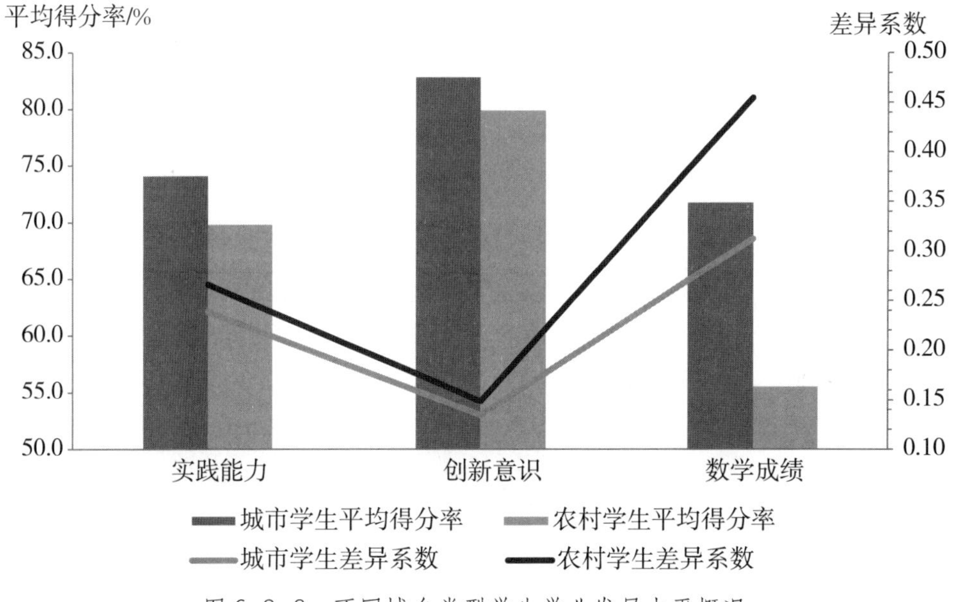

图 6-3-2 不同城乡类型学生学业发展水平概况

由表 6-3-3 可知，父母受教育程度越高，XX 市八年级参测学生在学业发展水平各指标上的表现越好。根据父母受教育程度不同对学生学业发展水平各指标的表现水平进行差异分析，结果显示，父亲受教育程度为“小学以下或没读书”与“小学”的学生在“实践能力”“创新意识”“数学成绩”等指标上差异不显著；父母受教育程度为“高中或中专”与“大专”的学生在“实践能力”和“创新意识”等指标上差异不显著。对差异分析的结果进行事后多重比较可以发现，在“数学成绩”这个指标上，除父亲受教育程度为“小学或没读书”与“小学”外，父母受教育程度不同的学生的表现存在极其显著的差异，表明父母受教育程度与学生的数学学科表现有明显相关性。

表 6-3-3　父母受教育程度不同的学生学业发展水平指标差异分析

<table>
<tr><th rowspan="2">学业发展水平指标</th><th colspan="6">受教育程度对平均得分率的影响</th></tr>
<tr><th>小学以下或没读书</th><th>小学</th><th>初中</th><th>高中或中专</th><th>大专</th><th>本科或以上</th></tr>
<tr><td>实践能力</td><td colspan="6" rowspan="3">低 → 高</td></tr>
<tr><td>创新意识</td></tr>
<tr><td>数学成绩</td></tr>
</table>

如表 6-3-4 所示，男生在“创新意识”和“数学成绩”指标上的表现水平高于女生，女生在“实践能力”指标上的表现水平高于男生，男女生之间三项指标均有显著差异。

表 6-3-4　不同性别学生学业发展水平指标差异分析

因素	组别 1	组别 2	实践能力	创新意识	数学成绩
性别	男	女	▽	▲	▲

注：(1) ▲表示组别 1 的平均得分率大于等于组别 2 的平均得分率；▽表示组别 1 的平均得分率小于组别 2 的平均得分率。(2) 灰色底纹表示差异显著；无底纹表示差异不显著。

第七章

工具标准规范在综合素养评价中的运用

7.1 品德测评中的运用案例

2020 年 10 月，中共中央、国务院印发《深化新时代教育评价改革总体方案》(以下简称《总体方案》)，强调要坚持立德树人，充分发挥教育评价的指挥棒作用，推进教育评价关键领域改革取得实质性突破，要坚持科学有效，改进结果评价，强化过程评价，探索增值评价，健全综合评价。《总体方案》明确提出改革学校评价，推进落实立德树人根本任务的要求，国家制定义务教育学校办学质量评价标准，完善义务教育质量监测制度，加强监测结果运用，促进义务教育优质均衡发展。在改革学生评价方面，《总体方案》强调以促进学生德智体美劳全面发展为导向，树立科学成才观念，坚持以德为先、能力为重、全面发展，创新德智体美劳过程性评价办法，完善综合素质评价体系，切实引导学生坚定理想信念、厚植爱国主义情怀、加强品德修养、增长知识见识、培养奋斗精神、增强综合素质。教育部等六部门于 2021 年印发《义务教育质量评价指南》，其中对学生发展质量评价的第一个重点内容 A1. 品德发展，提出了三个关键指标：B1. 理想信念、B2. 社会责任、B3. 行为习惯。中国教育学会受委托，对 XX 市开展了学生品德发展评价。评价指标如表 7-1-1 所示。

表 7-1-1　XX 市 2021 年学生品德发展水平评价指标

评价内容	关键指标	指标解释
品德发展水平	理想信念	学生在爱国情感、民族认同感、社会责任感与集体意识方面的表现情况

续表

评价内容	关键指标	指标解释
品德发展水平	行为习惯	学生在文明礼貌、勤俭节约、热爱劳动、爱护环境、珍爱生命、遵纪守法、诚实守信、团结友善、乐于助人、尊重他人方面的表现情况
	公民素养与社会责任	学生在参政议政意识与态度行为倾向，对公民权利、义务和平等的认知与态度，对国家和国情的认知与态度，对市民公共生活的认知与态度，对校园公共生活的认知，校外社会活动参与度，校园活动参与行为方面的表现情况
	人格品质	学生在有恒性、自律性方面的表现情况

7.1.1 品德评价工具质量

使用 SPSS 23.0 对 XX 市 2021 年五年级、八年级学生品德发展水平测量工具做信度检验，结果如表 7–1–2、表 7–1–3 所示。

表 7-1-2　XX 市 2021 年五年级学生品德发展水平测量工具的信度

测量工具	指标	内部一致性系数
品德发展水平	理想信念	0.921
	行为习惯	0.896
	公民素养与社会责任	0.885
	人格品质	0.868

表 7-1-3　XX 市 2021 年八年级学生品德发展水平测量工具的信度

测量工具	指标	内部一致性系数
品德发展水平	理想信念	0.924
	行为习惯	0.886
	公民素养与社会责任	0.932
	人格品质	0.828

使用 AMOS 22.0 中的渐进分布自由估计法对 XX 市五年级、八年级学

生的品德发展水平测量工具模型进行拟合估计。测量工具的结构效度检验结果如表 7-1-4、表 7-1-5 所示，均符合测量学一般标准，以及中国教育学会标准建议稿提出的“测验工具结构效度拟合指数应大于 0.90，以及 RMSEA 应小于 0.08”的要求。

表 7-1-4　XX 市 2021 年五年级学生品德发展水平各指标的结构效度

测量工具	指标	GFI	RMSEA
品德发展水平	理想信念	0.925	0.078
	行为习惯	0.939	0.028
	公民素养与社会责任	0.978	0.038
	人格品质	0.946	0.028

表 7-1-5　XX 市 2021 年八年级学生品德发展水平各指标的结构效度

测量工具	指标	GFI	RMSEA
品德发展水平	理想信念	0.930	0.073
	行为习惯	0.944	0.052
	公民素养与社会责任	0.914	0.037
	人格品质	0.977	0.031

7.1.2 小学生品德评价结果

如表 7-1-6、表 7-1-7 所示，在品德发展水平各指标中，XX 市五年级学生在“理想信念”指标上的表现最好，平均得分率达到 93.57%，在“公民素养与社会责任”指标上的表现较差，平均得分率为 79.71%。从“公民素养与社会责任”的具体指标看，“学校社区活动参与度”指标的平均得分率仅为 72.38%，且差异系数达到了 0.30，说明 XX 市五年级学生在积极参与校园和社区活动方面表现一般，且差异系数较高，学生间的差异较大。

表 7-1-6　XX 市五年级学生品德发展水平各指标总体概况

评价项目	指标	平均得分率 /%
品德发展水平	理想信念	93.57
	行为习惯	81.67
	公民素养与社会责任	79.71
	人格品质	84.40

表 7-1-7　XX 市五年级学生品德发展水平各指标概况

品德发展水平指标	平均得分率 /%	差异系数
理想信念	93.57	0.10
行为习惯	81.67	0.15
公民素养与社会责任	79.71	0.19
规则意识和行为	88.00	0.18
权益责任意识和行为	84.35	0.18
学校社区活动参与度	72.38	0.30
尊重和爱护环境	81.83	0.24
人格品质	84.40	0.19
有恒性	84.77	0.19
自律性	83.99	0.20

不同城乡类型品德发展水平概况。根据城乡分布将 XX 市小学学校分为城市学校、农村学校，不同城乡分布类型学校抽样样本量见表 7–1–8。2021 年 XX 市教育质量综合评价抽测学校总数为 206 所，其中城市学校 65 所，农村学校 141 所。五年级参测学生总数为 14719 人，其中城市学校的学生数为 5410 人，农村学校的学生数为 9309 人。

表 7-1-8　XX 市五年级参测学生按照城乡分类的学校数及学生数

城乡分布	学校数 / 所	学校数百分比 /%	人数 / 人	人数百分比 /%
城市学校	65	31.55	5410	36.76
农村学校	141	68.45	9309	63.24
合计	206	100.00	14719	100.00

从图 7-1-1 可知，城市学校的学生在“行为习惯”“公民素养与社会责任”“人格品质”和“理想信念”指标上的平均得分率均高于农村学校的学生，且城市学校的学生的均衡性要好于农村学校的学生。

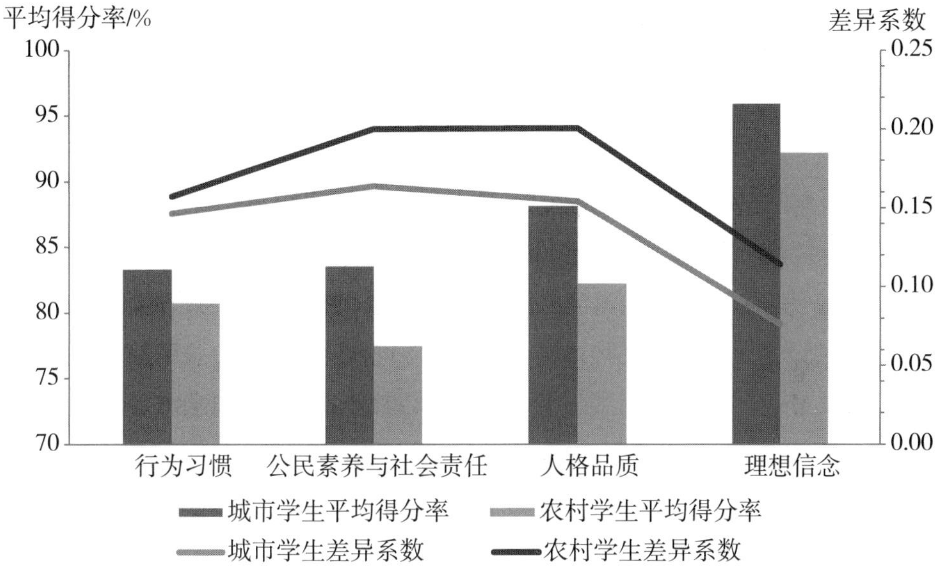

图 7-1-1 不同城乡分布学校学生品德发展水平各指标概况

不同家庭背景学生品德发展的差异分析。根据父母受教育程度的不同将学生划分为 6 种类型：父母受教育程度为小学以下或没读书、小学、初中、高中或中专、大专、本科及以上。XX 市五年级参测学生在各个类型上的人数分布如表 7-1-9 所示。

表 7-1-9 父母受教育程度对应学生人数分布情况

受教育程度	父亲		母亲	
	人数 / 人	人数百分比 /%	人数 / 人	人数百分比 /%
小学以下或没读书	252	1.73	257	1.76
小学	985	6.75	968	6.63
初中	3504	24.00	3554	24.35
高中或中专	4225	28.93	4209	28.84
大专	2655	18.18	2753	18.86

续表

受教育程度	父亲		母亲	
	人数 / 人	人数百分比 /%	人数 / 人	人数百分比 /%
本科及以上	2982	20.42	2855	19.56
合计	14603	100	14596	100

注：其中有 116 人没有填涂父亲受教育程度，有 123 人没有填涂母亲受教育程度。

如图 7-1-2、图 7-1-3 所示，XX 市五年级参测学生在品德发展水平上呈现出一致的特征，即父母受教育程度越高，学生在品德发展水平各指标上的表现越好。父母受教育程度对“人格品质”指标的影响更为显著。对差异分析的结果进行事后多重比较可以发现，除父亲受教育程度为“高中或中专”与“大专”的学生在“行为习惯”和“理想信念”等指标上的差异不显著外，其余均存在显著差异。

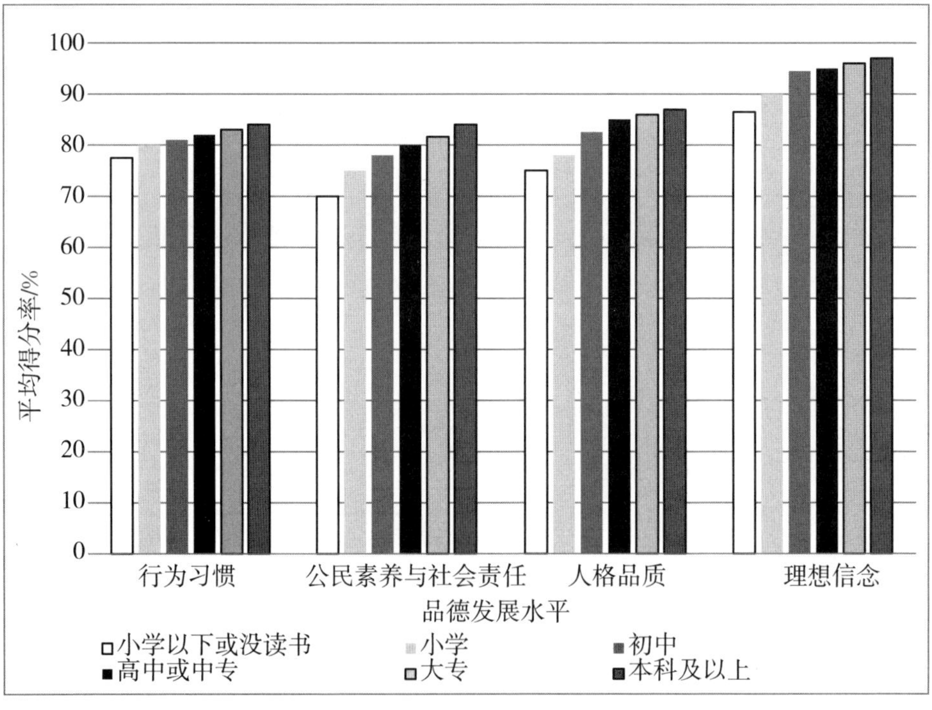

图 7-1-2 父亲受教育程度对应学生品德发展水平各指标概况

母亲受教育程度为“高中或中专”与“大专”的学生在“行为习惯”“公民素养与社会责任”“理想信念”等指标上的差异不显著。

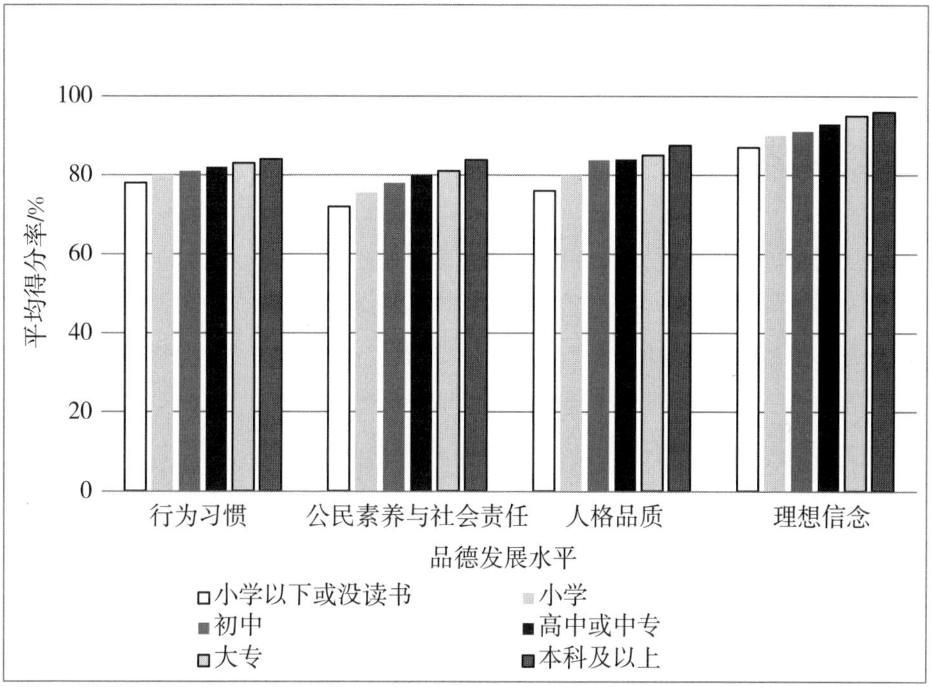

图 7-1-3　母亲受教育程度对应学生品德发展水平各指标概况

不同性别学生品德发展水平的差异分析。如表 7-1-10 所示，2021 年 XX 市五年级参测学生中，男生人数占比为 52.14%，女生人数占比为 47.86%。

表 7-1-10　2021 年 XX 市五年级参测学生性别人数分布

性别	人数 / 人	人数百分比 /%
男	7675	52.14
女	7044	47.86
合计	14719	100

如表 7-1-11 所示，女生在品德发展水平各指标上的表现水平显著高于男生。

表 7-1-11　不同性别学生品德发展水平指标差异分析

因素	组别 1	组别 2	行为习惯	公民素养与社会责任	人格品质	理想信念
性别	男	女	▽	▽	▽	▽

注:（1）▲表示组别 1 的平均得分率大于等于组别 2 的平均得分率；▽表示组别 1 的平均得分率小于组别 2 的平均得分率。（2）灰色底纹表示差异显著；无底纹表示差异不显著。

7.1.3 中学生品德评价结果

如表 7-1-12、表 7-1-13 所示，在品德发展水平各指标中，XX 市八年级学生在“理想信念”指标上的表现最好，得分率达到 90.07%，表明大部分学生具有坚定的理想信念。在“人格品质”指标上的表现较差，得分率为 72.98%。公民素养与社会责任得分率居中，为 82.66%，从公民素养与社会责任的具体指标看，“校外社会活动参与度”指标的平均得分率仅为 63.78%，且差异系数达到了 0.34；“校园活动参与行为”指标的平均得分率仅为 67.47%，且差异系数达到了 0.30，说明八年级学生在积极参与校园活动和社会活动方面表现一般，且差异系数较高，学生间的差异较大。

表 7-1-12　2021 年 XX 市八年级学生品德发展水平各指标总体概况

评价项目	指标	平均得分率 /%
品德发展水平	行为习惯	77.38
	公民素养与社会责任	82.66
	人格品质	72.98
	理想信念	90.07

表 7-1-13　2021 年 XX 市八年级学生品德发展水平各指标概况

品德发展水平指标	平均得分率 /%	差异系数
行为习惯	77.38	0.15
公民素养与社会责任	82.66	0.11
规则意识和行为	82.13	0.21

续表

品德发展水平指标	平均得分率 /%	差异系数
对校园公共生活的认知	91.24	0.12
校园活动参与行为	67.47	0.30
校外社会活动参与度	63.78	0.34
对公民权利、义务和平等的认知与态度	90.68	0.10
对国家和国情的认知与态度	94.27	0.09
对市民公共生活的认知与态度	87.97	0.14
参政议政意识与态度行为倾向	75.89	0.16
人格品质	72.98	0.20
有恒性	72.97	0.22
自律性	73.00	0.22
理想信念	90.07	0.11

不同城乡类型品德发展水平概况。根据城乡分布将 XX 市初中学校分为城市学校、农村学校。不同城乡分布类型学校抽样样本量见表 7-1-14。2021 年 XX 市教育质量综合评价抽测学校总数为 143 所，其中城市学校 45 所，农村学校 98 所。参测八年级学生总数为 14631 人，其中城市学校学生人数为 6044 人，农村学校学生人数为 8587 人。

表 7-1-14　XX 市八年级参测学生按照城乡分类的学校数及学生数

城乡分布	学校数 / 所	学校数百分比 /%	人数 / 人	人数百分比 /%
城市学校	45	31.47	6044	41.31
农村学校	98	68.53	8587	58.69
合计	143	100.00	14631	100.00

从图 7-1-4 可知，城市学校的学生在“行为习惯”“公民素养与社会责任”“人格品质”和“理想信念”指标上的平均得分率均高于农村学校的学生，且城市学校的学生的均衡性要好于农村学校的学生。

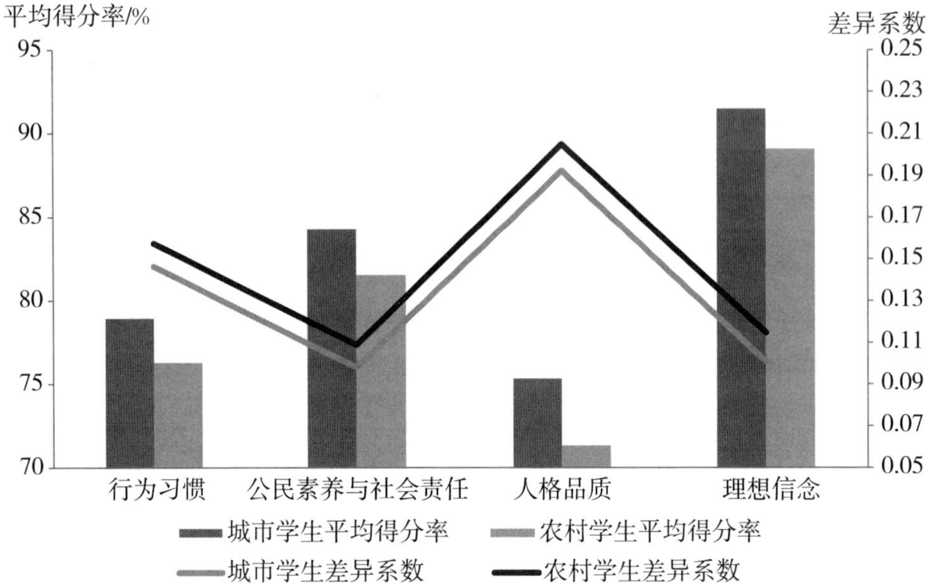

图 7-1-4　不同城乡分布学校学生品德发展各指标概况

不同家庭背景学生品德发展的差异分析。根据父母受教育程度不同将学生区分为 6 种类型：父母受教育程度为小学以下或没读书、小学、初中、高中或中专、大专、本科及以上。XX 市八年级参测学生在各个类型上的人数分布如表 7-1-15 所示。

表 7-1-15　父母受教育程度对应学生人数分布情况

受教育程度	父亲		母亲	
	人数 / 人	人数百分比 /%	人数 / 人	人数百分比 /%
小学以下或没读书	212	1.45	305	2.09
小学	1213	8.31	1446	9.91
初中	4776	32.73	4865	33.36
高中或中专	3775	25.87	3730	25.57
大专	1782	12.21	1792	12.29
本科及以上	2836	19.43	2447	16.78
合计	14594	100	14585	100

注：其中有 37 人没有填涂父亲受教育程度，有 46 人没有填涂母亲受教育程度。

如图 7-1-5、图 7-1-6 所示，XX 市八年级参测学生在品德发展水平上呈现出一致的特征，即父母受教育程度越高，学生在品德发展水平各指标上的表现越好。父母受教育程度对学生“人格品质”的影响更为显著。

对差异分析的结果进行事后多重比较可以发现，父亲受教育程度为“高中或中专”与“大专”的学生在“行为习惯”“公民素养与社会责任”“人格品质”“理想信念”4 项指标上的差异不显著；父亲受教育程度为“小学以下或没读书”与“小学”的学生在“行为习惯”“公民素养与社会责任”“理想信念”3 项指标上的差异同样不显著。

母亲受教育程度为“高中或中专”与“大专”的学生在“行为习惯”“公民素养与社会责任”“人格品质”“理想信念”4 项指标上的差异均不显著。

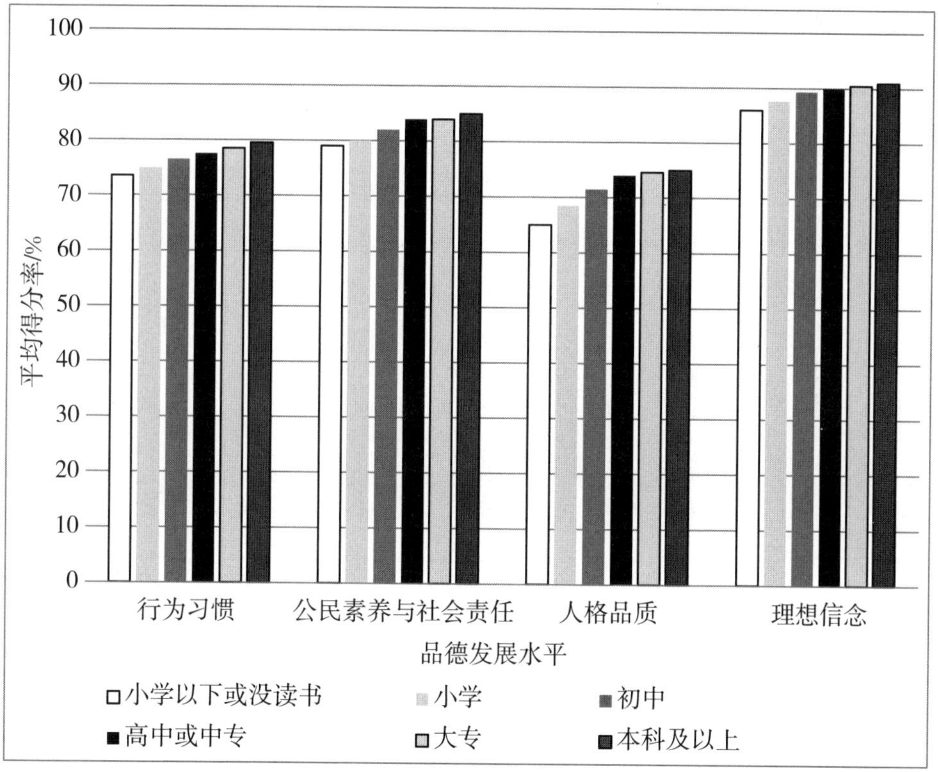

图 7-1-5　父亲受教育程度对应学生品德发展水平各指标概况

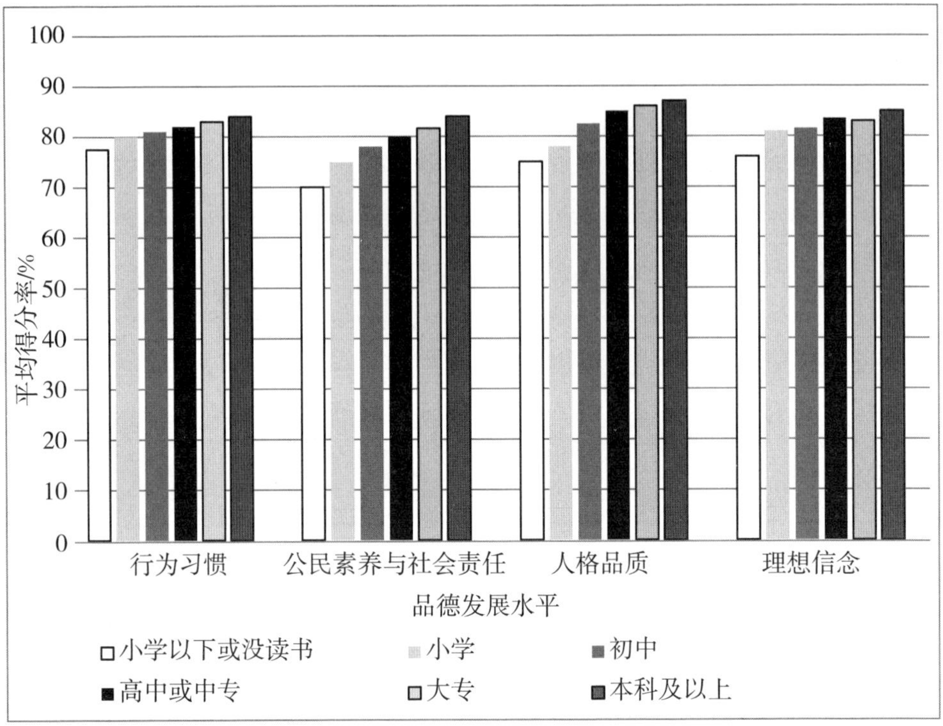

图 7-1-6　母亲受教育程度对应学生品德发展水平各指标概况

不同性别的学生品德发展水平的差异分析如表 7-1-16 所示。2021 年 XX 市八年级参测学生中，男生人数占比为 52.55%，女生人数占比为 47.45%。

表 7-1-16　2021 年 XX 市八年级参测学生性别人数分布

性别	人数 / 人	人数百分比 /%
男	7688	52.55
女	6943	47.45
合计	14631	100

如表 7-1-17 所示，女生在品德发展水平各指标上的表现显著高于男生。

表 7-1-17　不同性别学生品德发展水平指标差异分析

因素	组别 1	组别 2	行为习惯	公民素养	人格品质	理想信念
性别	男	女	▽	▽	▽	▽

注：（1）▲表示组别 1 的平均得分率大于等于组别 2 的平均得分率；▽表示组别 1 的平均得分率小于组别 2 的平均得分率。（2）灰色底纹表示差异显著；无底纹表示差异不显著。

7.2 其他综合素养测验中的运用案例

教育部等六部门印发的《义务教育质量评价指南》和教育部印发的《普通高中学校办学质量评价指南》，这两个质量评价指南在评价学生发展质量上，采取了基本相同的评价内容或关键指标，即品德发展、学业发展、身心发展（普通高中为“身心健康”）、审美素养（普通高中为“艺术素养”）、劳动与社会实践（普通高中为“劳动实践”）等方面义务教育评价重点内容，或者普通高中学生发展评价的 5 项关键指标。它们是 2013 年 6 月教育部印发的《教育部关于推进中小学教育质量综合评价改革的意见》中提出的教育质量综合评价指标框架的升级版，体现了中共中央、国务院印发的《深化新时代教育评价改革总体方案》中提出的“充分发挥教育评价的指挥棒作用，引导确立科学的育人目标”“健全综合评价”等要求。教育质量监测评价，不仅要重视学生的品德发展、学业发展，而且要关注学生的身心发展、兴趣特长、潜能发展、审美、劳动等多方面的综合素养。2021 年中国教育学会试验性运用评价工具质量标准规范，开展了属于身心发展指标中的“学生情绪行为调控”、属于特长指标的“学习潜能发展”等评价。

7.2.1 评价工具质量

测量工具的信度。使用 SPSS 23.0 对 2021 年 XX 市五年级、八年级质量评价各测量工具做信度检验。各测量工具的内部一致性系数如表 7–2–1、表 7–2–2 所示，都达到测量学标准，说明测量工具是可靠的。

表 7-2-1　2021 年 XX 市五年级各测量工具的信度

测量工具	指标	内部一致性系数
身心发展水平	情绪行为调控	0.787
兴趣特长养成	学习潜能	0.908

表 7-2-2　2021 年 XX 市八年级各测量工具的信度

测量工具	指标	内部一致性系数
身心发展水平	情绪行为调控	0.742
兴趣特长养成	学习潜能	0.928

测量工具的结构效度。使用 AMOS 22.0 中的渐进分布自由估计法对 XX 市五年级各测量工具模型进行拟合估计。各测量工具的结构效度检验结果如表 7-2-3、表 7-2-4 所示，均符合测量学中“测验工具结构效度拟合指数应大于 0.90，以及 RMSEA 应小于 0.08”的要求，说明此次测量工具具有良好的结构效度。

表 7-2-3　2021 年 XX 市五年级各测量工具的结构效度

测量工具	指标	GFI	RMSEA
身心发展水平	情绪行为调控	0.941	0.077
兴趣特长养成	学习潜能	1.000	0.015

表 7-2-4　2021 年 XX 市八年级各测量工具的结构效度

测量工具	指标	GFI	RMSEA
身心发展水平	情绪行为调控	0.951	0.075
兴趣特长养成	学习潜能	1.000	0.017

测量工具的效标效度。五年级学习潜能测量工具与阅读成绩的相关系数达到 0.674，具有较高的效标效度；八年级学习潜能测量工具与数学学科

学业成绩的相关系数达到 0.836，具有很高的效标效度。

测量工具的区分度。五年级、八年级学习潜能测量工具各指标的区分度都在 0.30 以上，区分度水平多数为“良好”，部分指标达到“优秀”。如表 7-2-5、表 7-2-6 所示，学习潜能测量工具的区分度很好。

表 7-2-5　2021 年 XX 市五年级测量工具的区分度

测量工具	指标	区分度	区分度水平
学习潜能	言语推理	0.36	良好
	数字推理	0.47	优秀
	抽象推理	0.37	良好
	空间关系	0.45	优秀

表 7-2-6　2021 年 XX 市八年级测量工具的区分度

测量工具	指标	区分度	区分度水平
学习潜能	言语推理	0.47	优秀
	数字推理	0.51	优秀
	抽象推理	0.46	优秀
	空间关系	0.47	优秀

7.2.2 情绪行为调控评价结果

1. 小学生情绪行为调控情况

小学五年级学生在“情绪行为调控”上的平均得分率为 83.58%，差异系数为 0.19，表明五年级学生情绪行为调控总体处在中上水平。

城市学校的五年级学生在“情绪行为调控”指标上的平均得分率高于农村学校的五年级学生，且城市学校的五年级学生情绪行为调控的均衡性好于农村学校的小学生。如图 7-2-1 所示。

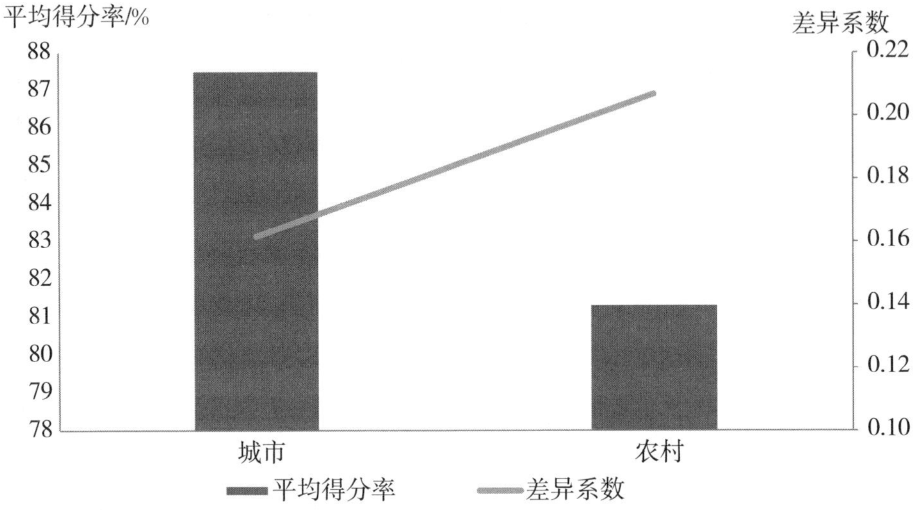

图 7-2-1　不同城乡类型五年级学生情绪行为调控概况

父母受教育程度越高，五年级参测学生在“情绪行为调控”上的表现越好。对父母亲差异分析的结果进行事后多重比较可以发现，除父母受教育程度为“小学以下或没读书”与“小学”，以及“初中”与“高中或中专”的学生之间没有显著差异外，其余父母受教育程度不同的学生之间在“情绪行为调控”方面均存在显著差异。

表 7-2-7　父母受教育程度不同的学生情绪行为调控指标差异分析

评价项目	受教育程度对平均得分率的影响					
	小学以下或没读书	小学	初中	高中或中专	大专	本科及以上
情绪行为调控	低 → 高					

从表 7-2-8 可知，小学五年级女生在“情绪行为调控”指标上的表现水平显著高于小学男生。

表 7-2-8　不同性别学生情绪行为调控指标差异分析

因素	组别 1	组别 2	情绪行为调控
性别	男	女	▽

注:（1）▲表示组别 1 的平均得分率大于等于组别 2 的平均得分率；▽表示组别 1 的平均得分率小于组别 2 的平均得分率。（2）灰色底纹表示差异显著；无底纹表示差异不显著。

2. 初中学生情绪行为调控情况

八年级学生在“情绪行为调控”上的平均得分率为 71.23%，差异系数为 0.24，表明八年级学生情绪行为调控总体处在中等水平。

城市学校的八年级学生在“情绪行为调控”指标上的平均得分率高于农村学校的八年级学生，且城市学校八年级学生情绪行为调控的均衡性好于农村学校的学生。如图 7-2-2 所示。

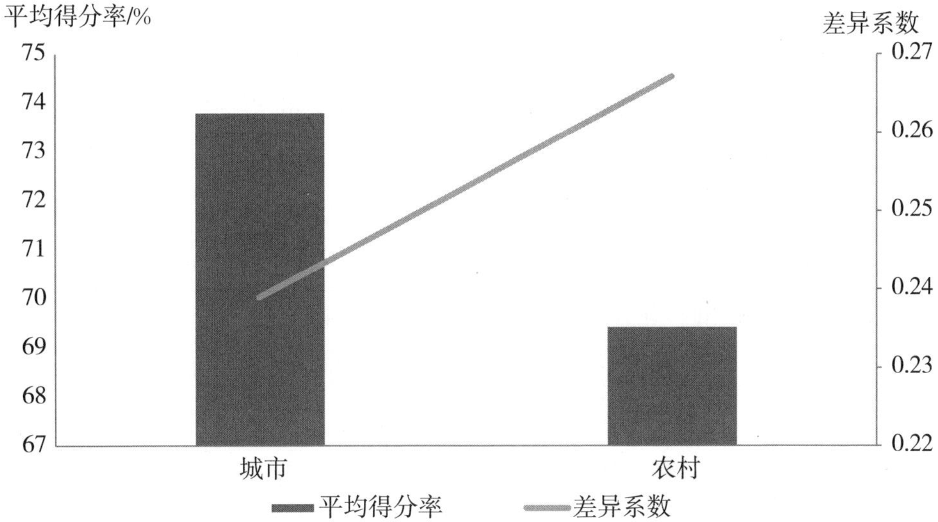

图 7-2-2　不同城乡类型八年级学生情绪行为调控概况

不同家庭背景学生的情绪行为调控差异分析。从表 7-2-9 可知，父母受教育程度越高，八年级参测学生在“情绪行为调控”上的表现越好。对父母受教育程度不同的学生的“情绪行为调控”表现水平进行差异分析，结果显示，父母受教育程度不同的学生在该指标上存在显著差异。对父母受教育程度差异分析的结果进行事后多重比较可以发现，除父母受教育程度为“高中或中专”与“大专”的学生之间没有显著差异外，其余父母受教育程度不同的学生之间在“情绪行为调控”方面均存在显著差异。

表 7-2-9　父母受教育程度不同的学生情绪行为调控指标差异分析

评价项目	受教育程度对平均得分率的影响					
	小学以下或没读书	小学	初中	高中或中专	大专	本科及以上
情绪行为调控	低 → 高					

不同性别初中学生情绪行为调控的差异分析。从表 7-2-10 可知，八年级男生在“情绪行为调控”指标上的表现水平显著高于八年级女生。这个特点不同于小学生。

表 7-2-10　不同性别学生情绪行为调控指标差异分析

因素	组别 1	组别 2	情绪行为调控
性别	男	女	▲

注:（1）▲表示组别 1 的平均得分率大于等于组别 2 的平均得分率；▽表示组别 1 的平均得分率小于组别 2 的平均得分率。（2）灰色底纹表示差异显著；无底纹表示差异不显著。

7.2.3 学习潜能评价结果及应用于学情分析

1. 小学生学习潜能发挥情况与学校学情分析

小学生学习潜能的城乡差异。五年级参测学生学习潜能存在明显的城乡差异，即城市学校学生的学习潜能评价各项指标的表现均优于农村学校学生的表现，且城市学校各指标的差异系数都小于农村学校，表明城市学校参测学生在学习潜能上相较农村学生有优势且内部差异较小。见表 7-2-11。

表 7-2-11　以城乡分布区分不同学校类型学生的学习潜能评价各指标的概况

内容	城市学校		农村学校		均值差（城市学校-农村学校）
	平均分	差异系数	平均分	差异系数	
言语推理	104.54	0.22	97.36	0.28	7.18***
数字推理	104.73	0.30	97.25	0.36	7.48***
抽象推理	104.12	0.21	97.60	0.27	6.52***
空间关系	104.72	0.41	97.26	0.49	7.46***
学习潜能	105.26	0.22	96.94	0.27	8.32***

注：城市学校学生样本 5410 人，农村学校学生样本 9309 人，标注 * 说明二者存在显著差异，不标注 * 说明二者不存在显著差异。其中，* 代表 $P < 0.05$，** 代表 $P < 0.01$，*** 代表 $P < 0.001$。

小学学习潜能与学习成绩的相关分析。将五年级参测学生群体的学习潜能评价结果和五年级阅读成绩进行相关和回归分析，详见表 7-2-12、表 7-2-13。分析可知，学习潜能和阅读成绩显著相关，且学习潜能总分对阅读成绩的解释率达到 45.39%，可见本次学习潜能评价能够很好地预测学生未来的学业发展水平。

表 7-2-12　XX 市小学五年级阅读发展水平与学习潜能评价指标相关一览表

内容	学业（阅读）成绩
言语推理	0.656**
数字推理	0.593**
抽象推理	0.544**
空间关系	0.432**
学习潜能	0.674**

注：标注 * 说明二者显著相关，不标注 * 说明二者不显著相关。其中，* 代表 $P < 0.05$，** 代表 $P < 0.01$，*** 代表 $P < 0.001$。

表 7-2-13　XX 市五年级学生学习潜能评价指标对阅读发展水平的解释率

内容	言语推理	数字推理	抽象推理	空间关系	学习潜能
对学业（阅读）成绩的解释率 /%	42.99	35.18	29.55	18.69	45.39

用于小学学校学情分析。如表 7–2–14 所示，比较不同学校相同学习潜能水平学生学习成绩的平均值，可以发现哪些学校的学生学习潜能发挥较好，哪些学校的学生学习潜能发挥相对较差，从而强化教学管理、改进课堂教学，促进教学质量提升。

在学校教学质量管理中，不同生源班级间的教学质量比较是一大难题。用平均成绩比较对生源差的班级不公平，用增值性评价对生源好的班级不公平。增值性评价在激励薄弱学校的发展、比较同类学校进步幅度等方面具有重要价值，但目前常用的增值性评价方法遭遇到不少挑战，比如，优质生源学校因其上升空间有限而被低评（称为“增值性评价的天花板效应”），薄弱生源学校虽然增幅较大却可能仍然没达标等不公平问题就时有出现。由此，在教学评价实践中，结果评价与增值性评价的两难问题便出现了。

用相同学习能力学生的成绩比较可以成功破解这一难题。标准化后的学生学习成绩得分率与学习能力测评得分率的比值，即为单位学习能力的学习成绩值，称为“绩能系数”，以此来代表相同学习能力学生的成绩，公平地对待不同生源并进行评价比较。“绩能系数”不仅反映了结果性教学质量，更反映了教学对学生潜能的开发水平，清楚地反映了教学效能。“绩能系数”关注的是学生潜能发展情况而不是绝对成绩，评价的不是成绩好坏，而是教学效能的高低。从表 7–2–14 可见，XX 小学 16、XX 小学 21、XX 小学 23、XX 附校 2、XX 小学 6、XX 小学 7 等学校绩能系数较大，教学效能更高，学生学习潜能开发好，相对教学质量更高；XX 学校 1、XX 小学 8、XX 小学 11、XX 小学 13 等学校绩能系数较小，学生学习潜能开发较差，教学效能较低，需要强化管理、改进教学。

表 7-2-14　XX 市五年级各学校学习潜能水平 1 ～ 9 学生学业成绩情况

学校	绩能系数	水平 1	水平 2	水平 3	水平 4	水平 5	水平 6	水平 7	水平 8	水平 9
抽样总体的平均值	1.00	65.74	76.31	81.88	84.78	87.34	89.01	90.39	91.40	92.84
XX 学校 1	0.88	64.55	68.99	76.47	79.98	83.28	83.79	84.18	88.45	81.50
XX 附校 2	1.07	85.63	83.75	86.81	88.15	89.78	91.65	92.19	92.45	94.58
XX 附小 3	0.97	58.50	82.00	83.80	85.88	85.68	89.20	89.13	87.75	—
XX 学校 4	1.06	—	—	87.44	88.52	90.10	88.85	92.25	94.42	—
XX 小学 5	0.99	69.42	75.72	82.07	83.68	86.99	88.62	90.39	92.16	91.07
XX 小学 6	1.05	71.75	—	82.25	88.10	91.27	91.06	91.80	92.42	94.07
XX 小学 7	1.05	69.61	76.20	84.08	87.40	89.65	90.48	91.41	92.52	91.81
XX 小学 8	0.86	60.33	67.00	77.52	78.92	80.98	81.30	85.53	86.11	86.50
XX 小学 9	0.93	61.00	67.30	77.96	82.01	86.35	88.60	89.00	90.50	—
XX 小学 10	1.00	72.34	73.48	81.51	85.25	88.21	88.38	90.59	90.85	92.94
XX 小学 11	0.85	49.21	67.83	76.06	79.49	80.72	82.80	85.40	84.60	85.13
XX 小学 12	0.90	60.36	72.81	78.75	80.90	82.83	85.78	85.25	86.67	90.63
XX 小学 13	0.87	63.57	65.60	68.37	79.03	80.81	84.51	88.23	90.45	89.50
XX 小学 14	0.99	64.13	77.42	82.85	85.71	86.91	88.80	89.98	91.18	91.59
XX 小学 15	1.02	64.67	79.63	83.39	84.80	88.64	89.55	90.71	91.21	93.00
XX 小学 16	1.13	70.10	85.95	87.14	89.61	90.97	92.42	93.48	93.84	94.33
XX 小学 17	1.02	71.33	82.38	85.11	85.82	88.21	89.32	89.50	91.25	—
XX 小学 18	0.94	65.89	79.50	77.45	84.34	85.92	86.90	89.40	88.32	90.83
XX 小学 19	0.96	64.81	76.59	81.81	84.10	86.83	86.34	88.49	89.27	88.90
XX 小学 20	0.97	62.25	72.95	80.82	85.10	86.86	88.01	90.00	90.35	91.25
XX 小学 21	1.13	61.81	81.35	86.43	89.72	91.22	92.74	94.51	94.36	94.64
XX 小学 22	0.96	64.50	71.96	83.53	85.41	84.32	87.08	88.58	88.57	88.25

续表

学校	绩能系数	水平1	水平2	水平3	水平4	水平5	水平6	水平7	水平8	水平9
XX 小学 23	1.09	64.69	76.13	82.90	90.89	91.89	93.88	92.38	95.00	—
XX 小学 24	0.97	58.91	69.97	80.91	84.71	83.34	88.83	92.00	—	—
XX 校点 25	1.01	42.50	81.25	77.43	86.89	90.33	92.00	89.50	—	93.00
XX 学校 26	1.00	82.00	—	87.38	90.13	86.94	89.50	90.17	91.63	90.56
XX 小学 27	1.03	64.40	76.90	84.58	85.93	87.23	90.22	91.78	93.26	93.25
XX 小学 28	1.06	68.06	84.39	85.99	87.69	90.13	91.64	91.51	92.55	93.02
XX 小学 29	0.86	60.00	60.46	72.86	79.33	82.60	85.50	89.50	85.92	—
XX 小学 30	0.98	61.06	79.20	80.99	85.17	87.27	87.63	89.19	89.60	90.84
XX 小学 31	1.02	70.10	81.97	83.37	85.78	88.71	88.83	88.94	92.83	—
XX 小学 32	1.03	71.34	81.13	84.70	85.45	88.64	89.86	90.06	90.55	90.18
XX 小学 33	0.96	78.30	77.68	80.55	82.55	86.47	87.30	86.87	89.45	—
XX 小学 34	1.00	48.00	73.38	80.94	86.46	88.45	90.31	—	90.50	95.00
XX 小学 35	0.97	63.98	76.54	79.96	82.90	86.35	88.40	90.25	89.20	89.00
XX 小学 36	1.05	56.69	79.38	85.69	86.97	88.76	90.23	92.41	95.50	91.38
XX 小学 37	1.03	75.53	81.22	84.80	85.33	88.02	90.22	91.43	91.88	94.00

注：灰色底纹表示该学校对应潜能水平学生学习成绩平均值大于等于抽样总体的平均值，表示教学效能更高，相对教学质量更高。

2. 初中学生学习潜能发挥情况与学校学情分析

初中学生学习潜能的城乡差异。如表 7–2–15 所示，八年级参测学生学习潜能存在明显的城乡差异，即城市学校学生的学习潜能评价各项指标的表现均优于农村学校学生的表现，城市学校各指标的差异系数都小于农村学校，表明城市学校参测学生在学习潜能上相较农村学校有优势且内部差异较小。

表 7-2-15　以城乡分布区分不同学校类型初中学生的学习潜能评价各指标的概况

内容	城市学校		农村学校		均值差（城市学校–农村学校）
	平均分	差异系数	平均分	差异系数	
言语推理	105.12	0.29	96.40	0.37	8.72***
数字推理	104.77	0.30	96.65	0.37	8.12***
抽象推理	104.26	0.29	97.00	0.38	7.26***
空间关系	104.04	0.37	97.15	0.45	6.89***
学习潜能	105.31	0.26	96.26	0.33	9.05***

注：城市学校学生样本 6044 人，农村学校学生样本 8587 人，标注 * 说明二者存在显著差异，不标注 * 说明二者不存在显著差异。其中，* 代表 $P < 0.05$，** 代表 $P < 0.01$，*** 代表 $P < 0.001$。

初中学习潜能与学习成绩的相关分析。将八年级参测学生群体的学习潜能评价结果和八年级学业（数学）发展水平成绩进行相关和回归分析，详见表 7–2–16、表 7–2–17。分析可知，学习潜能和学业（数学）发展水平成绩显著相关，且学习潜能总分对学业（数学）发展水平成绩的解释率达到 69.95%，可见本次学习潜能评价能够很好地预测学生未来的学业发展水平。

表 7-2-16　XX 市八年级学业（数学）发展水平与学习潜能评价指标相关一览表

内容	学业（数学）成绩
言语推理	0.733**
数字推理	0.819**
抽象推理	0.702**
空间关系	0.608**
学习潜能总分	0.836**

注：标注 * 说明二者显著相关，不标注 * 说明二者不显著相关。其中，* 代表 $P < 0.05$，** 代表 $P < 0.01$，*** 代表 $P < 0.001$。

表 7-2-17 XX 市八年级学生学习潜能评价指标对学业（数学）发展水平的解释率

内容	言语推理	数字推理	抽象推理	空间关系	学习潜能总分
对学业（数学）成绩的解释率 /%	53.79	67.02	49.24	36.95	69.95

用于初中学校学情分析。各学校相同学习潜能水平学生的成绩平均值和教学的绩能系数如表 7-2-18 所示，标准化后的单位学习能力的成绩平均值，即绩能系数越高，说明教学对学生潜能开发得越好。从表中可以看出，潜能开发最好的学校是 XX 中学 23，绩能系数达到了 1.10；潜能开发较好的学校是 XX 中学 16、XX 中学 15、XX 附校 19、XX 学校 3 等；XX 中学 5、XX 中学 6、XX 中学 7、XX 中学 8、XX 学校 14、XX 中学 18 等，绩能系数较低，需要重点关注教学管理、教学改革和校风、学风建设。

表 7-2-18 XX 市八年级各学校学习潜能水平 1 ～ 9 学生学业成绩情况

学校	绩能系数	水平 1	水平 2	水平 3	水平 4	水平 5	水平 6	水平 7	水平 8	水平 9
抽样总体的平均值	1.00	36.45	41.16	50.44	59.20	67.98	76.23	83.15	88.33	91.89
XX 学校 1	0.96	39.24	39.90	46.09	56.29	64.91	71.13	78.49	83.24	87.22
XX 附校 2	1.02	—	50.83	54.92	64.02	70.61	80.09	83.50	87.44	90.50
XX 学校 3	1.04	—	—	—	71.67	83.57	82.42	83.92	93.67	87.98
XX 中学 4	0.98	41.33	39.90	50.46	60.06	64.53	73.10	80.19	78.17	87.50
XX 中学 5	0.90	34.31	36.79	48.65	48.52	59.88	69.34	75.51	80.70	87.92
XX 中学 6	0.94	26.39	28.83	43.25	53.21	63.70	68.88	71.00	—	—
XX 中学 7	0.95	34.90	38.93	45.10	54.86	60.88	72.94	71.40	90.83	—
XX 中学 8	0.93	30.17	37.62	42.45	50.31	61.12	71.72	75.69	79.17	93.33
XX 中学 9	0.96	30.10	32.68	48.22	56.54	63.33	72.08	77.86	—	—

续表

学校	绩能系数	水平1	水平2	水平3	水平4	水平5	水平6	水平7	水平8	水平9
XX 中学 10	0.97	34.39	41.86	49.74	57.78	64.18	72.86	78.06	81.98	89.00
XX 中学 11	0.95	27.97	33.24	44.64	55.32	65.03	71.81	81.81	85.17	75.00
XX 中学 12	0.99	42.81	39.00	48.98	60.07	67.28	74.64	82.84	86.59	87.78
XX 中学 13	1.01	39.02	38.65	53.56	61.06	70.19	76.29	84.25	88.70	88.92
XX 学校 14	0.93	46.67	38.96	40.14	30.83	50.83	56.25	—	—	—
XX 中学 15	1.06	41.93	51.42	56.49	66.74	74.51	80.48	86.41	89.85	93.02
XX 中学 16	1.08	62.50	63.13	68.49	70.55	76.76	81.71	85.98	92.05	94.20
XX 学校 17	0.98	36.67	55.42	46.56	62.14	65.42	76.01	78.92	91.67	91.67
XX 中学 18	0.94	29.49	33.46	42.05	54.96	60.58	73.10	80.43	85.20	90.21
XX 附校 19	1.04	29.85	48.21	58.73	64.78	74.48	80.19	86.54	87.76	91.33
XX 中学 20	1.00	39.83	44.17	53.24	55.13	69.07	73.97	81.22	85.00	84.17
XX 中学 21	0.99	40.00	44.65	52.02	59.24	67.44	71.94	79.97	84.70	90.77
XX 中学 22	0.97	33.82	38.71	48.04	56.32	64.49	75.51	78.12	88.33	92.78
XX 中学 23	1.10	62.31	58.10	64.02	72.41	79.10	83.29	89.60	92.29	93.86

注：灰色底纹表示该学校对应潜能水平学生学习成绩平均值大于等于抽样总体的平均值，表示教学效能更高，相对教学质量更高。

下编

监测评价促进教育质量提升地方案例

国际上教育领先的国家一般都制定了学习标准及与之相关的问责制与评价机制，用于监测教育成果。尽管问责制评价和考试之间有重叠，但前者不同于考试，不是旨在选拔学生，而是旨在确保学生能达到最低学习标准，确保教育公平。《深化新时代教育评价改革总体方案》提出，到 2035 年，基本形成富有时代特征、彰显中国特色、体现世界水平的教育评价体系。这需要学校自身健全内部质量保障制度，加强自身内部评价的反馈与改进；外部则需要对教学标准进行密切监测。本篇主要介绍成都市的龙泉驿区、成华区等区县运用监测评价促进教育质量提升的措施和实施效果案例。

第八章

监测评价促进教育质量提升的地方措施

8.1 地方区域基础教育及评价的基本现状

研究区域教育的基本现状是为了了解区域内基础教育发展水平与经济发展水平是否相匹配，是否能满足人民群众日益增长的精神文化需求。研究区域基础教育监测评价的基本现状是为了发现基础教育评价体系、机制、技术、运用等方面存在的问题，通过解决问题实现评价导向的教育教学改革，促进教育质量提升。

8.1.1 区域经济与基础教育发展现状

1. 区域经济发展水平

成都市为四川省省会，副省级城市，成渝地区双城经济圈核心城市。截至 2021 年底，全市下辖 12 个市辖区、3 个县、代管 5 个县级市，总面积 14335 平方千米，常住人口 2119.2 万人①，全市全年实现地区生产总值 19917.0 亿元②。龙泉驿区位于成都市东郊，是成都市国家级经济技术开发区以及全国第六大汽车产业基地，截至 2021 年底，常住人口达到 135.6 万人③，全年地区实现生产总值 1504.4 亿元④，继续保持着 2013 年以来全省县级行政区第一。成华区为成都市主城区之一⑤，截至 2021 年底，地区生产

① 统计数据来源于《2021 年成都市国民经济和社会发展统计公报》。

② 统计数据来源于《2021 年成都市国民经济和社会发展统计公报》。

③ 统计数据来源于《2021 年成都市龙泉驿区国民经济和社会发展统计公报》。

④ 统计数据来源于《2021 年成都市龙泉驿区国民经济和社会发展统计公报》。

⑤ 本文所述的成都市主城区是指成都市的青羊区、锦江区、武侯区、金牛区、成华区。

总值超 1200 亿元[1]。

2. 区域基础教育质量

龙泉驿区属于后发区县，基础差，底子薄。截至 2016 年，经过 10 余年的追赶，虽然当地的经济实现快速发展，但教育的发展却满足不了人民群众日益增长的精神文化需求，各类问题也就逐步凸显出来。成都市自 2013 年成为教育质量综合评价改革国家级实验区以来，年年开展监测并发布评价结果。截至 2016 年，该区各项监测数据几乎都低于全市均值，教育质量堪忧，生源流失严重，教育已无退路。“质量攻坚”刻不容缓，但到底是抓学业质量先缓解燃眉之急，还是从根本入手解决长远之痛，龙泉驿区面临艰难选择。成华区作为主城区之一，教育与经济的发展匹配较好，教育质量相对较高，但在相对高位的增值与可持续发展方面也面临严峻的挑战。

8.1.2 区域基础教育监测评价

1. 区域监测评价的关键点

《教育部关于推进中小学教育质量综合评价改革的意见》指出“建立健全中小学教育质量综合评价体系”，在这个体系中对“科学运用评价结果”提出了明确的界定，涉及结果呈现和结果使用两个方面。

结果呈现是对评价内容和关键性指标进行分析诊断，分项给出评价结论，提出改进建议，形成学校教育质量综合评价报告。综合评价报告要注重反映学校优势特色和存在的具体问题，而不是简单地对学校教育质量进行总体性的等级评价。

结果使用是把教育质量综合评价结果作为完善教育政策措施、加强教育宏观管理的重要参考，作为评价考核学校教育工作的主要依据。要指导学校正确运用评价结果，改进教育教学，发挥以评促建的作用；对于在办学中存在困难的学校，要给予帮助和扶持；对于存在违规行为且在规定时间内不落实整改要求的学校，要进行通报批评、取消各类评优奖励资格、追究学校主要负责人的责任。要逐步将评价结果向社会公布，接受社会监督。

---

① 统计数据来源于成都市成华区人民政府官网。

2. 区域基础教育监测评价还存在的问题

区域基础教育监测评价目前主要存在以下三个方面的问题。

一是教育监测评价体系不完善，精准导向教师改进教育教学的功能不足。省市教育评价主要以决策性评价系统、认定性评价系统为主，评价结果主要适用于教育决策与教育管理。区县教育评价基本以学业质量评价为主，评价维度单一，结果不能满足教师科学、精准分析学情的需求，精准导向教师反思教什么、怎么教、如何评价学习等功能不足，无法有效切合中共中央、国务院在《关于深化教育教学改革全面提高义务教育质量的意见》中提出的“精准分析学情，重视差异化教学和个别化指导”要求。

二是教育监测评价指标少，多维度诊断与呈现技术还未得到有效突破。教育评价指标多维度诊断教育教学达标情况、分析问题根源、呈现竞争优势与发展趋势等技术还未得到有效突破。教育质量评价主要采用传统的评价标准，比如“一分三率”、成绩分段和均值差异等，评价维度单一，统计与分析技术比较陈旧，数据分析粗糙。这样的评价标准使得评价结果呈现的问题表面化，问题分析只是泛泛而谈，无法精准导向学校应如何改进教育教学管理，无法精准导向教师应如何改进教育教学，无法精准导向学生应如何改进学习等。同时还存在以下现象与问题：教育质量差的学校以生源质量差为借口推脱教育质量差的责任；由于监测工具的难度与权重不同，如何呈现同一次测试不同科目间横向比较竞争优势，以及同一科目多次测试分析发展趋势等技术问题亟须解决。

三是教育监测评价导向教师改进教育教学依据因素不足，造成多数改进方式不但不能促进学生全面发展，还增加学业负担。教育监测评价导向教师改进教育教学主要依据学业发展数据，学习能力因素、非学习能力因素等数据依据不足。影响学生发展的因素主要包括学习能力因素和非学习能力因素，非学习能力因素包括学习动机和自我调节、师生关系等心理与环境因素。当教师掌握了学生的学习能力水平及发挥情况后，教育教学工作改进的重点就是通过改变学生的非学习能力因素，培养学生的能力感、归属感、有用感、潜能感和乐观的态度，激发学生的学习动机，改善师生关系，促进学生能力最佳发挥，实现学生最佳发展。在现实中，更多教师的教学改进是以学生学业发展数据为主，不考虑学生最近发展区，未达到教学目标就对学生施加思想压力，增加教与学的时间，造成学生的学业负担不断增加。

8.2 研究学习国家基础教育质量评价政策

研究近十年来的国家基础教育质量评价政策是为了掌握国家人才培养的根本任务、评价标准等。研究政策，有助于各区域提高认识，更好地厘清运用监测评价结果进行教育教学改革的思路、策略、路径等。

8.2.1 研究学习政策

1. 研究学习教育评价文件

2013 年 6 月，教育部发布的《教育部关于推进中小学教育质量综合评价改革的意见》指出，要依据党的教育方针、相关教育法律法规、国家课程标准等有关规定，突出重点，注重导向，把学生的品德发展水平、学业发展水平、身心发展水平、兴趣特长养成、学业负担状况等方面作为评价学校教育质量的主要内容，着力构建中小学教育质量综合评价指标体系。品德发展水平评价主要包括学生的行为习惯、公民素养、人格品质、理想信念等关键性指标；学业发展水平评价主要包括学生的知识技能、学科思想方法、实践能力、创新意识等关键性指标；身心发展水平评价主要包括学生的身体形态机能、健康生活方式、审美修养、情绪行为调控、人际沟通等关键性指标；兴趣特长养成评价主要包括学生的好奇心求知欲、爱好特长、潜能发展等关键性指标；学业负担状况评价主要包括学生的学习时间、课业质量、课业难度、学习压力等关键性指标。

2020 年 10 月，中共中央、国务院印发《深化新时代教育评价改革总体方案》指出，坚持科学有效，改进结果评价，强化过程评价，探索增值评价，健全综合评价，充分利用信息技术，提高教育评价的科学性、专业性、客观性。坚持把立德树人成效作为根本标准，健全学校内部质量保障制度，坚决克服重智育轻德育、重分数轻素质等片面办学行为，促进学生身心健康、全面发展。义务教育学校重点评价促进学生全面发展、保障学生平等权益、引领教师专业发展、提升教育教学水平、营造和谐育人环境、建设现代学校制度以及学业负担、社会满意度等情况。加强监测结果运用，促进义务教育优质均衡发展。

2. 研究学习教育改革文件

2014 年 3 月，教育部发布的《教育部关于全面深化课程改革落实立德树人根本任务的意见》指出，研究制订学生发展核心素养体系和学业质量标准。要根据学生的成长规律和社会对人才的需求，把对学生德智体美全面发展总体要求和社会主义核心价值观的有关内容具体化、细化，深入回答“培养什么人、怎样培养人”的问题。

2017 年 9 月，中共中央办公厅、国务院办公厅印发的《关于深化教育体制机制改革的意见》指出，要建立健全教育评价制度，建立贯通大中小幼的教育质量监测评估制度，建立标准健全、目标分层、多级评价、多元参与、学段完整的教育质量监测评估体系，健全第三方评价机制，增强评价的专业性、独立性和客观性。

2019 年 6 月，中共中央、国务院印发的《关于深化教育教学改革全面提高义务教育质量的意见》指出，坚持“五育”并举，全面发展素质教育。一是突出德育实效。大力开展理想信念、社会主义核心价值观、中华优秀传统文化、生态文明和心理健康教育。二是提升智育水平。严格按照国家课程方案和课程标准实施教学，确保学生达到国家规定学业质量标准；突出学生主体地位，注重保护学生好奇心、想象力、求知欲，激发学习兴趣，提高学习能力；坚决防止学生学业负担过重。三是强化体育锻炼。开齐开足体育课，让每位学生掌握 1 至 2 项运动技能；保障学生充足睡眠时间。四是增强美育熏陶。严格落实音乐、美术、书法等课程，广泛开展校园艺术活动，帮助每位学生学会 1 至 2 项艺术技能、会唱主旋律歌曲。五是加强劳动教育。加强学生生活实践、劳动技术和职业体验教育；优化综合实践活动课程结构，确保劳动教育课时不少于一半。

3. 研究学习教育重大会议精神

2017 年 10 月 18 日，党的十九大报告指出“要全面贯彻党的教育方针，落实立德树人根本任务，发展素质教育，推动教育公平，培养德智体美全面发展的社会主义建设者和接班人”。2018 年 9 月 10 日，习近平总书记在全国教育大会上强调，坚持中国特色社会主义教育发展道路，培养德智体美劳全面发展的社会主义建设者和接班人。

8.2.2 提高认识，形成共识

1. 监测评价促进教育质量提升的措施与路径

教育质量提升的核心是学生发展，关键是教师发展。实现这一目标的措施是建立和完善以教育质量综合评价为主体的评价工作机制和结果运用机制，确保教育质量综合评价工作的顺利开展和达到“以评促改”的目的。具体措施是通过教育质量综合评价带动学生综合素质发展，促进学生全面发展；通过潜能测评与开发，实现学生的最佳发展；通过学业发展评价，帮助教师改进教育教学，促进教师专业发展；通过监测评价，助推中小学校改进教育教学的过程和管理，促进学校的可持续发展。

基本路径是在完善评价体系和评价指标，运用高质量的监测工具，提升统计与分析技术，发布宏观、中观、微观报告，培训和指导各类人员解读与运用报告的基础上，完善教学管理、教学研究、精准学情分析等，推动教师教育教学改进，提高教育质量，促进学生全面发展。路径中，评价体系与指标的完善是前提，教育测量、统计与信息技术的突破是关键，教学管理、教学研究、学情分析导向是方略，通过“四个改进”促进学生全面发展是目的。路径框架见图 8-2-1。

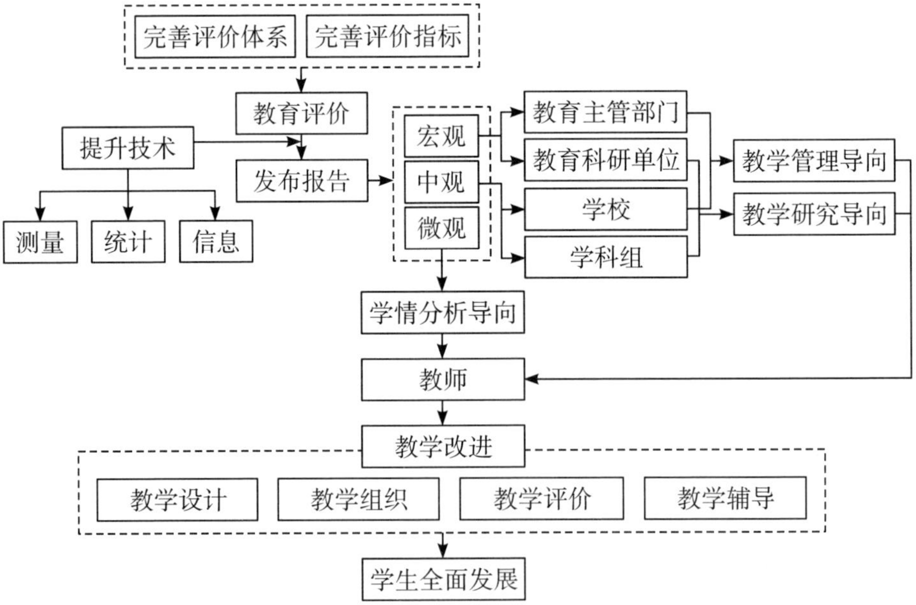

图 8-2-1

2. 监测评价引领教育改革的学术思路

监测评价引领教育改革的学术思路是标准—技术—反馈。标准是建立评价制度和选择标准，建立教育质量评价框架；技术是培养教育评价与教育咨询的专业人才、引进专业的评价技术与软件；反馈是向评价主体提供科学的分析报告、数据报表和工作建议。

3. 监测评价引领教育教学改革的机制与路径

监测评价引领教育教学改革的机制建设与路径探索的流程是评价机制—合作机制—开展评价—结果反馈—师资培养—改革实践—完善推广。建立评价机制是开展教育质量评价、推进评价结果使用等措施的有力支撑；建立合作机制是完善评价体系，提高监测评价科学性、专业化的必要手段；师资队伍培养是监测工具开发、结果运用、开展教育咨询的关键，是教育质量监测评价体系的核心；探索运用评价结果确定促进学生的最佳发展路径，形成和完善可操作性经验，实现区域内全面推进，是提升区域基础教育质量的有效保障。

8.3 学习教育评价理论与相关研究成果

8.3.1 区域评价促进教育质量提升改革所涉及的核心概念

1. 教育评价

教育评价是现代教育活动的重要内容和组成部分。教育评价按照一定的标准，运用一定的评价技术和手段，对教育的过程和结果进行测定和分析，给出质量价值判断。依据不同的目的，教育评价可分为决策性评价、认定性评价、服务性评价，每一种评价的功能各有侧重。教育评价能为评价主体提供用于靶向矫正的教育服务诊断性供给。教育评价的基本特征是形成性、过程性和增值性，目的是促进区域教育的完善，引领教师专业发展，提高教师队伍的核心竞争力，形成提高教育质量的内驱力，促进区域基础教育学生学业水平和综合素质协调高位均衡发展。

2. 区域基础教育

本文提出的区域指行政管辖土地界线划分的地区，下文主要研究区（县）行政管辖内的教育情况。基础教育是为确保人们在成长中获取更多学问，而在先期使其掌握基础知识的教育行为。中国的基础教育包括幼儿教育、小学教育、普通中等教育，本文提及的区域基础教育是指区（县）行政管辖内的小学教育和普通中等教育。

3. 质量发展路径

路径在日常生活中指道路，本文提出的路径是指以教育质量综合评价为导向，以教师专业发展为核心，以实现学生全面发展、最佳发展为目的，提升教育质量的方法。其中，教育决策、教育督导、教育管理、教育研培、教育改革为教师专业发展提供保障与服务；品德发展、身心发展、减轻学业负担等为促进学生最佳发展提供动力。

4. 学习能力倾向

能力倾向是指一个人的潜在能力，是能预测个体在未来的活动中成功的可能性的心理结构。学业能力倾向是指学生为完成学校课业学习所具备的能力，这些能力与学生未来的学习关系密切，并能够预测其成功的可能性。换言之，它是指学生获得新知识和新技能的潜力，即学习潜能。学业能力倾向（即学习潜能）与学习成就（学业成绩）、智力不同，学习成就是指学生经过特定时间和课程的学习所获得的知识和技能，智力是指一个人更为广泛的普遍的影响其所有活动的能力。

5. 最近发展区

最近发展区指的是实际发展水平与潜在发展水平之间的距离，即独立解决问题的水平与在成年人指导下或在能力强的同龄人的协作下才能解决问题的水平之间的距离。实际发展水平具有继往的心理发展特点，最近发展区具有开来的心理发展特征。[①]维果茨基提出的最近发展区指的是能力的宽度，即学生借助情境和其他支持能够达到的能力范围，强调能力的上限。

6. 服务性评价

根据评价的目的和服务的对象与功能，教育质量综合评价分为决策性

① 布兰思福特，布朗，科金，等．人是如何学习的：大脑、心理、经验及学校：扩展版［M］．程可拉，孙亚玲，王旭卿，译．上海：华东师范大学出版社，2013.

评价系统——教育质量监测系统，认定性评价系统——管理性评价与鉴定性评价，服务性评价系统——形成性、过程性、增值性评价等。其中，服务性评价系统能给师生提供改进的机会，帮助学生总结过去一段时间自己的进步，帮助教师识别需要补救的问题，契合新兴的学习科学所强调的反思，即反思教什么、如何教、如何评价学习。因此，服务性评价是指监测评价为教育行为主体提供诊断供给，服务行为主体开展靶向矫正的一种特殊行为属性。

8.3.2 了解教育评价理论发展

教育评价理论的历史大致可以分为以下四个阶段：第一代教育评价理论（1900 年～ 1930 年）注重评价结果的数量化与客观化，教育评价本质上被视为一种“测量”，统计、测量技术手段的广泛使用是该阶段的主要标志；第二代教育评价理论（1930 年～ 1950 年）认为评价是一个“过程”而不是“测量”，侧重描述教育结果与教育目标的一致程度；第三代教育评价理论（1950 年～ 1970 年）侧重价值判断，认为评价主体在运用测量技术手段收集数据的同时，也要明确制定判断标准与教育目标；第四代教育评价理论诞生于 20 世纪 80 年代，根据哲学上的建构主义，评价就是对被评对象赋予价值的行为，评价理论和评价方法都是“人的心理建构”。

第三代教育评价理论的代表人物——美国著名教育评价专家斯塔弗尔比姆（D. L. Stufflebeam）提出了一个著名论断，即评价最重要的意图不是证明（prove）而是改进（improve）。这个论断深刻地影响了教育评价的发展，突出了诊断和甄别的重要性，并指向了教育评价结果的解读和使用。

第四代教育评价理论的创立者——美国著名教育评价专家古巴（Egon G. Guba）和林肯（Yvonna S. Lincoln），提出评价本质上是一种心理建构的过程，评价的出发点在于利益相关者的观点、忧虑与问题；评价的最终结果是参与评价及与评价有关的人或团体，基于对对象的认识，通过协商而整合成的一种共同的、一致的看法。该理论把教育评价本质看作是一种通过“回应”与“协商”而形成的“共同建构”，突出了教育咨询的关键作用，认为教育咨询是实现教育改进的核心和关键。

8.3.3 明确教育质量监测的对象与评价主体

教育质量监测的目的是准确反映教育质量的现状和发展趋势，分析影响教育质量的重要因素，为教育决策和改进提供依据。当教育质量监测的内容是学生的发展情况时，学生是监测对象；当教育质量监测的内容是影响学生发展的重要因素时，评价对象包括学生、教师、校长等。

教育质量监测的内容涉及多层面、多领域、多主体，为了准确、全面地反映教育质量的现状，监测的评价主体应该是多元的，包括学生、家长、教师、校长等。不同主体的视角不同，其反馈的信息也不同。

在教育质量监测工作中，应运用多元的评价方法，多评价主体参与测评，从多层面、系统地收集信息资料，开展综合评价、综合监测。这样可以更全面地收集到教育对象、教育者、教育过程中的多种信息，有助于更全面地了解教育质量的状况和发展趋势，对教育活动、教育过程和教育结果进行更全面的价值判断及原因分析，为教育决策和改进提供依据①。

8.3.4 学习了解国际国内教育评价研究成果

1. 经济合作与发展组织：国际学生质量评价项目体系（PISA）

该项目通过对学生进行三年一轮、三轮共九年的跟踪调查，利用系统连贯的量表来全面测评学生的阅读能力、数学素质和科学素质，以及学生在这三个领域内应该获得的知识操作技能、运用相关知识的能力等。该项目测评对象的平均年龄为 15 岁。PISA 项目之所以被国际社会广泛接受，与其独特的评价理念分不开。该项目的建立基于终身学习的理念，因为学生要想拥有终身学习的能力，就需要在阅读、数学及科学能力方面具备基本的技能；同时，他们亦需学会如何独立学习，以及如何解决学习过程中遇到的困难，还必须注意自己的思考方式、学习策略。为全面评估学生在以上几方面的能力，PISA 除了评估 15 岁学生的知识及技能，还要求学生报告自己的学习情况，从而了解他们的学习动机及学习模式。

① 边玉芳，梁丽婵．基础教育质量监测工具研发［M］．北京：北京师范大学出版社，2015.

2. 欧盟：欧洲教育质量指标

欧盟的教育质量指标包括4个方面、16项要素。一是学生必须掌握的知识，包括学生必须掌握的7种知识和能力：数学、阅读和书写能力、科学、通信信息能力、外语、学会学习的能力、公民教育。二是毕业和升学，涉及3个相关政策性指标：初中教育的失败率、高中教育的毕业率、高等教育的入学率。三是学校教育的评估和家长参与，主要有2个指标：学校教育评估、家长参与程度。四是资源结构，主要包括4项指标：对教师的培养和培训、学前教育的入学率、学校每台电脑的学生使用人数、生均教育经费。

3. 美国：国家教育进步评价系统（NAEP）

建立于1969年的NAEP项目计划，是美国唯一具有国家权威性的、持续的教育质量评价方案，其评价范围广，对美国学生在各个学习领域中的基本情况，以及学生在校所学的各门课程，比如阅读、写作、数学、科学、美国史、艺术、公民及其他一些学科的知识和能力都进行全面的测试。20世纪80年代以后，该项目重点有所调整，主要对四、八、十二年级的学生进行测试，以考查学生的学习成绩随时间变化的情况，并将结果及时反馈给联邦、州及当地政府的相关职能部门，为它们提供决策咨询服务。

从国外教育质量的评价看，以人为本是其重要的特征，宽松式的教育和管理，是特征的表象。学校可以根据社会的需要、家长的愿望、学生的特点设置课程。没有统一的大学入学考试，有钱可以上大学或社区学院，一年考几次，以最好成绩作为大学升学成绩；除了成绩，还要参照平时成绩、品行、兴趣爱好、特长、社区服务、教师推荐等，升学压力较小。而我国国内有严格且竞争激烈的中考和高考，升学的压力很大，直接导致评价侧重的差异。国外教育目标尊重个性差异，发挥每一个学生的潜能，评价方式全面、灵活，使得课程多样而灵活，学生的选择面大，教育质量考核校本化程度高。教育发达的国家鼓励学生发展独立精神、创造精神与合作精神，而我国由于教育质量评价的统一性和强制性，培养独立、创造能力的学习机会不多，虽然也开展合作学习，但普遍流于形式。对于教育和教育质量的评价，国外有丰富的研究成果和范例。

4. 国内教育质量评价的研究

教育部《关于推进中小学教育质量综合评价改革的意见》指出，教育质量评价具有重要的导向作用，是教育综合改革的关键环节。推进中小学教育质量综合评价改革，是推动中小学全面贯彻党的教育方针、全面实施素质教育、落实立德树人根本任务的重要举措，是引导社会和家长树立科学的教育质量观、营造良好育人环境的迫切需要，是基本实现教育现代化、加强和改进教育宏观管理的必然要求。改革开放特别是21世纪以来，随着基础教育课程改革的实施，各地在改进中小学教育质量评价方面进行了积极探索，取得了一些进展。但总体上看，由于教育内外部多方面的原因，单纯以学生学业考试成绩和学校升学率评价中小学教育质量的倾向还没有得到根本扭转，突出表现为：在评价内容上重考试分数忽视学生综合素质和个性发展，在评价方式上重最终结果忽视学校进步和努力程度，在评价结果使用上重甄别证明忽视诊断和改进。这些问题严重影响了学生的全面发展、健康成长，制约了学生社会责任感、创新精神和实践能力的培养。要解决这些突出问题，适应经济社会和教育事业发展的新形势新要求，必须大力推进中小学教育质量综合评价改革。

（1）关于质量综合评价改革的研究

上海市较早开展教育综合改革，已形成10项中小学学业质量绿色指标。2013年以来，上海市结合教育部5大内容、20项关键指标进行细化研究，注重学科课程标准导向。上海市要求各区和学校根据年度质量综合评价报告，认真研制、改进计划，找准薄弱环节，采取切实可行的改进措施，促进教育质量不断提升。

北京市把坚持“课标导向，注重考查核心知识和基本能力”，“素养导向，凸显学科本质和高阶能力”，“进阶导向，关注学生在不同学段的能力表现”，“展示导向，体现试题和作答的选择性和开发性”，“综合导向，增强学科内和学科间的关联融合”作为测评工具研发的基本理念，各学科组建了教研员牵头、专家支持、骨干教师深度参与的命题团队，按照设计命题蓝图、选择情境素材来命制试题，制定评分标准。北京市海淀区关注学科本质，将 4 个关键指标细化为学科表现指标，突破了学科思想方法和问题解决、迁移创新两个高阶能力学科内涵及表现性行为标准制定的难题，并关注学习进阶，构建了适用于不同学段的指标体系。

（2）关于质量评价体系的研究

广州市基于核心素养，开发具有区域特色的阳光评价体系，坚持落实以立德树人为根本任务的价值取向，将核心素养中有关社会交往、文化素养和自主发展等内容融入指标体系，在教育部 5 大评价内容的基础上，增加了“学校认同”一项，同时借鉴学生发展核心素养的成果，将原“品德发展水平”变为“品德与社会化水平”，对一些关键性指标的归类和顺序也做了调整。武汉市则在教育部 5 大评价内容基础上，增加了“学校环境状况”内容，使综合评价指标体系变为 6 大指标、24 项关键指标。常州市对指标要点做了有侧重的微调和细化，增加了“学生学习动力状况”指标，并细分为“学习动机”“学习自信心”“对学校认同度”“积极心理环境”。安庆市把“崇文尚德”的地方精神文化和“六尺巷”“黄梅戏”等地方文化元素纳入细化指标体系，研发了小学、初中、高中三个学段的《安庆市中小学教育质量综合评价改革实验指标体系》。

（3）关于质量评价工具开发的研究

常州市吸收先进技术，借鉴国际通用量表，采用李克特量表形式研制了 20 套量表。上海市则参照国际大型测试程序和方法，依托学科、课程、心理、测量等方面的专家，开展工具研发工作，力求保障工具研发的客观准确。成都市引进北京师范大学和中国教育学会等专业力量，通过自行研制、联合攻关和购买服务等方式，不断研制和完善评价工具。

（4）四川省的教育质量评价

在四川，教育质量评价以政府督导的办学水平评价为主要方式。《四川省教育厅关于进一步加强中小学校本课程开发与实施的意见》指出，要利用评价手段促进学生发展。应根据学生的态度、成果、成绩等综合评价学生，成绩以等级呈现。学生成果可通过实践操作、作品鉴定、竞赛、评比、汇报演出等形式展示……要防止以笔试成绩作为评价的唯一依据的做法。特别要注意在学习过程中利用评价手段，促进学生发展特长，激励学生不断进步。四川省的教育质量评价指标比较全面，具有原则性，但操作性不强。各市、州在执行的过程中，将大部分的指标变成“落在纸上”的指标，最终衡量一个市、州教育质量高低的标准还是高考成绩。

（5）成都市的教育质量评价

成都市学习借鉴先进教育评价理念，深化课程和课堂改革，开展学业质量水平检测，对教育质量进行过程监控。改革中考，更科学地评价教育质量。规定义务教育阶段的主要任务是建立学业质量分析指导系统，深化考试评价制度改革。要求把课堂还给学生，全面评价学生。对教师的评价更注重教学过程和师德等方面。取消小学生升学考试，成都市中考的考试科目、考试方式以及高中学生的录取方式也都发生了变化。成都把“学有良教”作为教育评价的目标，要求教师爱生如子，让全社会自觉尊师重教，以素质教育促进学生全面发展，提升教育质量。成都市的教育质量评价注重过程，评价全面。

综上，建立教育质量评价体系，须以制度为支撑，建立评价组织体系，以专业人才为基础，完善内部评价标准，积极应对多元取向的外部评价体系，注重公众参与，以专业化评价引领教师专业发展，提高教师队伍的核心竞争力，形成提高教育质量的内驱力。

8.4 构建区域教育质量监测评价体系

成都市引进了中国教育学会等专业评估机构开展义务教育阶段五年级与八年级教育质量综合评价。教育质量综合评价的内容包括品德发展水平、学业发展水平、身心发展水平、兴趣特长、劳动教育、学业负担等部分及若干个关键指标。

2016年底，教育部在成都市召开全国中小学教育质量综合评价改革现场会，成都经验得到高度肯定。成都市开展的教育质量综合评价为区域构建评价体系提供了可借鉴的模式。因此，成都市的部分区（县）认识到，推进教育质量综合评价改革，促进学生全面发展，全面提升教育质量，是契机，也是落实立德树人根本任务的历史使命。为提升教育教学质量，这些区（县）一直在努力变革，但缺少方向引领和科学评价。他们认识到，教育质量综合评价是教育综合改革的关键环节，具有重要的导向作用。由此，他们决定以教育质量综合评价为改革主体，开展服务性评价促进区域基础教育优质均衡发展的实践，通过评价结果服务教育决策、督导评估、教育研培、学校管理、教师教育教学、学生学习和家庭教育等方面，引领、带动教育领域综合改革。这些区（县）在实践过程中充分认识到建立健全科学的监测评价体系是开展评价与落实科学运用评价结果的前提。基于认识与实践，逐步建立自己的监测评价体系，主要包括评价体系、保障体系和服务体系三个方面。体系的基本框架如图 8-4-1。

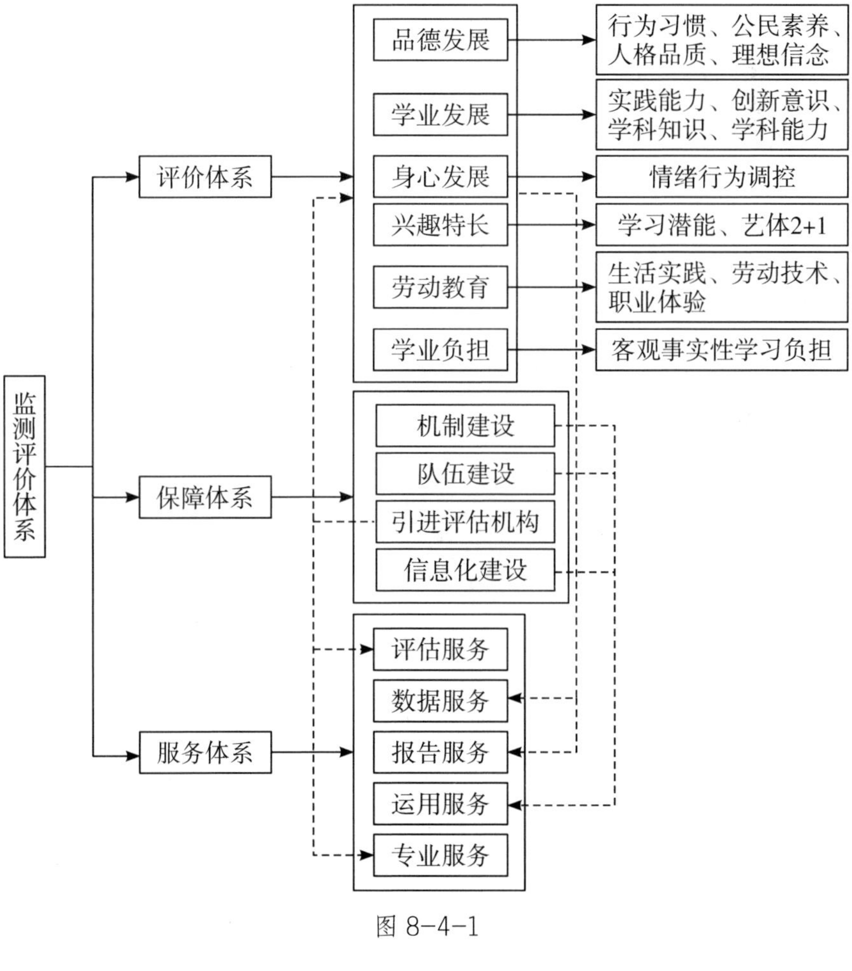

图 8-4-1

1. 评价体系

评价体系包括评价内容和评价指标两个方面。评价内容主要包括学生的品德发展、学业发展、身心发展、兴趣特长、劳动教育、学业负担六个一级指标，以及十五个二级指标。品德发展包括行为习惯、公民素养、人格品质、理想信念四个维度；学业发展包括实践能力、创新意识、学科知识、学科能力四个维度；身心发展主要监测学生的情绪行为调控情况；兴趣特长包括学习潜能、艺体 2+1 两个维度；劳动教育包括生活实践、劳动技术、职业体验三个维度；学业负担主要监测学生的客观事实性学习负担。

评价指标主要包括难度和区分度、“一分两率”、标准差、差异系数、标准分、成绩分组、命中率、贡献率、最近发展区达成度等。难度和区分度评价监测工具的质量，“一分两率”评价教育质量发展的整体情况，标准差评价教育质量发展均衡的情况，差异系数评价教育质量优质均衡发展的情况，标准分评价群体或个体的竞争优势和发展趋势，成绩分组评价教育质量发展的水平层次，命中率评价学科优秀比率，贡献率评价特定群体学科达标比率，最近发展区达成度评价学生的学习能力开发水平。这些指标能够多维度诊断教学达标情况，分析问题根源，呈现竞争优势与发展趋势等。

2. 保障体系

一是建立内外协作机制，有效推进监测评价工作与结果运用。龙泉驿区对内成立了由教育局局长任组长的领导小组，明确各方职责。督导办负责牵头和协调；教研部门设立评估监测部门，负责具体施测、分析运用、组织教研员参与监测工具开发、指导学校教育教学策略改进等。对外又充分依托中国教育学会等专业评估机构的专业指导、第三方信息服务公司的技术支撑，形成内外合力，协同推进监测评价改革。

二是建立专业引领机制，提高监测评价技术。积极与中国教育学会等专业评价机构合作，成立中小学教育质量综合评价改革实验区，充分发挥学会在指标体系建构、工具开发、数据处理等方面的专业引领作用。

三是建立常规监测机制，逐步改进监测评价数据采集技术。确定了“品

德发展水平 + 学业发展情况 + 身心发展水平 + 兴趣特长养成 + 劳动教育 + 学业负担状况”全面评价的监测内容。从 2016 年起，每年对区域内的义务教育学校部分年级学生进行监测评价。监测工作在学期末统筹开展，在减少学校负担的同时，形成工作常规。采用自主命制的监测工具对四年级以上学生进行学业发展水平监测，依据课程标准从知识、核心素养（关键能力）两个维度进行试题解析和数据采集；通过完善抽样监测的方式对全区中小学生进行艺体等过程性监测。科学的监测工具、合理的监测方式、规范的监测过程为教育质量的诊断采集了科学、真实、可靠的数据。

四是建立报告发布机制，提高监测评价数据的呈现与运用能力。每年召开 2 次发布会，集中发布教育质量综合评价报告、学业质量监测报告，部署全区域的教育教学改进工作。同时，建立计算模型，利用网络平台实现学生综合素质评价与学业发展监测数据的融合，每次监测完成后都发布区域、学校、教师、学生个人的分析报告。

五是分层、分级开展人才培养，改变教育质量评价观与提高教师业务水平。首先是管理者培训。每年开展中小学校长、局机关干部和责任督学的专题培训，重在转变评价观念。其次是指导者培训。每年对教研员、骨干教师开展集中培训和网络培训，重在帮助其掌握报告的解读与结果的运用方法。最后是实践者培训。常年邀请中国教育学会的专家定期或不定期到试点学校对试点教师进行专业指导，教研员和骨干教师定期组织试点教师进行研讨，重在解决教育教学改进实践过程中的实际问题。

六是督评结合，调动学校积极性。将教育质量综合评价工作纳入学校的目标考核，以调动学校积极性；制定《中小学教育质量综合评价改革实施工作督导评估标准》，由责任督学每月到校督促指导，确保评价改革工作的全面深入实施。

3. 服务体系

服务体系的建立主要依托保障体系的建立。通过内外协作机制提供专业的评估与指导服务，通过常规监测与报告发布机制提供宏观、中观、微观数据服务，通过培训与指导落实人才队伍建设服务。

8.5 监测评价引领教育改进的区域实施策略

8.5.1 精准诊断策略

精准诊断策略主要依托综合评价技术、数据采集技术、潜能开发技术、现代信息技术为评价主体，提供科学的、精准的学习过程质量诊断供给。

综合评价技术从品德发展、学业发展、身心发展、兴趣特长、劳动教育、学业负担等方面诊断学校的办学质量，生动、立体地呈现学生的全方位发展状况，改变了唯分数论的评价方式。

数据采集技术提高了教研员和学校教师依据课程标准，从知识、关键能力两个维度进行试题命制、试题解析、数据采集的能力，以初中数学为例，详情见表 8-5-1。

表 8-5-1　** 区学业质量监测九年级数学试题属性

分卷名称	小题编号	分数	题型	客观题选项	客观题标准答案	预计难度	预计得分	考查的能力	考查的知识点
A卷	1.1	3	选择题	A、B、C、D	A	0.9	2.7	符号意识	解一元二次方程
A卷	1.2	3	选择题	A、B、C、D	A	0.9	2.7	符号意识	三角函数定义
A卷	1.3	3	选择题	A、B、C、D	B	0.9	2.7	模型思想	反比例函数的图象与性质
A卷	1.4	3	选择题	A、B、C、D	D	0.9	2.7	几何直观	圆周角
A卷	1.5	3	选择题	A、B、C、D	C	0.8	2.4	模型思想	二次函数的图象与性质
……	……	……	……	……	……	……	……	……	……
A卷	11	4	填空题			0.7	2.8	符号意识；运算能力	一元二次方程根与系数的关系
A卷	12	4	填空题			0.8	3.2	模型思想	反比例函数的图象与性质

续表

分卷名称	小题编号	分数	题型	客观题选项	客观题标准答案	预计难度	预计得分	考查的能力	考查的知识点
A卷	13	4	填空题			0.7	2.8	模型思想；运算能力	二次函数的图象与性质
……	……	……	……	……	……	……	……	……	……

潜能开发技术有助于诊断学生的最近发展区，落实教师精准分析学情、差异化教学和个别化指导。该技术通过心理暗示、引导激励、分层教学、小组合作、优化作业布置、精准辅导等多种方式，探索实现学生最佳发展的具体教育教学策略，以达到因材施教和减负增效的目的。

现代信息技术建立教育质量监测平台，通过各类模型实现教育大数据融合的生成、分析与呈现，为师生提供有针对性的个性化服务，多维度诊断教与学的问题。

区域在运用监测评价提升教育质量方面，通过研究和实践提炼出了丰硕的成果。例如研发学生最近发展区量化模型，创新标准分的算法与运用，研究影响学生学习能力开发的非学习能力因素，研发测量工具和调查问卷，形成教育评价精准导向教学改进区域实施路径。

1. 学生最近发展区量化模型

研发学生最近发展区量化模型，预测学生最近发展区目标成绩，为教师改进教学设计、教学组织与教学辅导等提供科学的、精准的诊断数据。

（1）开展学习能力倾向测试

区域从 2016 年开始，每年组织小学四、五年级和初中七、八年级全体学生测试学习能力倾向；从 2020 年开始，每年组织高中的全体学生测试学习能力倾向。学习能力倾向主要包括言语推理、数字推理、空间关系、抽象推理四个指标。言语推理侧重测验学生理解字词、句段间关系的能力，即考查对字词、句段的理解及运用的能力，以及对文本内容、结构进行逻辑推理分析的能力。数字推理侧重考查学生的数字推理能力，包括发现数（式）排列与变化规律的能力，理解并且运用数量关系、数学方法解决问题的能力。空间关系测验学生的空间想象能力，即通过想象图形、变换操作图形，把对图形的感知通过平面或立体的形式表现出来的能力。抽象推理测验学生有关几何图形变化推理的能力，即考查学生从图形中推论其变化规则的能力。

（2）建立回归模型

利用 SPSS 23.0 统计与分析软件对学生的学习能力倾向与学业成绩进行相关性分析可知，学习能力倾向与学科成绩显著相关，相关系数在 0.6 至 0.8 之间，与总成绩相关系数达到 0.8 以上，适合建立回归模型。建立的回归模型如下：$Z=AX_1+BX_2+CX_3+DX_4+E$，其中，Z 是学科预测成绩，X_1 是言语推理，X_2 是数字推理，X_3 是空间关系，X_4 是抽象推理，A、B、C、D 分别是四个变量的系数，E 为常数。建立的模型对各学科及总成绩进行预测，解释变异量在 40% 至 70% 之间，线性拟合函数的系数均达到 0.95 以上。若将学生同期学科实际测试成绩与此预测成绩进行对比，两者之间的差异就是其最近发展区，但这个最近发展区存在非智力因素、学习环境等干扰因素。维果茨基提出的最近发展区指的是能力的宽度，即学生借助情境和其他支持能够达到的能力范围，强调能力的上限。

（3）生成各类统计图表

使用统计与分析软件或云服务平台生成区、校、班三级多种实测成绩与预测成绩对比统计图表，包括实测成绩与期望目标成绩平均值垂直图（见图 8–5–1），学科一阶目标成绩达标率统计表（见表 8–5–2），学生最近发展区量化目标成绩表（见表 8–5–3），学生学科最近发展区目标达成情况统计表（见表 8–5–4）等。

（4）指导数据运用

教育行政部门运用最近发展区诊断数据，实施科学决策。教学管理者通过分析实测成绩与期望目标垂直图，掌握更为真实的学校学业发展现状数据，精准查找问题，提高教学管理改进的有效性。以八年级总成绩为例，计算出区域内各学校实测成绩与一阶最近发展区目标成绩的平均值，制作成垂直图（见图 8–5–1），在竖轴上选择一阶目标成绩平均值作为参考线。

通过与一阶目标成绩对比，很容易分辨出哪些学校的生源相对优质，哪些学校的生源相对薄弱。通过实测成绩与一阶目标成绩对比，很容易分辨出学校的教育教学对学生潜能的开发效果的优劣。这样的分析结果真实地呈现了学校教育发展现状，对于管理者来说，找准问题，才能改进教学管理，精准扶弱。这种方式也可以用于分析学科学业发展现状和班级学业发展现状等。此外，可以采用表格的形式呈现，数据更具体。

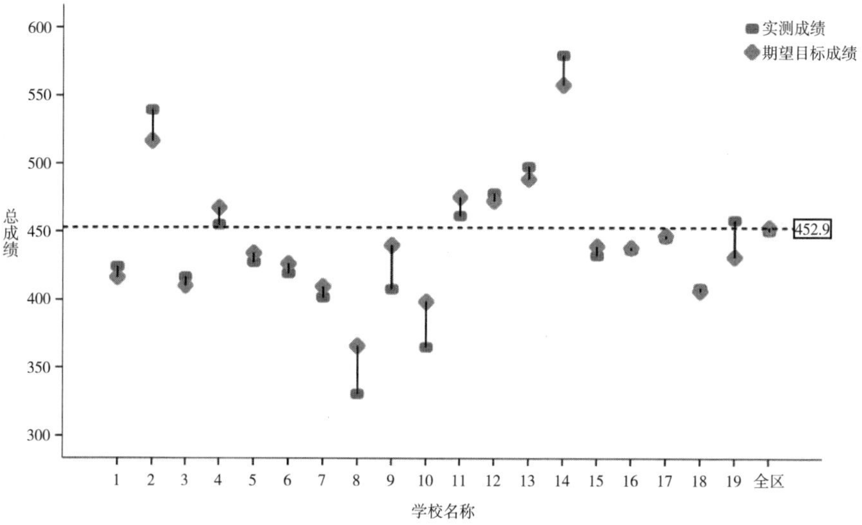

图 8-5-1　实测成绩与期望目标成绩平均值垂直图

教师科学运用最近发展区的诊断数据靶向改进教学和个别化指导。一是分析班级各潜能水平层次学生的学科一阶最近发展区目标成绩达标率数据（见表 8-5-2），教师掌握各潜能水平层次学生的学业发展情况，有针对性地改进教学，落实减负增效。学习能力倾向测试将学生分为相对的 9 个水平层次，1 ～ 3 为低水平，4 ～ 6 为中水平，7 ～ 9 为高水平。对比实测成绩与一阶目标成绩，实测成绩高于或等于一阶目标成绩计为达标，统计每个层次的达标百分比。分析这组数据，教师能比较精准地把握各层次学生的潜能发挥情况，判断自己的教学设计标高更适合哪些层次的学生，班级学业的发展是整体发展还是局部发展，哪些层次的学生潜能发挥得不好应加强关注与指导等。这些反思为教师改进教学提供精准可靠的依据。

表 8-5-2　** 学校 * 年级 ** 学科一阶目标成绩达标率统计表

班级	水平 -1	水平 -2	水平 -3	水平 -4	水平 -5	水平 -6	水平 -7	水平 -8	水平 -9
1 班	75.0%	67.0%	50.0%	67.0%	75.0%	57.0%	33.0%	33.0%	
2 班	0.0%	50.0%	50.0%	50.0%	50.0%	42.0%	50.0%		100.0%
3 班		67.0%	50.0%	80.0%	69.0%	58.0%	33.0%	83.0%	100.0%
4 班			33.0%	45.0%	54.0%	44.0%	71.0%	40.0%	100.0%
5 班	83.0%	100.0%	50.0%	83.0%	64.0%	30.0%	50.0%	100.0%	
学校比例	32.3%	56.4%	38.0%	59.4%	65.5%	46.4%	52.3%	51.6%	60.0%

注：灰色底纹的单元格表示该班级没有对应水平层次的学生。

比如 2018 年，龙泉驿区通过分析成都市的监测报告，发现初中学生高水平层次潜能开发严重不足，说明初中教学标高明显不够。发现这一问题后，教研员立即行动，组织教师进行教学与练习改进。2019 年，龙泉驿区中考成绩大幅度上升。截至 2022 年，该区的普高线与成都市主城区的普高线由 2019 年以前的长期相差 70 分～ 80 分提升到只相差 5 分。变化趋势详情见图 8-5-2。

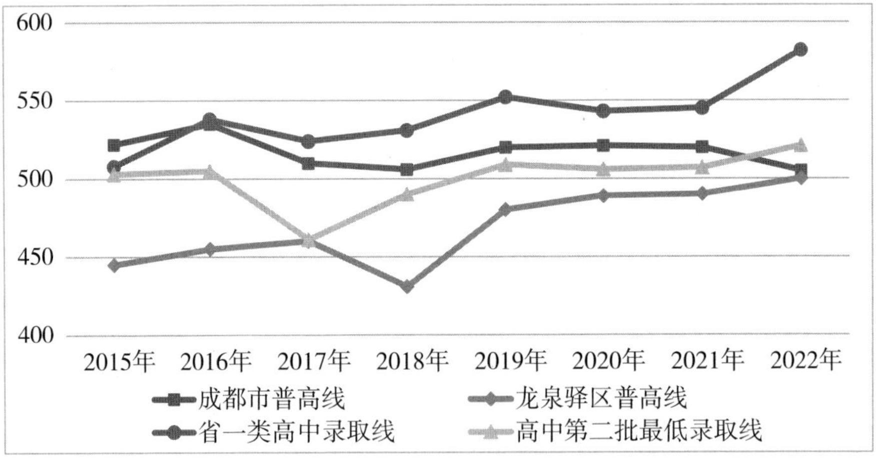

图 8-5-2　龙泉驿区 2015 年～ 2022 年中考划线与部分高中录取线折线图

二是分析学生最近发展区量化目标，掌握科学、精准的学生学习能力因素数据（详情见表 8-5-3），采用分层递进教学，实施因材施教，提高课堂效率。最近发展区的目标量化利于教师掌握科学的、精准的学生学习能力因素数据，给学生制订合理的学习目标。采用分层递进教学，通过优化课堂教学模式和结构、优化作业布置等，实现因材施教，不仅可以解决学困生问题，而且可以加强培养特优生。

表 8-5-3　** 班学生最近发展区量化目标成绩表

姓名	语文		数学		英语	
	一阶目标	二阶目标	一阶目标	二阶目标	一阶目标	二阶目标
** 成	100	108	111	125	117	129
** 泽	94	104	73	89	84	100
** 亮	105	117	108	116	105	115

注：学科满分为 150 分。

比如 2019 年，西河中学数学教师高老师运用学生最近发展区开展分层教学，两个班只有一名学生不及格，优生率也大幅度提升，这是高老师教学 20 多年来的最好成绩；2020 年，龙泉七中的数学教师陶老师采用相同方法，更是实现了 100% 及格率，优生率提高近 50%。2020 年，龙泉驿区在各个高中开始试点运用学生最近发展区提升教师教学质量，2021 年该区高考成绩在多方面取得突破，部分指标成绩超越历史极值。

三是教师分析最近发展区目标达成情况数据，掌握学生个体潜能开发情况（详情见表 8-5-4），开展个别化指导。教师掌握学生个体的最近发展区目标达成情况，开展个别化指导，做到有的放矢，通过心理暗示、引导激励、精准辅导等多种方式，实现因材施教和减负增效，实现学生的最佳发展。

表 8-5-4 ** 班学生语文最近发展区目标达成情况统计表

姓名	班级	一阶目标分	实测与一阶目标差值	实测与二阶目标差值	潜能目标达成情况
** 杰	* 班	86.9	2.1	−3.0	★
** 策	* 班	85.6	−8.6	−13.0	
** 伊	* 班	83.0	5.0	0.0	★★

注：学科满分为 100 分。

比如 2019 年，有位目标考核成绩突然上升到该区第一的初中校长这样说："运用学生最近发展区目标成绩做学生的辅导，一做一个准。"又如龙泉中学高 2018 级文科生刘同学，高三一诊考试总分 605 分，数学成绩只有 109 分。从学生学习能力倾向总体水平分析，该学生的学业发展应该能达到更高水平。分析指标表现水平，可以得出该学生学习数学的能力相对较弱，在实际考试中表现也较弱。详情见表 8–5–5。

表 8-5-5 龙泉中学高 2018 级 * 班刘同学一诊成绩及学习能力倾向指标统计表

姓名	语文	英语	数学	历史	政治	地理	一诊总成绩	言语推理	数字推理	抽象推理	空间关系
刘 *	129	123	109	70	85	89	605	44	32	26	16

分析得出的结论是该生要大幅度提升总成绩就必须提高数学成绩，但是，其学习数学的能力相对较弱。因此，需要加强对该生数学学习的指导与帮助。在二诊考试后，针对其数学学习，教师从三次诊断性考试中分析该生对知识点的掌握情况（详情见图 8–5–3），找出共性问题，结合其学习能力倾向预测的最近发展区，制定目标，学校安排教师进行辅导。在短短一个半月的时间里，该生的数学成绩突破了瓶颈，最终在高考中该生的数学科目取得 141 分的高分，总成绩达到 641 分，名列全省第五，创造了龙泉驿区高考成绩新高度。同时，对其他特优生也采用了这种方法，高考中有 7 名学生进入全省前 500 名，创造了龙泉驿区高考特优生群体新突破。

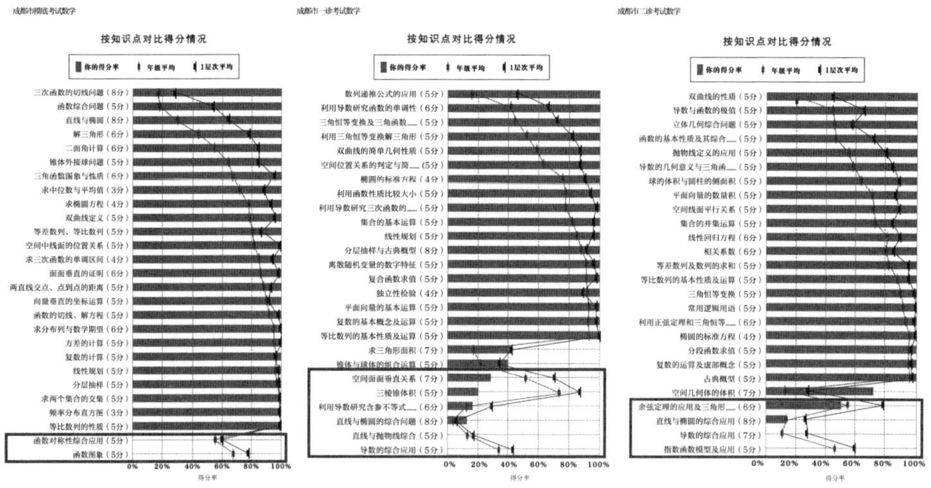

图 8-5-3

2018 年～ 2020 年，在中国教育学会专家的指导下，龙泉驿区经过运用学生最近发展区进行学情分析与教学改进的研究与实践，总结提炼出精准分析学情方法、差异化教学设计、分层教学范式、个别化指导的教育教学经验。

2. 创新标准分算法与运用

龙泉驿区在基础教育学业质量评价中采用正态化标准分算法：T=150+Z*28.87，公式中 150 为基准分（也为总样本的平均分），28.87 为百分等级标准差，Z 为每个学生学科成绩正态得分，此处采用 Blom，基于使用公式（r–3/8）/（w+1/4）的比例估计创建新的等级变量，其中，w 是个案权重的总和，r 是等级。使用标准分算法后，各科原始分转换为平均分 150 分、标准差为 28.87 分的标准分，各科分数就有了共同的参照点，也有了相同的单位。统一到同一“量尺”上的分数，克服了监测工具难度与权重不同、监测时间不同而无法进行学科教学质量的横向与纵向对比的问题，标准化制度克服了原始分制度的缺点而显示其优越性。采用标准分统计基础教育学业质量，可以将样本个体和群体在多次、多学科的监测中进行竞争力的横向与纵向对比，结合数据跟踪分析，实现形成性、过程性、增值性评价。

（1）标准分用于衡量学生个体在群体中的竞争力，跟踪分析标准分可以诊断学生个体学业水平发展的过程、现状和趋势。

学生成绩标准分可以衡量学生个体在群体中的竞争力，标准分的变化可以准确反馈学生个体的竞争力在群体中的变化情况。同一次监测中，同一学生可以对比其不同学科在群体中的竞争力，不同学生可以对比相同学科与不同学科在群体中的竞争力。标准分越大，学科竞争力越强，从而诊断出优势学科与薄弱学科，便于学生个体实现靶向改进。多次监测中，同一学生可以对比其同一学科在群体中竞争力的变化情况（持续上升或下降、波动上升或下降等），便于学生个体在后期的学习中改进学习态度和方法等。比如，图 8-5-4、图 8-5-5 是张三和李四两名学生四个学科、四个学期成绩的标准分折线图。观察此图，很容易掌握学生个人学科学业发展的过程、现状和趋势。

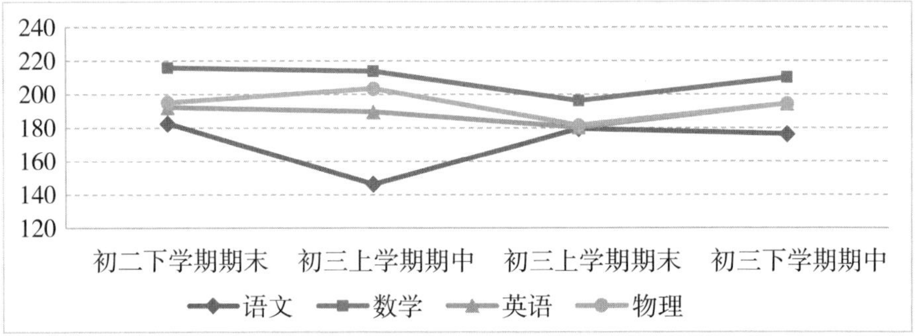

图 8-5-4　张三学科成绩标准分折线图

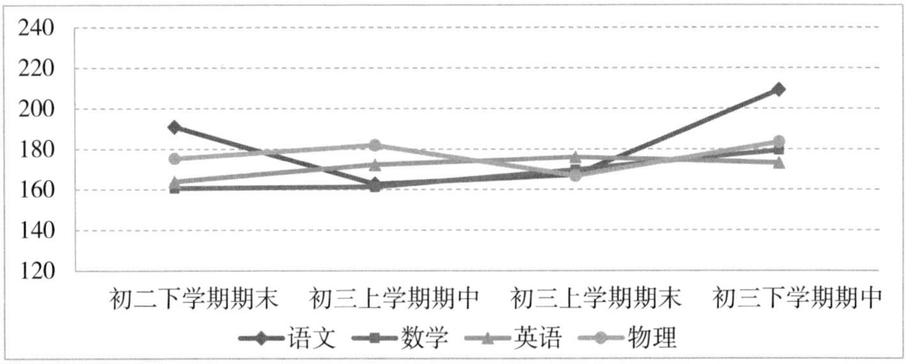

图 8-5-5　李四学科成绩标准分折线图

（2）标准分平均值用于衡量学科的竞争力，跟踪分析数据可以诊断学科学业质量发展的过程、现状和趋势。

学科标准分平均值是学校所有学生学科标准分的平均值，它可以衡量学校的各学科在区域内的竞争力，标准分平均值的变化可以反馈学校的各学科在区域内竞争力的变化情况。区域内，同一学科，标准分平均值越大，竞争力越强；学校内，不同学科，标准分平均值越大，竞争力越强。班级的学科标准分平均值也具有同样的应用价值。利用标准分平均值可以横向对比学校、班级不同学科间的竞争力，诊断学校学科学业质量与学科建设的均衡性，诊断班级学科学业质量的均衡性。比如，图 8–5–6、图 8–5–7 是小学某年级一次测试各学校（学校名称进行了代换）学科成绩的标准分平均值的折线图、垂直图。

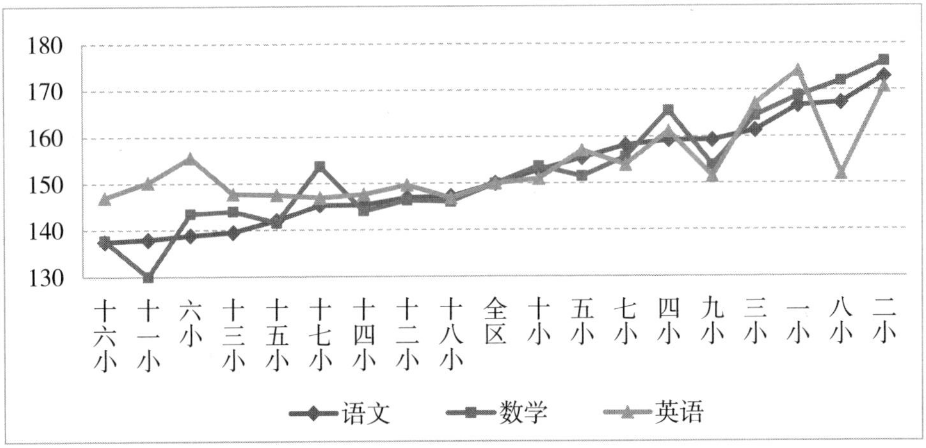

图 8-5-6　小学 X 年级学科标准分平均值折线图

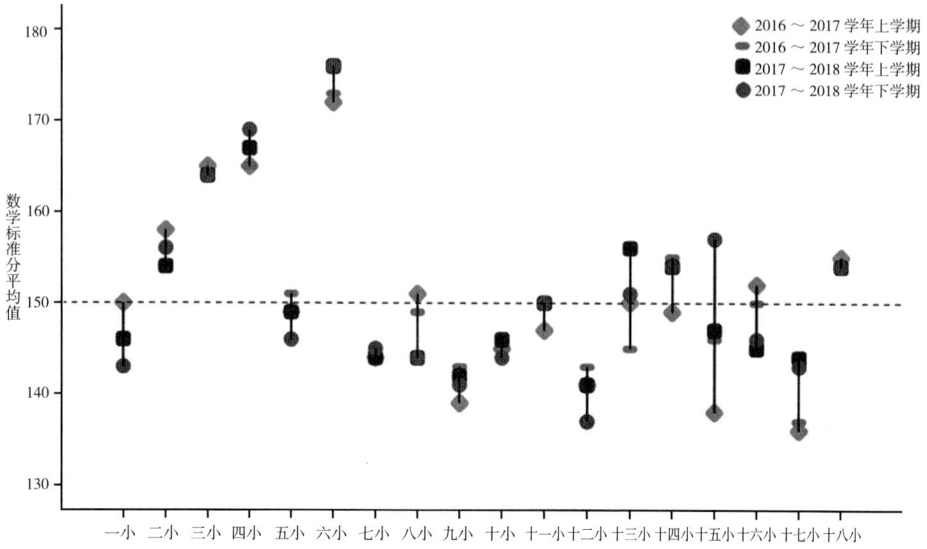

图 8-5-7　2016 ~ 2018 年各小学 X 年级数学标准分平均值垂直图

教学管理者通过分析折线图，掌握同一学科不同学校（班级）的学科竞争力，掌握同一学校不同学科之间的竞争力，掌握同一学校学科发展的均衡性，促进管理者在改进教学管理时强化薄弱学科的建设。教学管理者通过分析垂直图，掌握学校（班级）学业发展趋势是持续上升（下降）还是波动上升（下降）。监测评价提示教育管理者改进教学管理时不但要注重结果，而且要注重过程。

3. 学生非智力因素、学习环境对潜能开发的影响

将质量监测得到的学生发展评价中的品德、学习动力、学习方法和习惯、人格等综合素质、学生问卷、教师问卷，与学习能力倾向、学业发展监测数据进行关联分析，分析方法是在 SPSS 统计与分析软件中采用 PROCESS 2.15 插件将非学习能力因素作为学习能力的调节变量、中介变量对学业成绩的回归分析；分别采用 Model templates for PROCESS for SPSS and SAS（2013—2016 Andrew F. Hayes and The Guilford Press）的 Model 1（干扰变量）、Model 4（中介变量），模型结构详情见图 8-5-8。

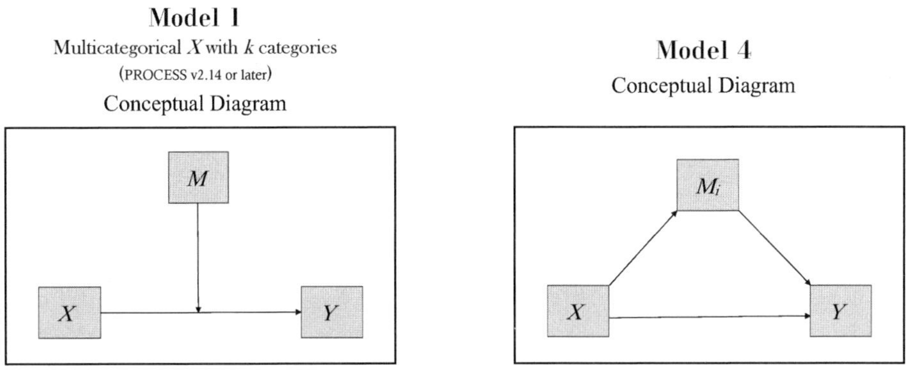

图 8-5-8　模型结构图

分析发现，规则意识和行为（小学）、学习动力、情绪行为调控、师生关系等对学生学习能力的发挥有显著影响，这些因素对不同潜能水平的学生在学习过程中学习能力发挥有显著的调节作用。分析选择将学生按照学习能力分为 10th、25th、50th、75th、90th 五等分，生成绘制交互图的数据，用 SPSS 23.0 生成子组拟合线图形（详情见图 8-5-9 和图 8-5-10）。

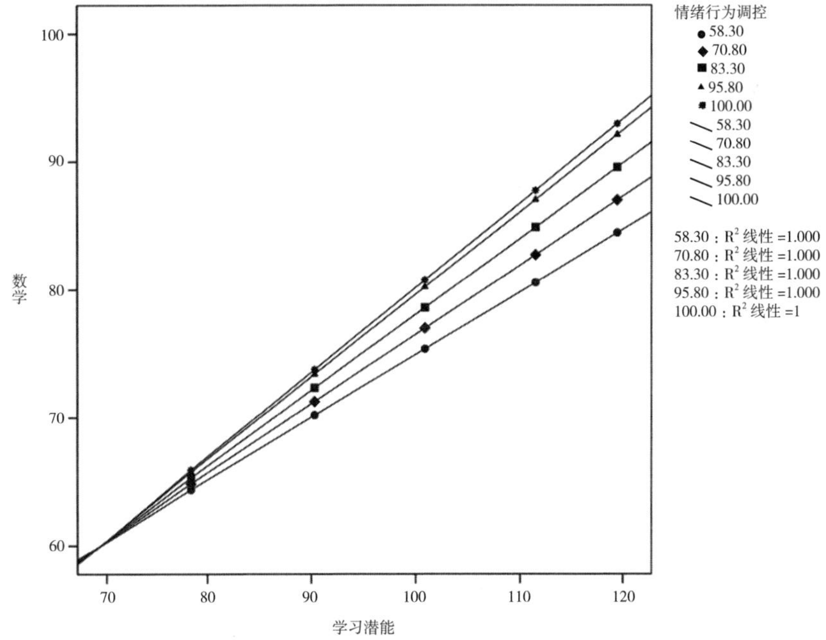

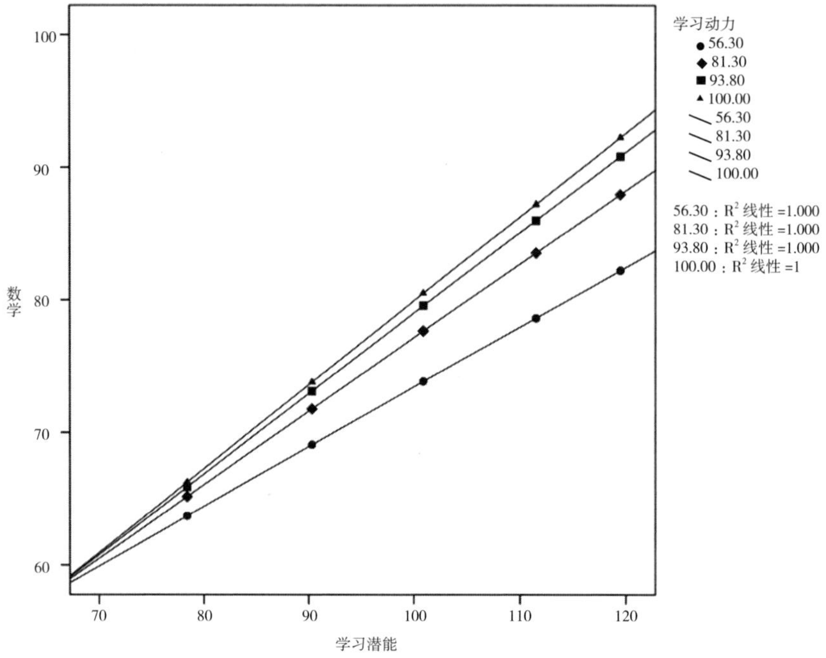
学习动力
56.30
81.30
93.80
100.00
56.30
81.30
93.80
100.00
56.30：R² 线性 =1.000
81.30：R² 线性 =1.000
93.80：R² 线性 =1.000
100.00：R² 线性 =1
数学
学习潜能
100
90
80
70
60
70
80
90
100
110
120

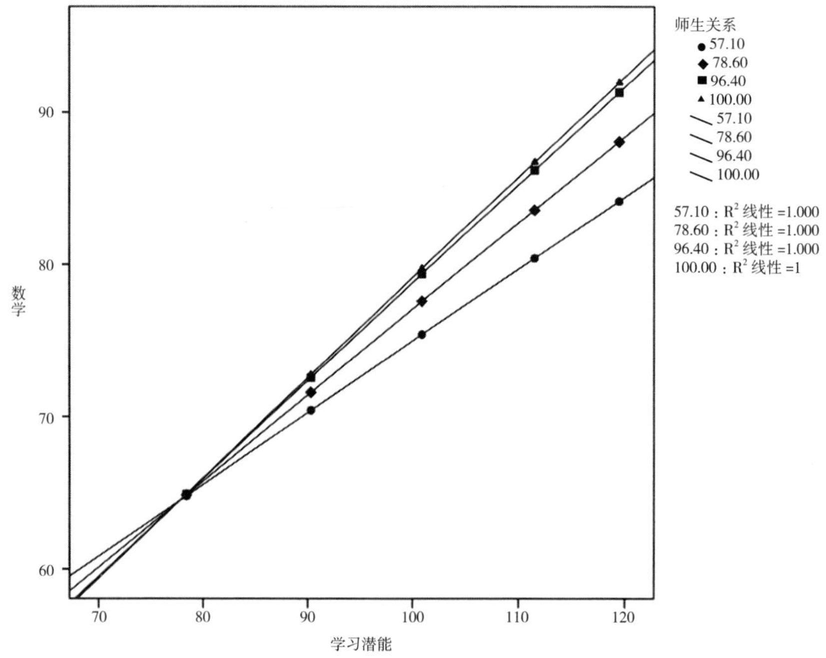
师生关系
57.10
78.60
96.40
100.00
57.10
78.60
96.40
100.00
57.10：R² 线性 =1.000
78.60：R² 线性 =1.000
96.40：R² 线性 =1.000
100.00：R² 线性 =1
数学
学习潜能
90
80
70
60
70
80
90
100
110
120

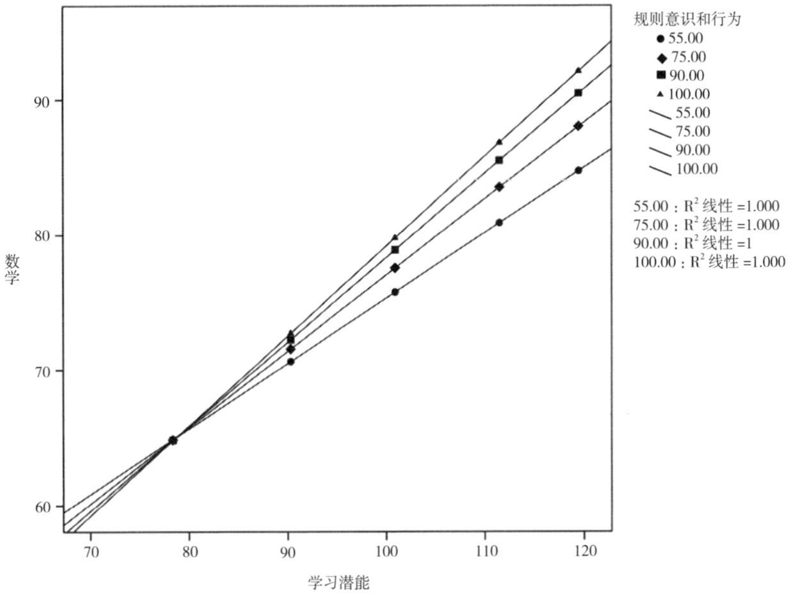

图 8-5-9

通过分析图 8-5-9，得出以下结论：小学生心智发育不成熟，自我管理、自我约束能力未形成，习惯未养成，学习能力水平越高的学生，思维越活跃。个人的规则意识和行为、情绪行为调控、学习动力、师生关系等都会干扰学生学习能力的发挥，潜能水平越高，学业成绩受到的影响越明显。

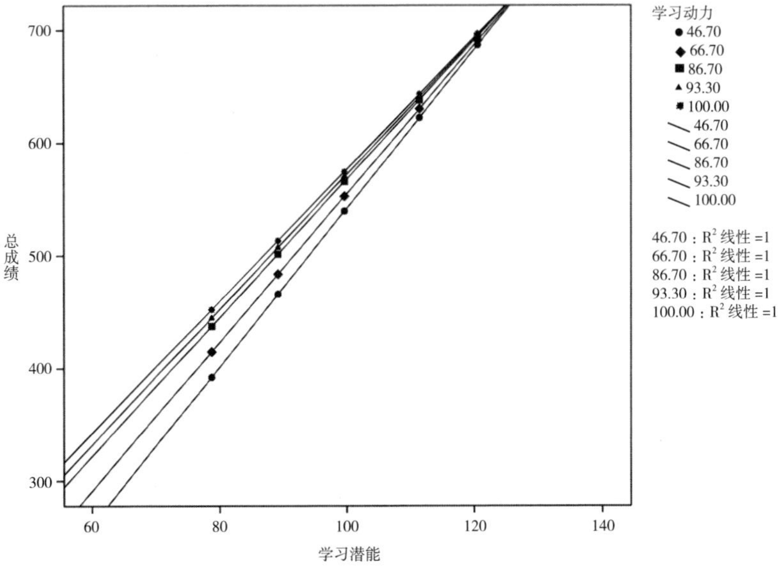

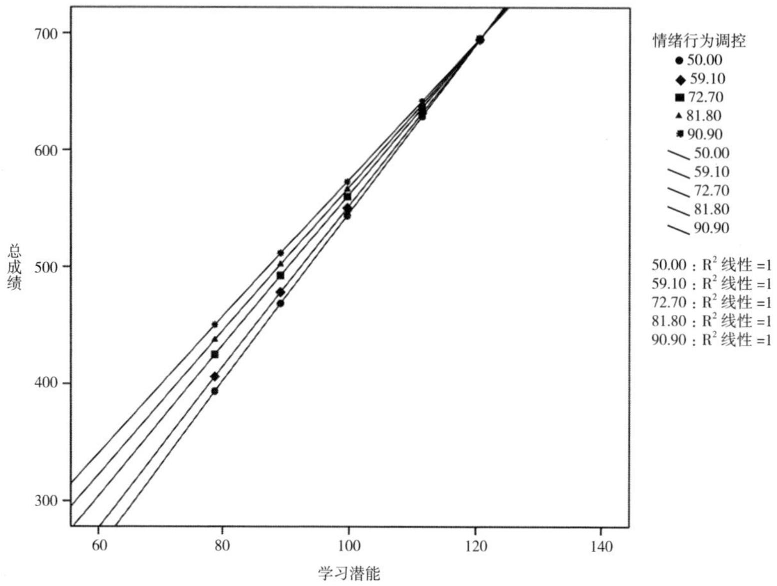

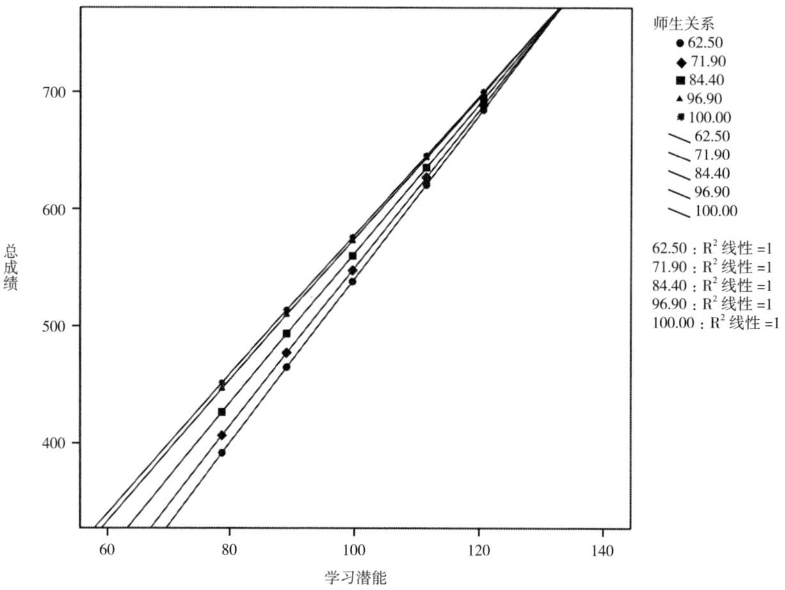

图 8-5-10

通过分析图 8-5-10，得出以下结论：初中学生心智逐步发育成熟，学习能力水平越高的学生，心理特质表现越好，自我管理、自我约束能力越强，习惯越好，情绪行为调控、学习动力、师生关系等因素对学生学习能力的干扰越小。但是，学习潜能水平相对低的学生的上述表现却相反，水平越低，非学习能力因素干扰潜能发挥越明显。

实践中，教师将上述两个结论运用于教育教学全过程，关注每个学生的身心健康，创造良好的学习环境，优化影响学生学习能力正常发挥的非学习能力因素，促进学生最佳发展。

4. 开发测量工具和调查问卷

开发“数学课堂教学中师生行为测量工具”，旨在通过学生视角对课堂中学生的学习行为、教师的教学行为以及学生学习的心理感受进行测量。开发过程中对工具进行了严格的检验，有效地保障了工具的质量。该测量工具可以直接用于对区域内实施的导学讲评式教学实施情况进行测量，经过适当修改后也可用于对体现新课程理念的其他课堂教学改革的师生行为进行测量，具有一定的实践价值和借鉴意义。

开发“龙泉驿区中小学课堂现状调查学生问卷”，调查了4万多名四年级至高三年级的学生样本并撰写分析报告，促进区域贯彻中共中央、国务院在《关于深化教育教学改革全面提高义务教育质量的意见》中提出的“强化课堂主阵地作用，切实提高课堂教学质量”精神，落实“五育”并举，通过提高课堂教学质量，促进全区中小学教育教学质量的提升。

开发“龙泉驿区中小学课后作业辅导家长问卷”，问卷设计了课后服务、课后作业、家长辅导、家校互动四个维度。在线问卷调查了中小学5万多名家长样本并撰写了分析报告，为区教育局出台《龙泉驿区中小学作业减负八条》提供了依据，促进区域贯彻中共中央、国务院《关于深化教育教学改革全面提高义务教育质量的意见》和《深化新时代教育评价改革总体方案》，落实优化作业布置，提高作业质量，禁止学校将学生作业变成家长作业或要求家长检查批改作业，禁止布置惩罚性作业，改进学生评价，促进学生全面发展，减轻学生学业负担，提高社会满意度等。

8.5.2 协同推进策略

一是专业引领。建立专业引领机制，提高监测评价技术水平。在合作2年的基础上，龙泉驿区与中国教育学会于2018年4月签订《中小学教育质量综合评价改革龙泉驿实验区共建协议》，建立长期合作关系，充分发挥学会在指标体系建构、工具开发、数据处理、业务指导等方面的专业引领作用。

二是内外协作。建立内外协作机制，有效推进监测评价工作与结果运用。对内成立由区教育局一把手担任组长的领导小组，明确各方职责。督导办负责牵头和协调；区教科院设立评估监测部，负责具体施测、分析运用、组织教研员参与监测工具开发、指导学校教育教学策略改进等。对外又充分依托中国教育学会的专业指导、第三方信息服务公司的技术支撑，形成内外合力，协同推进监测评价改革。

三是常规监测。建立常规监测机制，促进监测评价质量的提高。确定了“品德发展水平 + 学业发展水平 + 身心发展水平 + 兴趣特长养成 + 学业负担状况”全面评价的监测内容。从 2016 年起，每年对 1.5 万余名中小学生进行监测评价，2020 年开始，对高中学生进行学习能力倾向测试。采用自主命制的监测工具对四年级以上学生进行学业发展水平监测，依据课程标准从知识、关键能力两个维度进行试题解析和数据采集；通过完善抽样监测方式对全区中小学生进行艺体素养等过程性监测。科学的监测工具、合理的监测方式、规范的监测过程为教育质量诊断采集了科学、真实、可靠的数据。

四是报告发布。建立报告发布机制，提高监测评价数据的运用效果。每年召开 2 次发布会，集中发布教育质量综合评价报告、学业质量监测报告，部署全区域的教育教学改进工作。同时，建立计算模型，利用网络平台实现学生综合素质评价与学业发展监测数据的融合，每次监测后都发布区域、学校、教师、学生个人的分析报告。

8.5.3 服务跟进策略

一是分层、分级开展人才培养。分层、分级开展人才培养，改变教育质量评价观与提高教师业务水平。首先是管理者培训。每年开展中小学校长、局机关干部和责任督学的专题培训，重在转变评价观念。其次是指导者培训。每年对教研员、骨干教师开展报告解读与结果运用方法集中培训。最后是实践者培训。常年邀请中国教育学会专家定期或不定期到试点学校对试点教师进行专业指导，教研员和骨干教师定期组织试点教师进行研讨，重在解决教育教学改进实践过程中的实际问题。2016 年～ 2020 年，共开展大型培训 30 余场次，共计参培 4000 余人次。

二是信息化建设。加强信息化建设，提高教育大数据服务教育改革技术。2017 年，在第三方公司的技术支持下，龙泉驿区开发了本区域的教育质量监测平台，平台分为考试分析系统、考务管理系统、学习潜能预测成绩分析系统、综合素质评价系统。平台包含考试数据采集、数据清理、网络问卷调查、考试数据统计、学业能力反馈等功能，参照学业质量监测报告评价指标体系，有针对性地分析学业质量与学习潜能数据、优化模型算法、挖掘数据，通过云服务平台呈现报表、报告。平台服务区域、学校、教师、学生等六级用户 14 类人员近 6 万人，提供查询、下载诊断数据和报告服务。监测数据采集与分析的科学性，呈现与使用的及时性，打破数据孤岛，构建立体、多维的质量评价体系，为决策者、管理者、研究者、执教者、学习者提供精准数据服务供给。

三是点面结合。采用点面结合，提高服务评价结果运用与学生潜能开发技术。在学生学业水平、综合素质、身心健康和学业负担评价结果的运用上，要求所有学校全面落实，以促进全区中小学生全面发展。在学生学习潜能评价结果的运用上，选取试点学校，提供更多的专业指导和技术支持，通过心理暗示、引导激励、分层教学、小组合作、精准辅导等多种方式，探索通过潜能测评与开发实现学生最佳发展的具体教育教学策略。

8.5.4 督评改进策略

采用督评结合，调动学校积极性。将教育质量综合评价工作纳入学校目标考核，以督促学校重视参与。制定了《中小学教育质量综合评价改革实施工作督导评估标准》，从组织管理、实施过程、改革成果等三大维度，从领导重视、组织机构、工作机制、人才培养、教育科研、实施进展、理念转变、课堂转型、质量提升等九个方面，构建二十七个具体指标（见表 8-5-6），由责任督学每月到校督促指导，确保评价改革工作的全面深入实施。

表 8-5-6　龙泉驿区中小学教育质量综合评价

改革实施工作评估标准框架（试行稿）

A级指标	B级指标	C级指标
A1组织管理	B1领导重视	C1 校长树立全面发展的教育质量观
		C2 校长掌握教育质量综合评价改革的基本要求和主要内容
		C3 校长亲自研究部署本校的综合评价改革工作
	B2组织机构	C4 建立实施教育质量综合评价改革的领导机构或工作团队
		C5 明确实施教育质量综合评价改革试点的年级和学科
		C6 明确校级、中层、班级等各类人员的改革工作职责
	B3工作机制	C7 有推进改革的工作规划和计划
		C8 各类参与改革的人员明确自身职责，并按计划常规落实
		C9 建立改革议事制度，定期集中研究改革推进工作
A2实施过程	B4人才培养	C10 选派骨干教师参加区级以上的教育评价与咨询专业培训
		C11 组建学校推进教育质量综合评价改革的核心团队
		C12 注重参与改革后备人才的培养
	B5教育科研	C13 对本校教育质量综合评价监测结果进行集中解读分析
		C14 形成本校以评促改的教育教学提升策略，并贯彻落实
		C15 定期集中研究教育质量综合评价改革过程中的问题
	B6实施进展	C16 学年度或学期改革计划切实落实
		C17 每学期对改革试点学科进行跟踪监测
		C18 形成每学期教育质量综合评价改革情况的分析报告
A3改革成果	B7理念转变	C19 全体教师基本了解教育质量综合评价改革工作
		C20 核心团队明确本校教育质量综合评价改革的重点、难点
		C21 试点学科教师制订以评促改的具体策略
	B8课堂转型	C22 学生主体地位突出，教师采取具体措施激发学生的学习信心
		C23 落实分组合作学习，调动全体学生的学习积极性
		C24 分层要求明确，分层作业落实

续表

A级指标	B级指标	C级指标
A3改革成果	B9质量提升	C25试点年级和学科学生的学习兴趣和学习积极性普遍提升
		C26教育质量综合评价监测结果
		C27积累学校自身教育质量综合评价改革的经验和教训

总体来说，区域运用监测评价促进教育质量提升分三步实施。一是学习阶段。以成都市教育质量综合评价报告反馈为契机，龙泉驿区通过查找问题，分析反思，促使教研员队伍对标准与工具的转化、指标的关联、数据的分析解读有了较深刻的认识，骨干教师队伍对评价结果在教育教学过程中的运用有了一定认识，营造了实施教育质量综合评价的良好氛围。二是参与阶段。在专家指导下，教研员与专家一起开发学业发展水平监测工具，实现了使用本地监测工具收集学业发展水平评价基础数据，让先进理念本土化；发挥一线教师的主创精神，引导试点教师研讨总结依据评价结果制订的教育教学改进策略，形成"以评促改"本土实践经验。三是融合阶段。主要在三方面着力：第一个方面，依托多年综合评价形成的数据库，建立和完善更多维度的数据关联，让数据"说话"；第二个方面，发挥信息化平台的整合功能，生动、立体地呈现学生的全面发展状况，改变唯分数论的评价方式，让每名学生都"有血有肉"；第三个方面，在中小学教育质量综合评价的基础上建立和完善学校办学水平评价体系，改变学校评价唯升学论的模式，把中小学教育质量综合评价与区域教育现代化、教育优质均衡状况和教育国际化监测作为衡量区域教育发展水平的主要指标，对应调整教育措施，有力促进区域教育优质均衡发展。

8.5.5 监测评价促进质量提升的学校案例

案例1　综合评价诊断问题　全面发展提升质量——成都市龙泉中学

一、基本背景

龙泉中学是龙泉驿区内唯一的一所国家级重点中学，学校有高中教学班66个，初中教学班12个，高中段的教学质量多年来位居成都市同类学校前列。近几年，按照义务教育相关政策要求，初中入校学生均通过“摇号”的方式产生，生源质量发生较大的变化，教学质量处于区内平均水平，与高中段教学质量在区内的影响力有较大的差异。

二、评价诊断出的问题

根据教育部颁发的《关于推进中小学教育质量综合评价改革的意见》精神、《国家义务教育质量监测方案（2021年修订版）》以及国家对全国教育质量综合评价改革实验区的工作要求，2017年6月，龙泉驿区教育局委托中国教育学会对全区小学四年级、初中七年级进行了教育质量的综合评价。评价的内容包括学业发展水平（四年级阅读、七年级数学）、综合素质、学习潜能、身心发展、学业负担等五项。

教育质量综合评价结果显示，龙泉中学七年级除学业发展水平分组位于中分组外，综合素质、学业负担、身心发展、学习潜能等均位于低分组，属于低水平低均衡发展，多项指标在全区表现差。评价结果反馈出龙泉中学初中段教育教学质量存在比较大的问题，学校对学生全面发展的关注度不够。针对测评中暴露出来的问题，龙泉驿区教育局安排专家组对初中部的教育教学进行了现场调研，学校也进行了深入的自我剖析，归纳出以下几点问题。

①教学中，部分教师依然坚持满堂灌，没有真正体现学生是学习的主体。教师的教学应该围绕学生本身的需求出发，有针对性地开展教学设计和教学组织。针对“摇号”入学这一新情况，学校缺乏有针对性的措施。

②学校对德育队伍建设、班级文化建设等重视程度不够，德育教育实践过程中，说教多，方法少，艺体活动、传统文化的传承教育等德育活动少，学生参与社会实践等活动不足，德育特色不明显。

③许多教师出现职业倦怠，不愿接受新事物，研究乏力。

④对学生心理健康的关注度不够。

三、学校解决问题的措施

（一）深化课堂教学改革，形成龙泉中学初中部教学特色

1. 引进“生本教育”

近几年，为了改变部分教师课堂教学满堂灌的模式，学校积极响应龙泉驿区教育强区的战略，积极学习“生本教育”，先后派出多名教师赴“生本教育”发源地考察和学习。

在初中各年级开展学上“生本课”。2017 年 9 月至 2018 年 9 月，每周一下午第四节为固定的生本展示课时间，全年级的教师轮流上课，所有教师参与听课，课后进行深入的交流。2018 年 9 月至 2019 年 1 月，双周周一下午第四节，初中部进行“生本教育”赛课活动，每个教研组推荐一名教师参加。2018 年 6 月，龙泉中学初中部就“生本教育”申请了“龙泉中学初中部推进‘生本课堂’教学模式的实践研究”的区级课题。

一年多来，教师通过积极实践以及认真的交流总结，大多数已经逐渐掌握了“生本教育”的课堂模式。课堂上，学生“活”起来了。学生的语言表达能力、自主学习能力、主动思考质疑的能力以及团队合作能力得到了充分锻炼，而这些都是学生今后走向成功的必备技能。学习能力得到了进一步提升，学生变得更自信了。

2. 开展“分层走班”教学

近几年，学校初中学生通过“摇号”的方式入学，即在全区几千名学生中随机决定入学名单，学生成绩层次差异很大，总分上看，最高分 293 分，最低分 147 分，单科上看，数学、英语成绩差异也很大；这一情况给教师的教学提出了很大的难题，教师很难确定教学标高，出现学优生“吃不饱”，学困生“吃不了”的情况。针对初中教学的特点，学校对各年级的数学和英语学科实行分层走班教学，有效改善了学习能力差异引起的教学不适应问题，基本实现了学优生“吃得饱”，学困生“吃得了”。

（二）以课程为依托，以活动为载体，形成龙泉中学初中部德育特色

学校开展主题整合式德育课程，借助丰富多彩的活动，将活动镶嵌到德育教育实践过程中，实现活动育人。

①以传统节日为依托，凸显“节日记忆”的教育功能，开展主题教育活动。

月份	节日	活动主题
3 月	植树节	我和春天有个约会
4 月	清明节	长松寺烈士陵园扫墓
6 月	儿童节	庆六一趣味运动会
9 月	中秋节、教师节	庆中秋·相亲相爱一家人；敬师礼活动
10 月	重阳节	孝老敬亲活动

②抓住学生成长的关键点，凸显“成长记忆”的教育功能，增强学生的仪式感。

年级	活动主题
初一年级	国防教育；开学典礼；少先队建队仪式；环保知识讲座；烈士陵园扫墓；福利院探望老人
初二年级	走进通航；走进少管所；少先队离队仪式；人防演练
初三年级	中考 50 日动员大会；毕业典礼
初中部全体	敬师礼；读书汇报活动；纪念“一二·九”运动活动；家访，关爱留守儿童

③开展学科综合实践活动课程，依托丰富多彩的学科活动，了解学科文化，通过动手、动脑等实践活动，激发学生的学科学习兴趣，同时让学生感受学科的发展过程。初中部以区级课题“龙泉中学初中部基于核心素养的学科综合实践活动课程实践研究”推动此项工作的开展。

学科	活动主题
语文	读书汇报活动；书法评比；国学经典诵读
数学	剪纸与折叠；设计遮阳篷；速算比赛；有理数手抄报
英语	读书汇报活动；制作圣诞贺卡；制作美食
物理	鸡蛋碰地球；放风筝比赛；走进航天技术研究院；托里拆利实验
化学	化学方程式书写比赛；自制净水器；走进污水处理厂；学会使用灭火器；实验技能大赛

续表

学科	活动主题
政治	爱在人间；福利院关爱老人献爱心活动；辩论赛；走进消防支队
历史	历史剧；长松寺扫墓
地理	在野外如何辨别方向；绘制旅游小报；学做天气预报员；考察四川师范大学地理与资源科学学院地理实验园区
生物	我和春天有个约会；关注我们生活的环境——制作生态瓶活动；叶脉书签制作活动；让自然之美永驻——腊叶标本制作活动；黄豆苗和绿豆苗的秘密——种子的培养活动；解剖橘子——认识植物的组织

④开展假期社会实践活动，要求学生利用寒暑假进行社区服务、志愿者活动、职业体验、社会调查活动。学校为学生搭建了解社会的平台，为学生提供融入社会、服务社会的机会。初中部也对学生的家务劳动方面提出了具体的要求，比如“学做一道拿手菜”，争做龙泉中学初中部的“厨神”，激励学生热爱劳动，懂得珍惜，并在开学初进行汇报展示。

一系列德育活动，育人于无形，激发了学生的学习热情，培养了学生的创新精神，增强了学生的社会责任感。

（三）以课题为载体，引领教师专业化成长

以初中部的名义，学校申请了三个区级课题：“分层走班”“龙泉中学初中部推进‘生本课堂’教学模式的实践研究”“龙泉中学初中部基于核心素养的学科综合实践活动课程实践研究”。

①会议培训化，利用年级组会、教研组会对教师进行专业化知识培训。

②培训序列化，搭建平台，邀请优秀教师对全体教师进行学科教学培训，邀请优秀班主任对全体班主任进行培训。

③听课常态化，开展初中部教师的同伴互助活动，要求每一名教师每周听一节其他教师的课，将听课的图片和评语上传年级群，年级安排专人进行统计和通报。年级利用此项活动，推动教师间相互学习，取长补短。

④赛课互助化，初中部重视各级各类赛课对教师成长的重要作用，只要是校级及以上的赛课，都会做专门的动员，一旦确定参赛教师，初中部

将会集中全部的优质资源，帮助教师打磨课堂。几年来，初中部教师在各级各类比赛中成绩突出，逐渐消除了教师的职业倦怠。

教师专业成长了，获得了职业幸福感，焕发了职业青春。

（四）关注学生的心理健康

①学校在初中部各年级开展心理健康课。

②学校对所有学生进行心理健康测评，为有针对性地开展心理健康教育收集素材。

四、取得的效果

①经过一年多的积极探索和落实各项措施，在2018年11月进行的龙泉驿区七年级教育质量综合评价中，学生在品德发展、身心发展和兴趣特长养成等方面均有大幅度提升，多项指标数据位于全区前列。在2018～2019学年上学期期末学业质量监测中，七年级学生各学科学习潜能发挥均超出基本目标，总成绩超出36.2分，位于全区第一；八年级的竞争力排名上升至第二位，总成绩竞争力全区第一；九年级竞争力排名上升至第一位，总成绩竞争力全区第三。学校在区教育局2018年的目标考核中取得了综合排名全区第一的好成绩。

②学生的学习方式与学习能力发生了变化，在各级各类比赛中获得佳绩。

语文学科：国家级奖3项，省级奖14项，市级奖8项。

英语学科：国家级奖1项，省级奖10项，市级奖14项。

物理学科：5名学生获得成都市第21届青少年科普知识竞赛一等奖，13名学生获得二等奖，21名学生获得三等奖；5名学生获得成都市首届青少年创想绘画比赛一等奖，9名学生获得二等奖，21名学生获得三等奖。

③教师的教学观念和教学方式进一步转变，专业能力提升了。

在研究课题的过程中，课题组成员赛课获得国家级一等奖2项，省级奖1项，市级奖6项，区级奖16项，校级奖9项。论文方面获得国家级奖3篇、市级奖31篇、区级奖7篇。课题获得区级一等奖3项，二等奖2项，结题5项。展示课有市级4节，区级5节。讲座有省级1个，市级1个，区级6项。国家级竞赛优秀指导教师1名，省级2名。本校教师的实力与成绩得到同行认可，在区内外产生积极的影响。

案例2　以评价撬动初中育人之变——成都市龙泉七中

龙泉七中是传统公立学校，实行划片招生，均衡分班，学生基础普遍较弱，行为习惯较差。2020年9月之前，学校三个年级的学生普遍存在学习动力不足、纪律松散等问题；2%左右的学生有厌学情绪，没有归属感，没有成功体验，人际关系不和谐；学校不能完成教育局下达的目标任务。

鉴于此，2020年9月学校开展义务教育评价改革，致力于抓好《义务教育质量评价指南》的落地和实施。学校紧紧围绕如何实施教育质量综合评价这一关键，积极探索增值评价实施途径，力图通过最近发展区激发学生潜能，推进学校管理模式和教育教学的改革，从而建设高质量教育体系，办家门口的好学校，为建成健康的教育生态而不断努力。

（一）开展综合评价，全面且高质量地提升学生素质

1. 运用综合评价结果，因材施教，促进学生品德养成

教育质量综合评价报告针对学校情况，对评价内容和关键性指标进行分析诊断，分项给出评价结论并提出改进建议，而不是简单地对学校教育质量进行总体性的等级评价。学校根据监测评价结果来制订本校教育质量改进提升工作方案；方案中有明确的、切实可行的学生培养目标和阶段性质量提升目标，以及科学的、可操作的工作措施或教育教学整改方案，并明确抓好方案落实；在改进过程中，学校对照本校培养目标或阶段性质量提升目标，不断进行反馈矫正，充分发挥自评自改的主体作用。

2. 运用CBUPO理论，激发动力，提升学生能力感和有用感

美国教育探究性学习研究会的创办人萨戈尔（Richard Sagor），1993年总结出了人类内心都渴望得到的五种需要（能力感、归属感、有用感、潜能感和乐观感）。他认为当一项活动能够满足一个人上述的需要时，他就会全身心地投入此项活动。学习该理论有助于激发教师和学生的动力，尽力唤起和满足教师和学生教学和学习的五大需求，使教学和学习效果得到极

大提升。

3. 运用“学生学习生活七十条”，培养习惯，提升学生素养

朱永新老师曾说，要把难以触摸的“素养”，变成能够外显、可以培养的“习惯”。“学生学习生活七十条”就是把看不见的素养落实在习惯培养中，它分为在校、在家两个方面，共13个维度。包括上学进校、打扫卫生、上课自习、课间休息、楼道行走、集会、午餐、放学回家、家庭作业、课外阅读、就餐、活动娱乐、规律作息等具体内容。经过制度上墙、氛围营造、班会课解读、分阶段训练等多样化的训练方式，成果初现。学生在遵规守纪、团队合作、集体荣誉感等方面进步显著。目前学校的学生在列队进校或放学、课间操、就餐等方面秩序井然。

4. 建立最佳纪录档案册，鞭策成长，保持不竭动力

教师收集数据，并且时常评估自己对每一个学生的工作。学生把开学后做的第一项工作填入档案袋单，然后开始增添自己认为优于以前个人记录的工作，为自己和教师提供持续可信的记录。

学生个人最佳纪录档案袋单
姓名：　　　　日期：　　　　签名：
1. 在这项工作中你感到最自豪的是哪个方面？
2. 比起前一项工作，这项工作做得好的地方在哪里？
3. 这项工作的哪些方面令你不满意或者感到失望？
4. 为了提高自己，在下一项任务中你会做哪些不同的事情？

5. 建构学校学生“五育”发展评价体系

根据中小学教育质量综合评价改革意见，为了评估学生的“五育”发展水平，学校建立了“五育”并举内部质量保障制度。从德、智、体、美、劳五个方面通过5个一级指标、16个二级指标和39个三级指标对学生的发展水平进行评价。

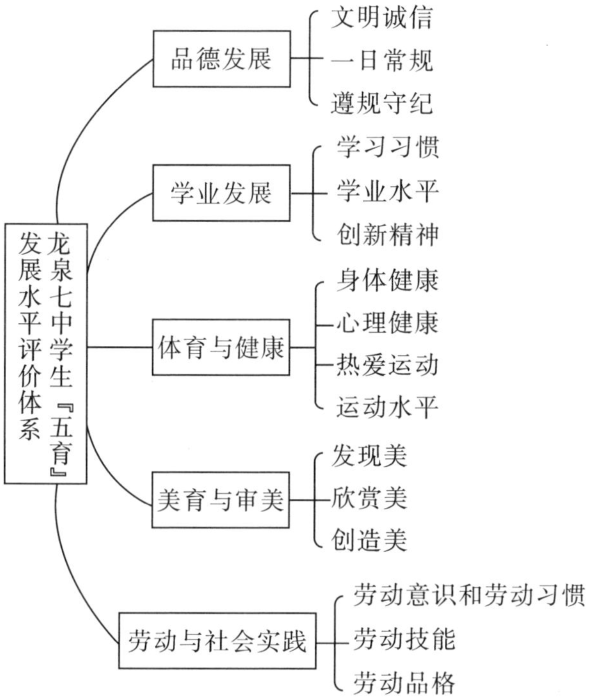

学校依据“五育”评价量表，定期对学生实施评价，量表中的“求真之好少年”是促进学生全面发展的保底性评价体系；“求真之星少年”是促进学生特长发展的评价体系，由“厚德之星少年”“博学之星少年”“阳光之星少年”“尚美之星少年”“笃行之星少年”五项评价标准组成。

（二）运用学业发展评价数据，实施精准教学提高质量

1. 运用评价结果精准分析学情，找出学生的最近发展区

借助学习潜能测试结果分析学生的学业发展水平和学习习惯，对数据进行精准分析，对学生的学习能力水平进行分层，找出学生的最近发展区。

2. 打造求真课堂，增强课堂实效

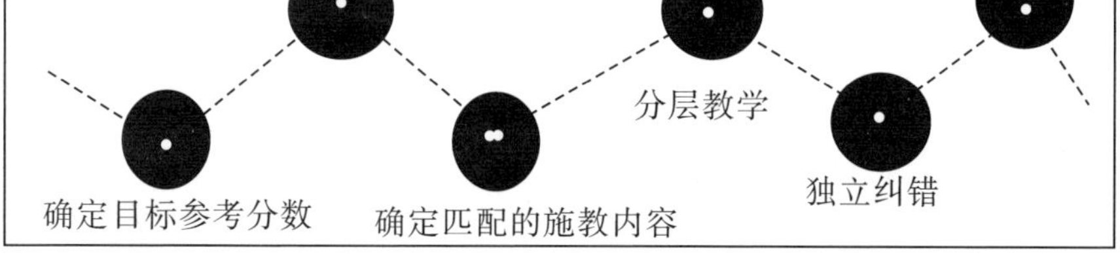

学校以教育评价为引导，推动“五育”并举，推行求真课堂改革，不断探求教育教学的真理所在和寻找教育教学的客观规律，不断地认识教育教学的本质，把握教育教学的规律，积极进行自主、合作、探究、体验式学习。学校的求真课堂改革从以下六个方面进行。

（1）探求“真情”（学情求真）

结合学校近三年升入重点高中的学生的学科均值，将学科均值作为升入重点高中的目标参考分数，为稳妥起见，各科参考分数可上浮 5 ～ 10 分。将学生个体现有学业水平和《中考分析》进行比对，差值部分所对应的知识板块就是在学生最近发展区内可以匹配的施教内容。

学情求真有三种途径：通过观察、访谈全面了解学生（如学习能力、兴趣爱好、家庭背景、意志品质等）；借助大数据了解学情，精准分层；运用最近发展区理论，找出学生的最近发展区。

（2）探求“真研”（备课求真）

认真扎实开展集体备课。在备课时，力争做到一个课时一个教案、一个层次一个教案，适当调整教学内容的难度、进度。备课求真有六个评价标准。

第一，组长是否科学规划，突出重点，提前布置。组长应在假期发布集体备课规划，落实备课任务；教研内容应突出重点，强化新课、复习课、试卷讲评课、实验操作课及专题板块（分层作业、中考命题、应试技巧）等的研究。

第二，主备是否深入研讨，准备充分，提前上传资料。主备应深入研讨，广泛借鉴，精心设计教案，做好 PPT，准备好讨论文稿及天天清题单等，提前上传供组员研究学习。

第三，组员是否提前研读，提出设想，参与讨论。主备逐一讲解设计意图、操作预设等，组员逐一探讨（增删调换），主备优化定稿（PPT、练习题）。

第四，各教师是否分析学情，二次备课，形成个案。

第五，是否备好自助作业和二倍变式作业。各教师应备好自助作业，供学有余力的学生选择；备好两类潜能生的二倍变式练习题，精准补短。

第六，是否精准研判作业完成时间（数量）、作业效度（内容、结构、类型）、作业难度，确保作业适量、适宜、适时。

（3）探求“真教”（课堂求真）

教学是一门求真的艺术。要挤干水分，抓住精髓，开展本真教学研究。学校认为，基于学生最近发展区的教学才是真正的教学，基于学生问题解决的学习才是真正的学习，基于学生学习动力激发的评价才是真正的评价。教师应运用最近发展区理论精准分析学情，运用逆向教学设计理论精心设计教学，探索减负增效的精致“求真”课堂，提高课堂教学质量。

“真教”的“三处”评价标准：教在学生的疑难处；教在方法的点化处；教在思维的开启处。

（4）探求“真学”（学法求真）

“真学”就是以学为中心，以生为本，指导学生自主学习，给足时间和空间，安排学生自主学习 10 分钟；生生互学、师生互学，与文本对话；引导学生探究学，引导学生真思考，有真发现；安排学生自主总结，引导学生真总结。让教师的课堂行走于设计与生成之间，使课堂成为师生生命能量释放的地方，教学变成“在引导下的发现”和“在发现中的引导”。

“真学”的“三学”评价标准：自学，让学生静下心来读书、思考、探索；悟学，学会和文本对话；群学，带着自己的思考、收获和同伴合作、交流。

（5）探求“真评”（评价求真）

基于学生的分层要求，分层制订目标，分层评价，学校的评价分为以下三种。

①动态评价：每个层次的学习水平是动态化的，考试评价也应具有动态性和选择性。

②纵向评价：主要是对不同阶段的和日常的课堂提问、谈话、作业等评价信息，以及学生的学习兴趣、自信心、主动性等信息进行纵向比较，而做出评价。

③综合评价：评价内容要多元化，不能仅以考试成绩为标准，要注意

学生的学习主动性、主体性和主体精神品格的提升。坚持自评和他评相结合，过程评价与结果评价相结合。

在纵向评价的基础上，按月对每个学生进行动态评价，期末集中对每个学生进行综合分析，并进行必要的层次调整。

“真评”的“三是否”标准：课堂的达成度怎样，一是看是否能促进学生对知识的理解；二是看是否能帮助学生纠正错误，走出迷津，生发智慧；三是看能否激发学生的兴趣。

（6）探求“真效”（作业求真）

减负触及了教学最日常、最专业、最深刻的领域——作业设计，倒逼着教师提升教学质量，为此，学校推行“求真”课堂改革，从学情、备课、课堂、学法、评价、作业方面制订规划，提出“不把作业带回家”的总要求和设计“一优三适”（优质，适量、适宜、适时）作业的六大措施。

集体备作业，统筹作业布置。学校将作业设计纳入教研体系，隔周一次，落实“五有”要求：有主题、有主备、有研讨、有记录、有成果。学校提出作业设计“四个结合”要求：常规作业与阶段作业结合，规定作业与自主作业结合，知识性作业与趣味性作业结合，人文性作业与实践性作业结合。确立作业的“三种类型”：保底作业、自助作业和二倍变式作业。提倡“五种能力”的作业：探究作业，培养探究力；一题多解作业，培养发散思维力；类题作业，培养知识建构力；变式作业，培养思辨力；体验作业，培养实践力。

班级晒作业，调控作业总量。各科作业必须“上墙”（将作业板书在作业栏），每项作业需要标明完成时间，道德与法治、历史、地理、生物学原则上不布置课后作业。学校全程监管作业的量与质：日公示、周报备、月调查、季检查、期小结。

科学批作业，提高作业效率。教师要做到有作业必批改，全批全改，提倡面批；有批改，必反馈；有讲评，必查阅纠错情况。

精准补作业，落实“1252”策略。选择最近发展区内的“1”道错题，做“1”次精讲；选“2”道变式训练题；“5”天后再测试；“2”题监测。

展评导作业，培养作业习惯。教室设置作业展示栏；语文、数学、外语每周至少展示2次优秀作业；教师点评优秀作业。

素能添作业，提升综合素养。为满足社会关切，缓解家长焦虑，学校顺应学生需求，开展课后服务，安排晚自习，学生书面作业基本做到在校完成，不带回家。这为学生全面、自主、个性化发展赢得了时间。学校安排了阅读、体育锻炼、劳动等项目式作业，供学生在家选择完成，让学生德智体美劳全面发展，提升综合素养。

（三）实施成效

1. 大面积提升了学校学生的非学业指标发展水平

学校按照“实施评价、报告解读、发现优势与诊断短板、制订改进提升目标和工作方案、督促改进提升、再次评价”循环往复的方式，逐步提升学生在教育质量综合评价非学业指标方面的表现水平，促进学生全面发展、健康成长。

（1）“习惯养成七十条”为学生的品格和习惯的养成奠定了基础

针对测评结果开发的学生“习惯养成七十条”的校本课程和主题班会序列化课程“践行知教育，做求真少年”，强化了学生的行为习惯养成教育，学生在行为习惯、公民素养、人格品质、创新意识、实践能力、交流沟通合作、情绪行为调控等非学业评价指标上的平均得分率显著提高，真正践行了学校“学生是行走的校风”的德育理念。

（2）学生的一周最佳纪录档案提高了学生的获得感和幸福感

学生的一周最佳纪录档案监测了学生的学习过程，促进目标达成。首先，一周档案袋记录了学生加分、扣分的原因，便于学生有针对性地调整自己后期的学习。其次，每周一次的自我总结让学生了解自己的得分情况并进行对比、总结及改进。最后，每周一次家校沟通将学生一周的表现反馈给家长，让家长了解孩子本周的在校表现。

（3）增值评价的运用极大地提高了学生的学习动力，激发了学生的自我价值感和获得感

学生自找进步点，坚持“不与别人比高低，只与自己比进步”，获得

成功感；通过互找进步点，实现从入口看出口，不比基础比进步，不看存量看增量，激发自我价值感和获得感。

以下是初一（9）班刘老师看到的一幕：新一期的优秀增量小组和个人上墙了，李同学得意扬扬地说：“我是我们组贡献最大的人！”学生的高兴和自豪感溢于言表。学校自实施增值评价以来，每次的优秀增量小组和个人的风采展示都会吸引学生的围观。

2. 大面积提升了学校学生的学业发展水平

（1）教育质量综合评价结果为教师找到学生的“潜能发展”水平提供了依据

教师运用教育质量综合评价结果，找到学生的“潜能发展”水平。对比分析学习潜能测验和学业成绩测验的数据，发现学习潜能与学习成绩存在差异的原因，并进行针对性指导，帮助学生提高学习成绩。

（2）教育质量综合评价结果和最近发展区理论为教师的精准教学提供了智力支持

根据教育质量综合评价结果和最近发展区理论，教师寻找“最近发展区”和“教学联结点”，精准因材施教，促进学生成绩提升。针对每个人的最近发展区，提供恰当的帮助就能将其学业成绩提升到潜在发展水平。通过学习潜能测验，结合学生的学习成绩，运用统计技术方法，可以找到学生有很大可能实现的学习成绩提升空间，可以为该学生的最近发展区。再结合教学内容，就能够找到教学与发展的联结点。在此基础上因材施教，就能使学生的潜能被唤醒，学习成绩明显提升。以学校 2023 届学生（全年级 704 人）为例，初一上学期期末成绩相对于小升初成绩变化（全区位次变化）中，有 65.5% 的学生取得进步，进步 1000 名及以上的有 305 人，进步 2000 名以上的有 164 人，进步 3000 名以上的有 97 人；初一下学期期末成绩优秀率和完成率居公办学校首位，全科合格率和总分合格率位居公办学校前列。

2022 届初三质量考核中，学校综合质量排名由第五期的第 16 名上升到第 6 名。600 分以上特高分人数全区有 68 人，学校占 11 人，人数占公办学校的 44%。总分优秀率达到 62%，位居全区第 4 名，完成率位居第 5 名。A 卷一次性合格率 87.5%，位居全区第 5 名。优秀潜能生的上线率达到了 52.1%。

3. 内部保障制度为教学评一体化提供了保障，提高了不同层次的学生的安全感和荣誉感

学校建立了质量内控机制，定期评选龙泉七中“五育之星”并进行上墙表扬，即厚德之星、博学之星、尚美之星、笃行之星、阳光之星，全面评价班级中的每一个学生，让每一个学生都有归属感。尝试使用增值性评价，定期表扬优秀增量小组和分学科表扬优秀增量个人，尤其表扬小组中增量突出的个人，只要取得进步和努力的学生都会得到鼓励和表扬。激励性和增值性评价，让不同层次的学生获得安全感、获得感、超越感、荣誉感和幸福感。

8.6 学校内部质量保障制度建设

区域监测评价一般是一年一次，周期较长，评价结果对于学校办学质量的诊断价值明显，但是不能有效满足学校探索增值评价的需求。监测评价促进学校办学质量的提升，需要在教育教学过程中及时监测、评估、反馈、改进。2020 年 10 月，中共中央、国务院印发《深化新时代教育评价改革总体方案》，文件指出，坚持把立德树人成效作为根本标准，健全学校内部质量保障制度，坚决克服重智育轻德育、重分数轻素质等片面办学行为。健全学校内部质量保障制度是学校教育的重要环节，是落实《深化新时代教育评价改革总体方案》的重要举措。建立健全学校内部质量保障制度是落实改革总体方案、提升学校教育质量的重要途径。

8.6.1 学校内部质量保障制度建设的方法

1. 基本原理

用标准提升教育质量已经成为国际共识，没有标准的质量观不过是“空中楼阁”。联合国教科文组织、国际标准化组织制定了很多教育标准，鼓励各国开发可以测量且符合国际定义、标准、目标的高质量教育指标体系。

早在2012年6月,《国家教育事业发展第十二个五年规划》就提出了建立国家教育标准体系，完善标准实施和检验制度。通过实施标准，推动学校达标建设，完善教育质量保障机制，推进教育评估科学化，促进学校管理规范化。中共中央办公厅、国务院印发的《关于深化教育体制机制改革的意见》强调，要完善教育标准体系，研究制定从学前教育到高等教育各学段人才培养质量标准，完善学校办学条件标准。《教育部关于全面深化课程改革落实立德树人根本任务的意见》提出研究制订学生发展核心素养体系和学业质量标准。修订课程方案和课程标准。依据学生发展核心素养体系，进一步明确各学段、各学科具体的育人目标和任务……可见，我国正在加快步伐形成具有国际视野、富有中国特色的分层、分类教育标准体系。2019年6月，中共中央、国务院《关于深化教育教学改革全面提高义务教育质量的意见》提出，建立以发展素质教育为导向的科学评价体系，国家制定县域义务教育质量、学校办学质量和学生发展质量评价标准。学生发展质量评价突出考查学生品德发展、学业发展、身心健康、兴趣特长和劳动实践等。

综上所述，中小学校需要积极贯彻落实国家教育标准体系，建立基于核心素养的、适合本校学生情况的学校育人目标和标准，建立标准检验和反馈改进机制，从而形成学校质量内部控制机制。

2. 标准框架

中小学校育人质量标准，可以由总体目标、具体指标、体现学校特色的或能够支撑学生选择性学习需求的优势领域（学校的优势课程或者优势辅导方向，以及满足不同潜能学生发展的支撑水平）三个部分组成。

我国的核心素养模型，在《教育部关于推进中小学教育质量综合评价改革的意见》所列的《中小学教育质量综合评价指标框架（试行）》中，得到了清晰的表达。指标框架由品德发展水平（包括行为习惯、公民素养、人格品质、理想信念），学业发展水平（包括知识技能、学科思想方法、实践能力、创新意识），身心发展水平（包括身体形态机能、健康生活方式、审美修养、情绪行为调控、人际沟通），兴趣特长养成（包括好奇心求知欲、爱好特长、潜能发展），学业负担状况（包括学习时间、课业质量、课业难度、学习压力），共 5 个方面的评价内容、20 项关键指标构成。2019 年 6 月，中共中央、国务院印发《关于深化教育教学改革全面提高义务教育质量的意见》，提出要加强劳动教育。依据国家中小学教育质量综合评价指标框架，以及中共中央、国务院文件强调的劳动实践，参考国际经验，学校的育人质量目标及其标准的表达框架建议如下：

学校育人目标（或者叫质量目标）结构为总体目标 + 具体指标 + 学生个性化发展预期或者学校支撑学生选择性学习需求的优势领域（学校的优势课程或者优势辅导方向对满足不同潜能学生发展的支撑水平）。

（1）总体目标

各学校应依据国家课程方案确定的义务教育或者普通高中教育的培养目标，结合本校办学理念、办学特色，提出总体要求。例如，北京十一学校的培养目标为“培养志远意诚、思方行圆，即志存高远、诚信笃行、思想活跃、言行规范的社会栋梁和民族脊梁”。又如，四川省 XX 实验小学的培养目标为“培养中国特色社会主义现代化社会的高素质文明人”。

（2）具体指标

具体指标的作用是使总体目标变得更加具体，可实施、可检验。例如，北京十一学校在总体表达了学校的培养目标后，紧接着进一步具体化为引导学生进行职业与生涯规划，确立远大目标，启发学生立志成为某一领域的领军人物或杰出人才；诚信做人，让每一位十一学生成为值得信任的人；强化学生自律意识，培养学生自主管理能力；鼓励独立思考，培养有自己想法的学生。四川省 XX 实验小学将其培养目标具体化为“一副好品德 + 两个好基础 + 三项基本能力 +N 项兴趣特长”。这种明确的具体表达，也是发达国家的有益经验。例如，英国的总体教育质量目标为通过提高教育成果的水平和技能，支持经济的发展，增强整个国家的竞争力，改善人民的生活水平；通过加强教育与培训中的选择性和多样性，提高质量，鼓励终身学习，创建一个高效率的、灵活的劳动力市场。

支撑总体目标的具体指标，表述要清楚，并且要定量化。例如，英国教育部关于“基础学习”这一具体指标的标准之一，是85%的19岁公民应获得5个C级或C级以上的普通中等教育证书（GCSE），1个中级国家普通职业资格证书（GNVQ）或者1个2级国家职业资格证书（NVQ）。美国威斯康星州皮沃基学区的育人总体目标是为每个孩子打开通往未来之门，为学生在21世纪的全球环境下做好竞争的准备，具体指标是到2014年，K—6年级学生在阅读方面，以“学术进步评估”（the Measures of Academic Progress，简称MAP）作为测量工具来测量，将达标或超过年级水平学生的比例从70%增加到90%。7—12年级学生，使用EPAS评估系统进行测量，为大学和职业做准备的学生比例从50%上升至75%。在数学方面以“学术进步评估”作为测量工具来测量，增加达标或超过年级水平学生的百分比，从70%上升到90%。到2014年，使用相应的EPAS评估系统进行测量，使所有测试领域里满足大学和职业准备标准的学生数量增加15%……

依据我国教育部《中小学教育质量综合评价指标框架（试行）》，借鉴上述案例，学校育人目标的具体指标可选择以下几种（结合对学校的教育质量综合评价结果）。

①品德发展水平。分别描述本校对学生行为习惯、公民素养、人格品质、践行社会主义核心价值观方面的典型行为及其量化标准的基本要求。

②学业发展水平。分别描述本校对学生学习行为、作业、过程性考试的要求，以及对学业水平考试、中考或者高考的水平预期，学生实践能力、创新意识的典型表现、代表性成果及其量化标准。

③身心发展水平。分别描述本校学生在体质健康监测中应该达到的水平、习惯性运动项目及其习惯养成情况，学生的健康生活方式、睡眠时间、审美修养、情绪行为调控、人际沟通的典型表现和量化标准。

④兴趣特长养成。分别描述学生的好奇心求知欲、爱好特长等的典型表现和量化标准，例如体育艺术“2+1”。

⑤在家庭、学校、社区的劳动表现，例如劳动次数、时间长度（小时）。

（3）学生个性化、学校优势领域发展预期

发展预期主要依据学校生源特点（学生潜质），并结合学校的优势、特色课程或者优势辅导方向、所能提供的资源，确定对有特殊教育需求的学生所做出的安排水平，学生潜能发展所能达到的最佳预期，优质学校可以实现各方面拔尖创新人才培养的预期水平。这些发展预期是由满足学生选择性要求的课程数量和质量来支撑的。

8.6.2 学校内部质量保障制度建设程序及其质量标准实施

1. 学校内部质量保障制度建设程序

标准是一种技术规范，是一种技术性文件，这种技术性文件必须由各利益相关方一致认同后，才能提交认证机构审查批准。制定中小学校育人质量标准（也就是教育教学质量标准）时，要建立由学校骨干教师、学校领导、专家、学生代表、家长代表构成的起草小组；草案形成后，分别提交给不同人群充分沟通和讨论，广泛征求教师、学生、家长的意见，并反复修改；经反复征求意见和修改的草案，形成广泛的基本共识后，提交学校行政会议审议、表决。

表决通过的学校育人质量标准，成为学校各项工作的指南，制订学校教学计划、部门工作计划、教师个人工作计划、学校课程开发与实施计划等的目标指引，更是检验各项教育教学工作的质量标准。学校育人质量标准在实施过程中，要注重积累信息和数据，以便不断修订和完善。

2. 学校内部质量标准实施过程中的评价方法

学业部分用平时作业、考试情况来判断。非学业的部分（综合素质）可以用下面的评价方法。

（1）等级量表

等级量表通常包含不同的水平等级（优秀、良好、满意、一般、较差）或频率等级（总是、经常、有时、从不）。实际上，通过在评价等级中加入一些描述，等级量表和评分细则之间的区别并不是很明显。

等级量表可用于评价学生多方面的学习和发展状况，为方便起见，可以将其分为两个领域：过程和作品，前者如演讲、操作实验仪器、有效地进行小组合作、唱歌、弹奏一种乐器和表演等；后者如书法、绘画、学期报告、读书报告等。

表 8-6-1　学生评价等级量表

项目	等级				
	优秀	良好	满意	一般	较差
课堂纪律					
餐厅行为					
宿舍行为					
卫生间行为					
走廊、操场行为					
……					
预习					
作业					
演讲					
实验					
合作					
书法					
学期报告					

（2）核查表

核查表在形式和用途上与等级量表相似，它们之间的区别在于评价结果的类型不同。等级量表有若干等级，可以表明学生表现的程度或频率，用核查表进行评价得到的是简单的“是—否”判断。

核查表只是一种记录工具，特别适合对简单的表现或结果以及由一系列成分组成的行为技能进行评价。如果是对一系列有序的步骤组成的程序进行评价，可以按照以下四步来建构一个核查表：

①确定要评价的每一种行为；②在表中加入常见错误行为；③把预期的动作按照发生的顺序进行排列（包括错误行为）；④提供一个简单的检查每一种行为的程序说明（比如表示顺序的数字）。

表 8-6-2　学生不良文明习惯核查表

______年级______班　　　　　　　　______年______月______日

学生不良行为习惯表现	占本班学生总人数比例（%）	准备采用的改进措施	预期降低到本班人数的比例（%）
学生的部分课堂行为习惯较差，缺乏思考、答问、学习的积极性和主动性，没有养成阅读习惯、书写习惯、课前准备习惯、听课习惯、作业习惯等			
学生完成家庭作业时书写、阅读和答题等学习习惯较差（尤其是周末的家庭作业），作业不能按时、保质、保量完成，抄袭作业的现象依然存在			
学生在课间的良好行为习惯还有待培养，部分学生在楼梯间大声说话、高声喧哗			
学生的两操纪律和文明程度有待培养			
学校、教室、厕所等公共区域的卫生清洁力度和保持程度还不够，仍然存在少量乱扔垃圾、毁坏花草的现象			
学生的个人卫生习惯还不够好；校外买零食、吃零食的不良现象依然存在			

续表

学生不良行为习惯表现	占本班学生总人数比例（%）	准备采用的改进措施	预期降低到本班人数的比例（%）
部分学生在校内外的言行不一致，少数学生的个人素质还有待提高			
上学、放学时，学生在学校门口的进出秩序有待提高			

备注：表中学生不良行为习惯的表现，来自全校所有教师的调查意见。本表请所有班主任填写，班主任请观察本班学生一周，并结合科任教师意见，根据出现不良行为习惯的学生人数占本班学生总人数的比例进行填写，并填写预备改进措施和预期改进的程度。

表 8-6-3　基本数学技能核查表

初始水平
指导语：在“是”或“否”上做标记，以表示学生是否掌握以下技能。
是　否　1. 认识从 0 到 10 的数目。
是　否　2. 能从 0 数到 10。
是　否　3. 把物体聚合成从 1 到 10 个的集合。
是　否　4. 认识基本的几何图形（圆、正方形、长方形、三角形）。
是　否　5. 区分硬币（一分、二分、五分、一角）。
……

上面介绍的等级量表和核查表等几种表现性评价工具，在实际评价学生的行为时，针对不同的评价内容维度，通常被结合在一起使用。

（3）学生综合评价电子档案袋（学生成长档案袋）

电子档案袋内容包括指标、典型事例、典型作品、行为等级评价、行为核查结果（核查表）。

8.6.3 学校内部质量保障制度建设案例

案例1　用评价践行教育初心，用制度完成国家使命——成都市龙泉驿区东山国际小学和向阳桥小学

一、实施路径

成都市龙泉驿区东山国际小学和向阳桥小学以学校内部质量保障制度为抓手，紧紧围绕“五个一”“四个可”积极推进学校“五育”各项工作，具体内容如下。

一是呼应国家、省、市和龙泉驿区的一系列政策。围绕立德树人、遵循规律、评价引领、系统推进、综合施策，培养德智体美劳全面发展的社会主义建设者和接班人。

二是成立一个学校现代治理新机构。用创新化的组织架构，让提升育人质量“可推”。东山国际小学和向阳桥小学质量评价中心应运而生，质量评价中心人员由学校语文、数学、英语学科以及综合学科的所有骨干教师组成，其中不乏海外学习、工作经历者。

三是制定一套学校内部质量保障制度。用标准化的内部评价，让提升育人质量“可见”。学校认为制定内部质量保障制度就是确定“五育”的育人目标、标准，建立实施、检验、反馈和改进的机制。因此，学校对学生品德发展、学业发展、身心健康、审美素养、劳动与社会实践都提出了明确目标和标准。

四是形成一套学校内部质量保障制度的运用闭环。用流程化的内部评价，让提升育人质量“可行”。质量评价中心采取“闭环式”运转流程：对标中心工作确立目标、明确标准分解目标、整合资源投放措施、督促落实采集信息、整理数据统计分析、及时反馈优化改进、经验总结推广应用。

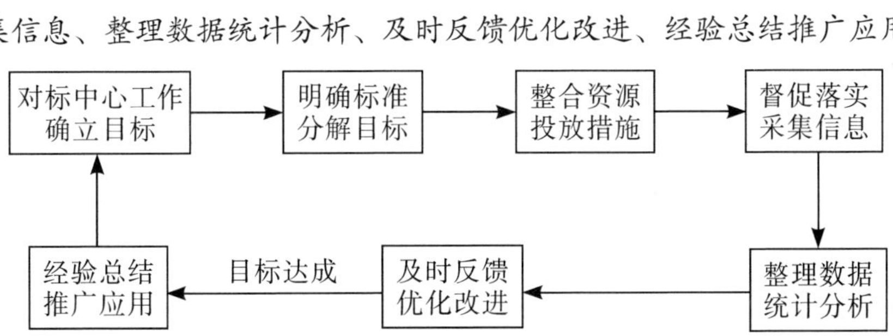

五是形成一系列学校“五育”并举的典型案例。用结构化的推进策略，让提升育人质量“可喜”。

二、实施内容与效果

（一）德育方面

学校从场景化梳理、图式化设计、人性化关怀三个方面入手，促进学生一日常规的标准化、流程化、规范化，并在德育工作推进过程中对目标达成情况进行监测，使学生一日常规有明显改善。学校将继续通过“抓精”“抓细”“抓实”，实现德育工作的精细化管理。

以下文德育一日常规的“午餐管理”为例进行说明。

1. 确定观测点，明确方向

学校依据《东山国际小学和向阳桥小学“五育”并举内部质量保障制度》学生品德发展水平质量标准评价，对学生日常行为习惯提出了要求。其中，C4 对就餐秩序提出了要求。

2. 数据前测，聚焦问题

监测发现一年级学生在该项目中有 70% 左右测试未达标，表现为：取餐排队无序拥挤，就餐时边说话边吃；就餐时间内教师未对每个区域的监管人员进行合理分配，导致监管不到位。以上现象引起学校重点关注。通过对前测数据的分析，总结出以下原因：一是家庭就餐礼仪教导不足；二是学生年龄过小，不能规范自身的行为；三是初入学校，学生对就餐要求不明确；四是教师未在各区域安排午餐管理员，如教室里没有安排安静等待提示员，在过道无文明取餐、倒餐提示员。

3. 针对问题，精准施策

东山国际小学针对存在的问题，确定了未达标学生的名单，同时参考 C4 中的达标要求，结合一年级学生的特点，制订了相应措施。一是通过播放就餐视频，帮助学生学习就餐礼仪；二是在实际场景中，挨个对存在问题的学生进行指导；三是在各区域安排监督员。

4. 及时再测，数据反馈，制订下一步计划

通过一周的观察，发现采取了上述措施后，未达标的学生比例由原来

的70%降低到40%。质量评价中心再次对数据进行分析，发现仍存在不足，如因等待时间过长，学生无法静心等待，导致学生在教室或过道吵闹。因此，学校将提高取餐效率增加到下一周的实施措施中。

通过落实上述措施，东山国际小学质量评价中心后续一月一测一反馈，一个学期后全年级就餐秩序未达标比例由最开始的70%降低到10%，改进后各班就餐有序，如在教室无教师的情况下，学生也能做到有序取餐，安静进餐，文明规范放餐盘。

（二）智育方面

2021年7月，中共中央办公厅、国务院办公厅在《关于进一步减轻义务教育阶段学生作业负担和校外培训负担的意见》中明确提出，全面压减作业总量和时长，减轻学生过重作业负担。区教育局也印发了《龙泉驿区中小学生作业管理的八项措施》的通知。

《东山国际小学和向阳桥小学"五育"并举内部质量保障制度》中的学生学业发展水平质量标准评价对作业提出了要求。其中，C6作业完成度要求每个班级在校完成全部作业的人数比例达到总人数的85%以上，即为合格。其余未在校完成全部作业的学生要求在晚上9点前完成，由学科教师跟进。学校对各班在校作业完成度进行了监测，发现各班能在校完成全部作业的人数占比为77%，仍有23%的学生需花费一定的课后时间才能完成。结合实际情况，学校从以下几方面对作业管理进行了优化。

1. 作业精心设计，减负增效提"智"

作业设计大赛——让作业更科学；作业精细化布置——让作业更有层次；量化作业反馈——让作业设计更优化。

2. 作业管理流程化，监管程序可视化

时间保障，落实"5+2"课业辅导；人员可量，实行"1+1+1"责任制；流程可视，加强作业监管制度；反馈可视，实时了解作业完成情况。班主任全面负责，协调三科教师作业布置的总量。课后服务时段，由科任教师严格把关，监督班级学生认真做作业，并检查是否完成，同时，在在线表格中填写当天完成情况，每班要保证班级人数85%以上的学生在校完成所有的书面作业。

3. 作业评价可量化，把好作业质量关

落实三个“一”，促进作业质量量化落实过程性评价和终结性评价。“一日”作业质量评价，由学科教师及时评价学生每日的作业完成质量；“一周”作业质量评价，由教研组长对教研组教师每周作业进行及时评价；“一月”作业质量评价，由教师发展中心对全校教师每月作业进行及时评价。

4. 拓展作业活动，为提“智”注入新动力

坚持每日有声朗读半小时；坚持每周一节阅读课；坚持每月一个阅读活动。

学校内部质量保障制度的实施让学校真正实现了每项具体工作都有规范与标准，过程与结果能够监测。同时，学校的作业管理流程更加明晰；教师的思想发生改变，提升了作业设计能力；学生在减负乐学中切实提高了学业发展水平；学校和家庭携手共育，形成了一套“作业设计—作业监管—作业评价”不断优化的螺旋式成长作业管理制度。

（三）体育方面

学校以国家政策“掌握两项以上体育运动技能”为基础，引导学生树立正确的健康观。以“一分钟跳绳”项目为例，学校内部质量保障制度对各年级学生跳绳水平提出了明确标准。为了促进学生掌握跳绳技能，结合一年级学生特点，学校制订了相应措施。首先，明晰学生跳绳训练流程和指导程序，各教师在教学中加强对学生的跳绳训练指导；其次，学校定期开展跳绳擂台赛活动，从班级赛到年级赛再到校园擂主赛，为学生提供了激励和展示自我的平台；最后，通过加强家校沟通，保障学生跳绳运动的过程性监督，促进家校锻炼机制常态化，为学生营造良好运动氛围。在全校师生的共同努力下，学校一年级学生一分钟跳绳成绩均达到国家良好标准，二、三、四年级均达到国家优秀标准。

（四）美育方面

学校在传统教学基础上开设口风琴课程、竖笛课程、陶笛课程、布艺课程和分年度特色课程，培养学生的审美情趣，提升艺术水平。同时，结

合学生职业生涯教育构思开设了校园“文创商店”，促进学生财商、美育、劳动及语言表达等能力多方面、多学科、多角度融合。

下文以布艺课程为例进行说明。

1. 确定观测点，明确方向

依据《东山国际小学和向阳桥小学“五育”并举内部质量保障制度》学生审美素养发展水平质量标准评价，对学生掌握艺术特长方面提出了要求，其中 C33 对音乐、美术等艺术特长培养提出了要求。除了完成国家常规课程，学校还鼓励学生掌握 1～2 门艺术技能。学校结合办学理念，开设了布艺特色课程。

2. 数据前测，聚焦问题

布艺特色课程实施后，通过调查、监测发现在该项目中有 50% 左右的学生未达标，表现为：班级和学校举办活动时，能够上台展示自己缝制手工作品的学生有限；少数学生从一年级进校到三、四年级都还未掌握该课程中的 1 项艺术技能。通过对调查、监测数据的分析，发现有以下原因：一是学生没有学习传统文化艺术课程的意识；二是家长也未意识到艺术特长培养的重要性；三是校内美术课堂的学习时间和内容有限。

3. 针对问题，精准施策

东山国际小学针对存在的问题，确定了 50% 未达标的学生名单。参考 C33 中的达标要求，结合不同年级的学生年龄特点进行相应改进工作。学校教师为了让学生了解传统布艺的创作工具和使用方法，制定了相应的评价量规。让学生有明确的学习目标，在掌握技法的同时更加熟练地使用各种工具，掌握更多的创作方法。同时考虑到传统布艺创作技法的复杂性，教师设置难度层级划分，从低年级到高年级，由简单到复杂，逐级增加难度。比如一、二年级制作简单的布贴画，掌握粘贴、剪裁、造型等技能，三、四年级缝制立体布艺作品，掌握缝制、针线使用、造型、色彩搭配等技能。

4. 及时再测，数据反馈，制订下一步计划

通过对传统布艺创作的学习，未达标的学生比例由原来的 50% 降低到 30%。质量评价中心再次对数据进行分析，发现仍有不足，如在传统布艺

的创作过程中，因出现材料创作效果的多样性问题，需要教师多次、有针对性地进行个别指导，导致在低年级创作花费的时间增加。因此，提高学生传统布艺创作效率是后期课程实施的重点。

（五）劳动教育方面

学校结合国家劳动教育方针，着眼国家基础和学校特色，从学校、校外、家庭三个场景着手，紧抓劳动教育的可量化性和可实施性，系统化梳理学校劳动教育内容，并建构彰显学校特色的劳动教育体系。学校做了大量的问卷调查，如：

孩子喜欢做什么劳动？孩子不喜欢做哪些劳动？孩子做家务的方法有哪些、时长有多长？家长喜欢孩子做什么劳动？家长不喜欢孩子做什么劳动？教师是否开设劳动班会课？

向阳桥小学针对调查中学生存在的问题，同时参考 A5 中的达标要求，结合学生年段特点，制定了相应措施。在校内：一是通过班（队）会，从意识认知方面重新认识劳动教育，鼓励学生在家也要积极主动劳动；二是开展劳动教育活动，比如种植劳动，提升学生对劳动的兴趣和积极性；三是在实际场景中，锻炼学生的劳动能力，丰富劳动体验。在校外：重视家校共育，监督检测学生的家庭劳动情况，制作假期劳动实践手册，鼓励并组织学生参加社区劳动实践活动。

案例 2　开展“五育”质量内控　提升学校育人成效——成都市龙泉驿区第一小学校

一、梳理学校“五育”质量发展的主要问题

一是学校缺乏对“五育”质量的系统认识。学校、教师对“五育”质量的认识比较片面，对各育质量涵盖的目标、内容的认知比较模糊。在实施过程中，多数学校存在“智育至上”的现象，重智育而弱化学生其他四育的发展。

二是学校育人质量主要通过外力评价发挥监控功能。学校育人质量成效，主要依靠上级主管部门组织的监测、调研、比赛、检查等途径进行监

控、诊断与评价。学校缺乏育人质量评价、监控的内生动力和机制。

三是学校育人质量评价方式单一。学校育人质量评价存在重终结性评价，轻过程性、表现性评价与增值性评价的现象。学校、教师更关注结果，而忽视学生成长与发展的过程；更关注学生现实表现，而忽视影响学生表现的内在因素；更多对学生进行横向比较，而忽视学生的纵向发展。

四是学校“五育”质量评价缺乏系统标准。学校的教育教学设计与实施以经验为导向，缺乏育人的目标意识。在智育、体育上，更多以终结性测试成绩作为评价依据，在德育、美育、劳动教育等方面，评价内容比较笼统，操作性不强。

二、学校“五育”质量内控的实施

（一）学校“五育”质量内控标准的制定

制定学校“五育”质量标准时，应遵循以下原则：

1. 科学规范性与适切性。在制定学校“五育”质量标准时，必须以党的教育方针、课程标准以及教育改革相关政策为依据，以保证该标准符合党和国家对“五育”质量的要求。在此基础上，充分尊重、考虑师生及家长的意见、建议，保障“五育”质量标准更好地满足现实需要。如学校“五育”质量标准中，在身体机能方面的目标是各年级学生测试成绩合格率≥98%，优良率≥70%，其依据来源于《国家学生体质健康标准》。学校在起草“五育”质量标准前，通过问卷调查收集各方意见，形成初稿后，开展全体师生及家长代表的学习研讨，收集出修改意见和建议，最终形成学校“五育”质量标准。

2. 特色化与个性化。“五育”质量标准应体现学校办学理念和育人特色，避免千校一面。因此，在符合党和国家对教育目标的要求下，学校应充分体现办学特色与个性。如学校的办学愿景是“创建一所适应未来的学校”，因此，学校育人总目标为培养“会生活、善学习、乐创造、有担当”的适应未来的公民。

3. 普适性与发展性。普适性是指要有面向全体的“五育”质量保底性标准，满足培养“合格的建设者和接班人”的需求。发展性是指要有面向个体的"五育"质量特长发展标准，满足国家培养"智慧创新人才"的需求。如学校"五育"质量标准体系包括两个部分，一是面向全体学生的一级指标 4 个，二级指标 17 个，三级指标 40 个，涵盖德智体美劳"五育"的质量标准。二是指向特长发展的质量标准。根据学生潜质，结合学校特色课程所能提供的资源，学校确立了"未来之星、创造之星、实践之星、艺体之星"等学生个性化发展评价标准。该标准从不同层面发现学生成长的可能性，以培养学生的创新精神和实践能力为重点，引导学生在自己的优势领域发展，为学生个性化发展和成长提供教育支持。

（二）"五育"质量内控的运行

实施"五育"质量内控机制关键在于综合运用"五育"质量标准，对学校工作进行有效监控与管理，保障"五育"质量在发展过程中实现精准、规范、科学、有效实践。因此，学校质量内控机制运行需要建立闭环管理系统，坚持"引导、评价、诊断、激励、调控、改进"等目标导向的工作原则，发挥"五育"质量标准指标体系对学校教育教学工作开展内部指导与管理的调控制约作用。

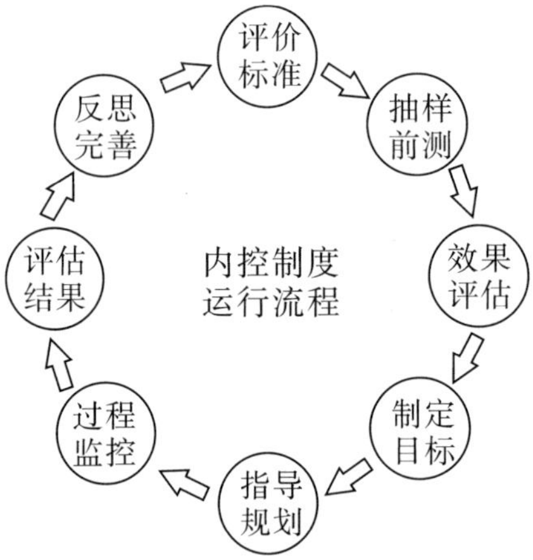

1. 目标设置有效性。育人目标是学校办学的价值追求和教育愿景，保障育人目标有效性需要开展大量调研、数据收集以及论证等前期工作。学校确定"五育"质量标准后，应使用拟定的评价标准开展前测，结合前测数据，对学校教育教学质量和评价标准进行效果评估，论证指标中的数据

是否有效。如学校在“五育”质量内控目标体系中，针对学生身体机能中的近视率这一内控指标，开展大量的前期数据调查、收集与整理工作，汇总论证学校学生近视率的可控范围，为学校科学把控近视学生的比例提供可靠的数据依据。

2. 工作规划精准性。质量内控的重要价值在于对标“五育”质量标准，开展工作目标的制订与活动规划，实现精准育人。学校通过对全校教师和管理人员进行培训，内化“五育”质量标准，指导学校全方位的工作拟定与教育教学活动实施。如学校在“智慧学习”质量评价中，有对课堂学生倾听与表达能力的具体学习行为的评价指标（善于倾听的学生比例≥90%），每一位学科教师应根据学生的年龄特征，分析、诊断、改进学生课堂的倾听方法，积极培养学生的倾听习惯，保障课堂学习交流真实有效。

3. 问题反馈及时性。学校质量内控机制运行时，发现问题、改进问题、调控教育行为是常态工作流程。及时有效地将问题进行分类梳理、分析反馈是实现学校质量内省的重要途径。如学校“五育”质量内控指标中健康生活方式，关于学生睡眠时间的监控指标为睡眠时间大于或等于10小时，通过问卷调查学生的睡眠时间，部分班级20%的学生反映睡眠时间不足10小时。学校及时跟进，开展进一步调查与分析，研判问题背后形成的真实原因，促进班主任、学科教师与家长的协同管理。

4. 评价反思发展性。质量内控的另一个价值在于运用标准开展评价反思，促进学校办学行为的改进与发展。在教育教学过程中，运用质量标准进行过程监控；期末，运用标准对育人质量及管理效果进行评估。结合数据开展反思、改进，同时，修订完善评价标准，指导新一轮教学工作规划与闭环管理。如“五育”质量标准中，学习习惯目标中有一项要求学校98%以上的学生能按时完成作业，及时改错。为有效监控该习惯的培养，学校组织教研组长和骨干教师设计作业批改的过程性记录表，教师要记录全班学生的作业完成情况及二次批改、书写等情况。班级每周反馈一次，教师对作业完成情况不佳或二次批改不及时的学生要采取一定的措施帮助其改进，教导处利用每周教研活动时间对作业批改记录本进行检查，对作业完成率不高的班级，与教师一起研究改进措施，并关注改进效果。

（三）“五育”质量内控的管理

开展质量内控，就是通过预设目标，激发全体师生的内驱力，不断修正和完善工作，向预设育人目标前进。在实施过程中，有以下管理策略。

1. 整体联动。“五育”质量内控是系统工程，需各部门及全体成员各司其职、联动互助。“五育”培育不能简单割裂，要融合发展。如一日常规训练和管理，由班主任牵头落实。但真正有效落实一日常规要求，培养学习习惯，提高学习效率，需全体教师参与执行。为此，德育处要求每一位任课教师全程、全员参与强化训练，并通过巡查等方式进行监控和反馈。通过周报、月报，对班级、年级组进行评价反馈。

2. 定期评估。评估的目的是促进内部自我监控、自我评价、自我反思。定期开展效果评估，利用诊断、反馈和研讨，提出后期工作规划和改进思路，有效推进质量内控运行。如学校在课堂学习、作业、一日常规、在家阅读、睡眠等方面结合过程性评价，每周、每月、期中或期末进行评估，形成不同层面的质量评估报告，通过定期评估监控教育教学改进效果。

3. 重点突破。为提高质量内控机制的调控、激励功能，学校管理工作可以实施重点突破，通过蝴蝶效应，推动其他工作有效开展。如学校通过分析发现，大课间需要提质的内容比较多，包括学生到场纪律、课间操动作、跑操队列、回班路队等。一起抓，收效甚微。学校采用重点突破策略，先选择对到场纪律进行强化训练。具体为班级学生到操场后，迅速、安静地以跨立姿势站好。抓住训练点，反复训练，不断反馈、评价，用近一个月时间，帮助全校学生养成习惯。在此基础上，再训练强化其他常规，学生参与意识增强，内控效果事半功倍。

4. 技术支持。开展“五育”质量内控，必须进行基础数据采集。通过技术支持下的数据采集、分析、诊断和反馈，为“五育”质量内控提供科学依据，坚持数据研判与综合评估，为目标制订和工作规划提供参照。而后，利用数据对学生的德智体美劳全面发展进行画像，为不同角色的管理人员提供“五育”质量发展报表，便于学科教师开展精准分析、诊断和改进。

三、学校“五育”质量内控建设成效

经过近两年的改革实践，学校建立了较为完善的“五育”质量内控机制。通过对“五育”质量内控，学校办学水平得到提升，形成了更加科学、良性的育人生态，学校育人成效显著。

（一）形成基于目标导向的精准育人方式

在“五育”质量内控机制的建设过程中，学校依据办学理念创新评价方式，充分尊重个体的学习与成长过程。各学校在制订“五育”质量内控发展目标时，首先回应国家的人才培养需求；其次充分展现学校的发展特色与愿景，创建顺应未来教育发展的学校新样态。在学校育人目标下，将德智体美劳“五育”目标分解为不同的质量内控板块，用三级目标的细化管理和内控机制，规范办学行为的落地，充分做到“五育”质量内控发展下的精准育人，促使学校办学方式由以前的“点对点”，转变为“点线面”一体化。在标准细化与执行的调整中，学校基本形成了基于目标导向的精准育人方式，实现了自主办学优质发展、高品质发展的目标定位。

（二）建立科学规范、良性发展的教育生态

学校育人生态环境的营造需要坚持不懈地运行机制去促进、调控和完善。在“五育”质量内控机制的运行中，学校从内省到自觉践行，通过一个周期、一个阶段的相互促进和共同努力，多部门联动，坚持适时、重点监控，坚持反馈与改进，形成学校整体育人的教育生态，为学生提供良好行为习惯养成的时间和空间。

（三）实现学生全面健康发展的育人目标

自开展内控机制建设以来，在全体师生及家长的积极参与下，学生各方面取得可喜进步。学校坚持学生一日常规监控，学生的规则意识增强，良好的行为习惯日益养成，精神面貌焕然一新；学校坚持学生作业完成情

况监控，作业完成率提升，二次改错有效落实，书写质量得到保障；学校坚持学生身体素质监控，对体育锻炼、饮食习惯规范要求，严格执行，不爱锻炼的“小胖墩”人数减少了；学校坚持培养学生的劳动技能习惯，学生在校和在家时的劳动积极性明显提高，掌握的劳动技能增多。“五育”质量内控机制建设，发展了学生各项能力和习惯，增强了学生的综合素养，实现了学生全面健康发展的目标。

（四）促进学校育人特色更加彰显

“五育”质量标准的建立，充分体现了学校的办学理念和育人特色。通过质量内控，学校育人特色彰显，成果突出。如学校依托课堂和课程变革，转变学习方式，通过项目化学习，聚焦学生创造力、学习力以及适应未来的能力的培养。全校学生在项目式课程学习中，综合素养得到全面提升。历年来，学校德智体美劳方面的成绩一直排在区域前列。2021 年，学校师生参加第四届中国 STEM 教育发展大会挑战赛，获得全国第 12 名的好成绩；教师参加四川省“项目化学习”课例展评活动获 1 个一等奖，1 个二等奖，2 个三等奖，获奖数占等级奖总数的五分之一。

学校在“五育”质量内控机制建设中，积极尝试探索。实践路上，看到了学生的改变，惊喜于学校的变化。坚持“五育”并举、质量内控，学校办学会更加从容自信。

案例 3　实施综合评价　落实“五育”融合　实现“五育”共美——成都市龙泉驿区第二小学校

龙泉驿区第二小学校（下文简称“龙泉二小”）为了将立德树人的根本任务在学校教育教学活动中真正落地、落实，以实施“教育质量综合评价”为导向，以落实“五育”融合为路径，以实现“五育”共美为目的，全力促进学生学业水平和综合素质高位均衡发展。

一、学校实施综合评价措施

（一）构建“五育”课程体系

学校围绕“爱润你闪耀”的育人理念，构建卓越龙泉二小“五育”课程体系，着力培养学生的学习力、审美力、品格力、竞争力和创造力。

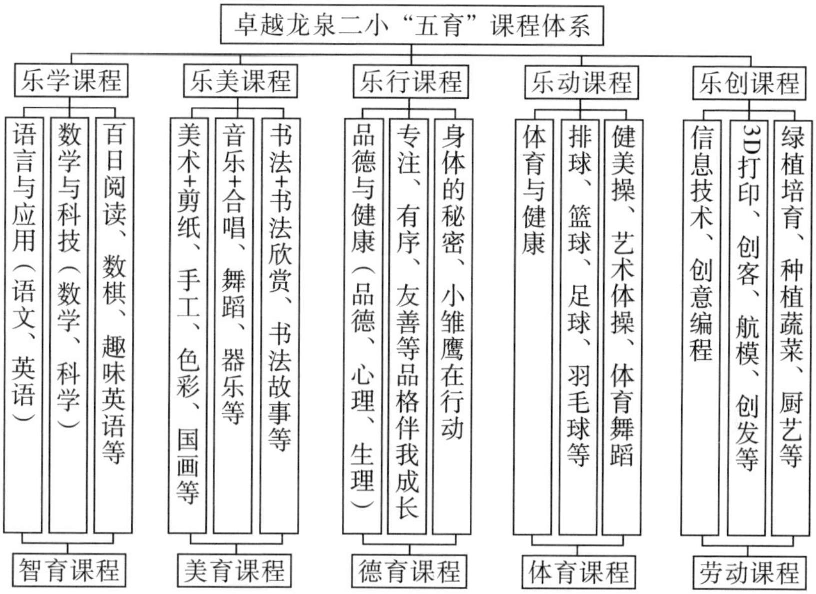

（二）制定内部保障制度

1. 总体目标：以“爱润你闪耀”为育人理念；以培养“乐学、乐美、乐行、乐动、乐创”的“五乐儿童”为目标。全面提高学生的学习力、审美力、品格力、竞争力和创造力，构建“五育”并举高效能治理机制、高品质课程体系、高效率教学模式、高标准评价体系和高质量师培模式，逐步打造“五育”共美的示范学校。

2. 具体目标：依据“龙泉二小‘五育’融合质量评价标准”定期实施评价，其中“博爱少年”是促进学生全面发展的保底性评价体系；“博爱星光少年”是促进学生特长发展的评价体系，由“博爱品德少年”“博爱乐学少年”“博爱阳光少年”“博爱优雅少年”“博爱勤劳少年”五项评价标准组成。

3. 评价标准：评价由智育（学习力）、美育（审美力）、德育（品格力）、体育（竞争力）、劳动教育（创造力）5 个 A 级指标，15 个 B 级指标（学习的动力、能力、毅力，艺术鉴赏力、想象力、表现力，品格活力、合力、和力，体育竞争的动力、能力、毅力，劳动眼力、脑力、实践力）和50个C级指标组成。每一个C级指标都结合本校实际，尽量能够定性或定量评价，确保“五力”素养的培育真正可见。

“五育”并举学生评价维度

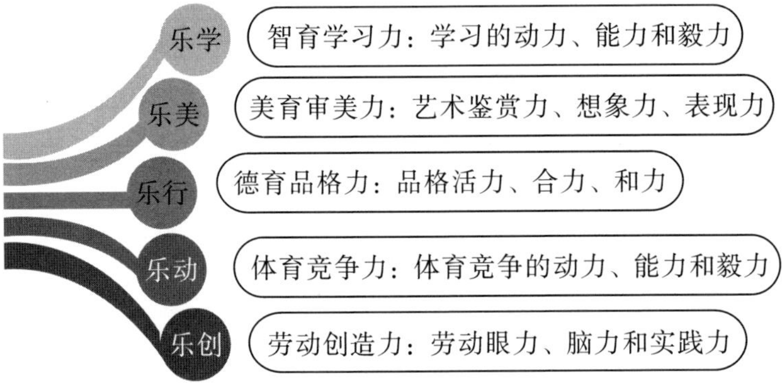

如德育品格力培育，每个年级各自细化了四个评价维度，例如一年级专注行为评价指标，具体通过四个行为指标来评价学生的行为是否专注，评价维度用“总是、经常、偶尔”来表达。

研制各年级配套的德育、体育、美育、劳动教育等具体行为评价指标。

- 比如，一年级：专注行为评价指标　评价维度：总是　经常　偶尔

①眼睛看着对我说话的人

②身体和耳朵倾向发言的对方

③手上不做无关的动作

④无论站与坐，做到身正足安。

如劳动创造力，不便于用分数评价，则通过“是”或“否”来评价是否达成。

劳动行为指标		是	否
劳动意识	1）觉得劳动很光荣　　2）自己的事情自觉做		
劳动态度	1）劳动时心情愉悦　　2）积极主动参加劳动		

续表

劳动行为指标			是	否
劳动实践	美化校园	1）我给校园洗洗脸（校园卫生清洁、教室美化）		
		2）我为校园穿花衣：涂鸦彩绘、走廊绿植美化、绘画作品美化、校园围墙美化、卫生间美化		
	环保生活	1）护绿：家校携手进行校园、社区、森林公园护绿建设		
		2）垃圾分类：践行校园垃圾、生活垃圾分类，小手拉大手推广垃圾分类		
		3）废物利用：废物回收，创意环保作品制作及展示		
	家务小达人	1）我爱我家：完成整理房间、拖地、洗碗等力所能及的事情		
		2）美食生活：烹饪课程及实践……		
	农场成长季	1）农耕文化：果蔬种植、中草药种植、收获及营销		
		2）农场建设：铺路、培土、给栅栏刷油漆、制作标识牌……		

（三）实施综合质量评价

1. 尝试诊断，不断调整指标

诊断一，开展教师、学生、家长前测，不断修订指标体系，目标是取消宏观模糊指标。

利用“问卷星”调查平台对教师、学生、家长进行“五育”前期问卷调查。

（1）每天去上学、放学回家告知家长。[单选题]

本题平均分：0.95

选项	小计	比例
A 经常	480	90.74%
B 偶尔	42	7.94%
C 从不	7	1.32%
本题有效填写人次		529

（3）勤学善思，有远大理想，课堂上踊跃发言。［单选题］

本题平均分：1.48

选项	小计	比例
A 经常	261	49.34%
B 偶尔	260	49.15%
C 从不	8	1.51%
本题有效填写人次		529

（4）每天回家主动与家长分享学习收获、体会和教训。［单选题］

本题平均分：1.53

选项	小计	比例
A 经常	297	56.14%
B 偶尔	218	41.21%
C 从不	14	2.65%
本题有效填写人次		529

（25）积极主动参加体育学科的社团活动，每年至少参加一个社团活动。［单选题］

本题平均分：1.56

选项	小计	比例
A 经常	324	61.25%
B 偶尔	179	33.84%
C 从不	26	4.91%
本题有效填写人次		529

（27）积极主动参加每学期一次的校运会，至少报名参加一个项目。［单选题］

本题平均分：1.83

选项	小计	比例
A 经常	445	84.12%
B 偶尔	77	14.56%
C 从不	7	1.32%
本题有效填写人次		529

（31）在校每天至少锻炼 1 小时。［单选题］

本题平均分：1.72

选项	小计	比例
A 经常	387	73.16%
B 偶尔	136	25.71%
C 从不	6	1.13%
本题有效填写人次		529

诊断二，跟踪学科课程实施过程，制定课程评价等级量表。

<table>
<tr><th rowspan="2">课程</th><th rowspan="2" colspan="2">项目</th><th colspan="5">评价等级</th></tr>
<tr><th>优秀</th><th>良好</th><th>满意</th><th>一般</th><th>较差</th></tr>
<tr><td rowspan="5">德育课程</td><td colspan="2">感党恩　听党话</td><td></td><td></td><td></td><td></td><td></td></tr>
<tr><td colspan="2">品格养成</td><td></td><td></td><td></td><td></td><td></td></tr>
<tr><td colspan="2">心理素质</td><td></td><td></td><td></td><td></td><td></td></tr>
<tr><td colspan="2">行为习惯</td><td></td><td></td><td></td><td></td><td></td></tr>
<tr><td colspan="2">志愿服务</td><td></td><td></td><td></td><td></td><td></td></tr>
<tr><td rowspan="3">体育课程</td><td colspan="2">动力特长</td><td></td><td></td><td></td><td></td><td></td></tr>
<tr><td colspan="2">运动技能</td><td></td><td></td><td></td><td></td><td></td></tr>
<tr><td colspan="2">毅力体质监测</td><td></td><td></td><td></td><td></td><td></td></tr>
<tr><td rowspan="6">美育课程</td><td rowspan="3">音乐</td><td>审美情趣</td><td></td><td></td><td></td><td></td><td></td></tr>
<tr><td>艺术表现力</td><td></td><td></td><td></td><td></td><td></td></tr>
<tr><td>创造美</td><td></td><td></td><td></td><td></td><td></td></tr>
<tr><td rowspan="3">美术</td><td>审美情趣</td><td></td><td></td><td></td><td></td><td></td></tr>
<tr><td>艺术表现力</td><td></td><td></td><td></td><td></td><td></td></tr>
<tr><td>创造美</td><td></td><td></td><td></td><td></td><td></td></tr>
<tr><td rowspan="4">劳动教育课程</td><td colspan="2">劳动意识</td><td></td><td></td><td></td><td></td><td></td></tr>
<tr><td colspan="2">劳动态度</td><td></td><td></td><td></td><td></td><td></td></tr>
<tr><td colspan="2">劳动技能</td><td></td><td></td><td></td><td></td><td></td></tr>
<tr><td colspan="2">劳动创造</td><td></td><td></td><td></td><td></td><td></td></tr>
</table>

诊断三，制定各年级不良行为核查表，评价班级不良行为占比，帮助教师及时引导学生改进。

课程	项目	不良行为表现具体内容		情况记录	
				班级不良行为占比	改进措施
德育课程	文化传承	1）升国旗时不能做到原地立正、敬礼、唱国歌 2）很少参加传统节日活动			
	品格教育	坚持	1）不能按计划做事，不能做到有始有终 2）遇到困难很容易放弃；不专注、不投入		
		主动	1）需要他人提醒才能继续做事情 2）不愿表达自己的想法以及听取别人的意见		
		真诚	1）与人相遇无动于衷，不打招呼 2）与同学相处总是嘲笑、打击别人		
		宽容	1）不原谅别人的错误 2）不能尊重别人的不同意见		
		文明素养	文明礼仪：看见来宾和老师不能主动微笑、挥手问好；校内校外不遵守秩序，在公共场所大声喧哗		
			课间休息：在走廊追逐打闹或大声喧哗		
			文明如厕：不排队或男生未到既定蹲位就开始小便；不遵守规定，往便池乱扔垃圾		
			文明用餐：用餐时不能做到细嚼慢咽安静用餐；用餐时挑食，不能做到光盘；打饭取餐端餐盘的动作行为不规范；用餐前后清洁卫生不彻底		

诊断四，实测检验评价量表的可操作性，修改德育、美育、体育、劳动教育评价结果从分数变为频次表达：总是、经常、偶尔、从不。

龙泉二小“五育”并举指标测评统计表（部分）

序号	基础信息项			测评指标项																								
	班级	识别号	学生姓名	智育学习力（20分）													智育分值	体育竞争力（18分）												体育分值
				动力（6分）				能力（8分）					毅力（6分）					动力（6分）				能力（6分）				毅力（6分）				
				15	16	17	动力分	18	19	20	21	能力分	22	23	24	毅力分		25	26	27	动力分	28	29	30	能力分	31	32	33	毅力分	
1	2.1	XX	彭XX	0.5	0.5	1	2	0	0.5	0.5	2	3	0.2	0.6	0	0.8	5.8	0	2	0	2	2	1.8	2	5.8	0	2	0	2	9.8
2	2.1	XX	杨XX	1.5	1.5	2	5	2	2	1.5	2	7.5	0.9	1.8	2	4.7	17.2	2	2	2	6	2	2	2	6	2	2	2	6	18
3	2.1	XX	董XX	1.5	2	2	5.5	2	2	2	2	8	0.9	2	1	3.9	17.4	1	2	2	5	2	2	2	6	2	2	2	6	17
4	2.1	XX	谢XX	2	2	2	6	1	2	2	2	7	0.9	2	1	3.9	16.9	1	2	2	5	2	2	2	6	2	1	1	4	15
5	2.1	XX	银XX	2	2	1	5	0	2	1.5	2	5.5	0.8	1.8	1	3.6	14.1	1	2	2	5	2	2	2	6	2	2	1	5	16
6	2.1	XX	朱XX	2	2	1	5	1	2	2	2	7	1	2	1	4	16	2	2	2	6	2	2	2	6	2	1	2	5	17
7	2.1	XX	樊XX	0.5	0.5	0	1	1	0.5	0.5	2	4	0.2	0.8	0	1	6	1	2	1	4	2	2	2	6	2	1	1	4	14
8	2.1	XX	周XX	2	2	2	6	2	2	2	2	8	0.7	2	2	4.7	18.7	2	2	2	6	2	2	2	6	2	2	2	6	18
9	2.1	XX	李XX	2	2	2	6	2	2	2	2	8	1	2	2	5	19	2	2	2	6	2	2	2	6	2	2	2	6	18
10	2.1	XX	何XX	1.5	1	2	4.5	2	2	2	2	8	0.8	1.5	1	3.3	15.8	1	2	1	4	2	2	2	6	2	1	1	4	14
11	2.1	XX	孙XX	1.5	1.5	2	5	0	0.5	1.5	2	4	0.8	1.8	2	4.6	13.6	1	2	2	5	2	2	2	6	2	1	1	4	15
12	2.1	XX	向XX	1	1	2	4	2	2	1.5	2	7.5	1	0.8	2	3.8	15.3	1	2	2	5	2	2	2	6	2	2	2	6	17
13	2.1	XX	袁XX	2	2	2	6	2	2	2	2	8	1	2	2	5	19	2	2	2	6	2	2	2	6	2	2	2	6	18
14	2.1	XX	李XX	2	2	2	6	2	2	2	2	8	1	2	2	5	19	2	2	2	6	2	2	2	6	2	1	2	5	17
15	2.1	XX	刘XX	2	2	2	6	0	2	2	2	6	1	2	0	3	15	1	2	1	4	2	2	2	6	1	2	0	3	13
16	2.1	XX	萧XX	0.5	1	2	3.5	2	0.5	1	2	5.5	0.2	0.6	1	1.8	10.8	2	2	2	6	2	1.8	2	5.8	2	2	2	6	17.8
17	2.1	XX	卜XX	2	2	1	5	1	2	2	2	7	1	2	1	4	16	2	2	2	6	2	2	2	6	2	1	1	4	16
18	2.1	XX	周XX	2	2	2	6	2	2	2	2	8	1	1.8	1	3.8	17.8	2	2	2	6	2	2	2	6	2	2	2	6	18
19	2.1	XX	陈XX	2	2	2	6	2	2	2	2	8	1	2	2	5	19	2	2	2	6	2	2	2	6	2	2	2	6	18
20	2.1	XX	姜XX	2	2	2	6	2	2	2	2	8	1	2	2	5	19	2	2	2	6	2	2	2	6	2	2	1	5	17

诊断五，用全校实测数据，诊断学生“五力”素养的当前水平。

龙泉二小“五育”质量标准测评各项得分汇总表

分项	实际得分 / 分	得分率 /%
德育（26）		
分项一：活力（14）	10.87	77.64
分项二：和力（6）	3.7	61.67
分项三：合力（6）	4.75	79.17
合计	19.32	74.31
智育（20）		
分项一：动力（6）	4.58	76.33
分项二：能力（8）	6.19	77.38
分项三：毅力（6）	3.87	64.50
合计	14.64	73.20
体育（18）		
分项一：动力（6）	4.99	83.17
分项二：能力（6）	3.64	60.67
分项三：毅力（6）	4.39	73.17
合计	13.02	72.33
美育（18）		
分项一：鉴赏力（6）	4.34	72.33
分项二：想象力（6）	5	83.33
分项三：表现力（6）	3.92	65.33
合计	13.26	73.67
劳动（18）		
分项一：眼力（6）	3.68	61.33
分项二：脑力（6）	2.56	42.67
分项三：实践力（6）	5.03	83.83
合计	11.27	62.61

注：“五育”基础分值为 100 分，最终实际得分为 71.51 分。

2. 制定成长手册，加强过程跟踪

①每日记录确保数据采集的准确性。制作《学生“五育”成长手册》，

对照“五育”融合质量评价标准的50个C级指标，由小组长和学科教师每日登记一次。

②每周反馈确保行为改进的及时性。小组长组织每日登记，反馈做得不好的组员的情况，并提醒其改正；班主任每周统计数据，纵向对比，利用朝会、班会以及其他碎片化时间及时教育学生；教导处和德育处每月统计各班数据，进行反馈，提醒并督促需要调整的班级进行改进。

③每期寻找、调整目标达成的最近发展区。每学期期末教导处和德育处在“问卷星”平台上进行学校大数据统计分析，依据全校数据调整学生奋斗目标。

3. 总结反思，不断改进育人措施

①学校依据全校数据精准探查教育教学管理、课程建设、教师队伍建设、课堂教学改革等方面的问题，从而转变观念，改进不足，充分发挥教育质量综合评价的引导、诊断、改进、激励等功能。

②教师依据班级数据精准发现教育教学中的问题，促使自身加强教育教学研究，提高教育教学的针对性，促进专业发展。

③引导学生依据自身各项指标数据改进学习方法和改变学习态度，提高学习效率。

④引导社会和家长树立全面、科学的教育质量观，共同促进学生身心健康和全面发展，全面推进素质教育实施，落实立德树人根本任务。

二、综合评价典型案例

（一）依据数据精准施策

六年级（9）班语文教师xxx，刚接手该班时的主观感受是该班学生读课文不流畅；写作业粗心马虎，老有错别字；多数学生的作文语句不通顺，病句比较多。但是，从学习态度来说，该班多数学生是认真的，对语文学习也不抵触。结论是该班学生主要还是基础不扎实。采取的措施是加强基础练习，多听写、背诵等。可是，这样实践了一段时间以后，感觉效果不太明显，而且因为长期机械的、枯燥的基础练习，学生甚至出现了抵触语文学习的情况。

后来使用龙泉驿区教育质量监测平台分析该班的优劣势时发现：该班的优势是词汇辨析能力强；劣势是句子的应用和课外阅读理解能力弱。劣势出现的原因是逻辑分析能力不强，以致在句子的应用中不善分析，不会灵活应用，也因为逻辑分析力不强，导致抽象思维不够，造成该班综合概括能力弱。

措施：扬长避短。凡是涉及词汇辨析的内容就不讲或少讲，尽量让学生自己辨析。学生辨析后教师予以充分肯定并大力表扬，提高学生的积极性；一旦涉及概括内容、定小标题等一些需要概括分析的内容，教师就放慢速度，耐心引导，有时甚至允许学生借鉴教辅资料上的答案，但是一定要注明借鉴的理由。

结果：经过一年的课堂教学改进，在毕业时该班的语文平均分从区域第 167 名，上升到了全区的第 84 名，整整上升了 83 名。

六年级（9）班学生学业质量的提升证明，龙泉驿区教育质量监测平台对各科各班甚至学生个人知识、技能和能力等方面的长短板和优劣势的分析是精准的，为教师改进教学方法、提高教学质量提供了强大的技术支撑。只要认真阅读了平台上的数据分析，就能精准找到平时教学工作中甚至是教师自身专业发展上的优劣势，从而扬长避短，弥补不足。

（二）“丑小鸭”的逆袭

以下是 2018 年和 2020 年中国教育学会对龙泉驿区教育质量综合评价的监测大数据。

2018 年龙泉驿区各学校四年级学生在各质量评价指标上的表现

学校	品德发展水平				学业发展水平					身心发展水平	兴趣特长养成				
	行为习惯	公民素养	人格品质	理想信念	实践能力	创新意识	知识	技能	能力	情绪行为调控	学习潜能	言语推理	数字推理	图形能力	体育艺术2+1
XX 学校	▽	▽	▽	▽	▽	▽	▽	▽	▽	▽	▽	▽	▽	▽	▽

续表

学校	品德发展水平				学业发展水平					身心发展水平	兴趣特长养成				
	行为习惯	公民素养	人格品质	理想信念	实践能力	创新意识	知识	技能	能力	情绪行为调控	学习潜能	言语推理	数字推理	图形能力	体育艺术2+1
XX 学校	▲	▲	▲	▲	▲	▽	▲	▲	▲	▲	▲	▲	▲	▲	▲
XX 学校	▽	▽	▽	▽	▽	▽	▽	▽	▽	▽	▽	▽	▽	▽	▽
XX 学校	▽	▽	▽	▽	▽	▽	▽	▽	▽	▽	▽	▽	▽	▽	▽
XX 学校	▲	▽	▽	▽	▽	▽	▽	▽	▽	▽	▽	▽	▽	▽	▲
XX 学校	▽	▽	▽	▽	▽	▽	▽	▽	▽	▽	▽	▽	▽	▽	▽
成都市龙泉驿区第二小学校	▽	▽	▽	▽	▽	▽	▽	▽	▽	▽	▽	▽	▽	▲	▲

2020 年龙泉驿区各学校四年级学生在各质量评价指标上的表现

学校	品德发展水平				学业发展水平			身心发展水平	兴趣特长养成	
	行为习惯	公民素养	人格品质	理想信念	实践能力	创新意识	数学	情绪行为调控	学习潜能	体育艺术2+1
XX 学校	▽	▽	▽	▽	▽	▽	▽	▽	▽	▽
XX 学校	▽	▽	▽	▽	▽	▽	▲	▽	▲	▽
XX 学校	▽	▽	▽	▽	▽	▽	▽	▽	▽	▽
XX 学校	▽	▲	▲	▲	▲	▲	▽	▲	▲	▲
XX 学校	▲	▲	▲	▲	▲	▲	▲	▲	▲	▲
XX 学校	▽	▽	▽	▽	▽	▽	▽	▽	▽	▽
XX 学校	▲	▽	▲	▲	▽	▽	▲	▽	▲	▲
XX 学校	▽	▽	▽	▽	▽	▽	▽	▽	▽	▽

续表

学校	品德发展水平				学业发展水平			身心发展水平	兴趣特长养成	
	行为习惯	公民素养	人格品质	理想信念	实践能力	创新意识	数学	情绪行为调控	学习潜能	体育艺术2+1
XX 学校	▽	▽	▽	▽	▽	▽	▽	▽	▽	▽
XX 学校	▽	▲	▲	▲	▲	▲	▲	▲	▲	▲
XX 学校	▽	▽	▽	▽	▽	▽	▽	▽	▽	▽
XX 学校	▲	▽	▽	▲	▽	▲	▽	▽	▽	▲
XX 学校	▽	▽	▽	▽	▽	▽	▽	▽	▽	▽
XX 学校	▽	▲	▲	▲	▲	▲	▲	▲	▲	▽
成都市龙泉驿区第二小学校	▲	▲	▲	▲	▲	▲	▲	▲	▽	▲

从以上两表可以发现，龙泉二小 2018 年时的学生品德发展水平、学业发展水平、身心发展水平、兴趣特长养成位居全区后列，到 2020 年时都跻身全区前列，唯有学习潜能层次还居于全区后列。这充分证明了龙泉二小虽然学生学习潜能层次不高，但是学校运用教育质量综合评价导向科学育人后，学校学生超过了许多潜能层次高的学校的学生发展，实现了“丑小鸭”的逆袭。

（三）赏识激活潜能

学困生之所以学习困难，其实是因为他们的潜能未得到充分发挥，只要正确看待他们，找准切入点，学困生是能够转化为优等生的。三年级（6）班语文教师兼班主任李钰，在班级刚进入三年级时主观感受是该班学生读课文不流畅，写作业老有错别字，胆小不敢回答问题，课堂氛围死气沉沉。

后来，在小组长和科任教师根据《龙泉二小“五育”融合育人质量标准》连续 4 周采集的数据反馈中发现：多数学生的“敢于质疑，善于发表自己的观点，课堂上踊跃发言”“小组合作学习每次都能发言”“每月主动上台展示学习成果2次及以上”和“遇到困难和问题能刨根问底，绝不言弃，直到问题解决”等指标的测评结果都不合格。李老师仔细分析后得出结论：学生缺少的不是知识本身，而是自信心、积极性，以及正确的学习方法。他们更需要理解与鼓励，教师应该积极引导，创造条件让他们施展自己的长处，逐步克服短处，从而让他们看到希望，增强自信心。

措施：赏识激活潜能。一是“答后评”多鼓励、多表扬。比如，一个学生主动争取朗读课文的机会，可是却读得结结巴巴。教师可以这样评价：“这个同学自告奋勇朗读课文，很勇敢；坚持把课文读完了，有毅力；如果多练习朗读，一定能把文章读流利。”这样不仅调动了学生朗读的积极性，而且指明了学生提高朗读水平的途径。二是实行打分制以调动学生的表达积极性，其基本要点是，只要是主动争取表达的，不管效果如何都打100分，然后根据表达效果（声音、流畅、优美、礼仪、层次等）逐项加分。三是利用课前3分钟进行表达训练。四是创造条件开展朗读和讲故事比赛，多颁奖，以调动学生的朗读和表达积极性。

结果：2021年4月，全国小学名师课堂教学观摩研讨会在龙泉二小举行，王崧舟等全国著名特级教师到龙泉二小借班上课，他们对龙泉二小学生的表现赞赏不已。全国著名特级教师张中良借三年级（6）班上《花钟》一课后在博文中写道：

一个孩子戏精上身，傲视群雄，惟妙惟肖——我怀疑她不是来上课的，而是来争夺奥斯卡影后的……一个孩子说，牡丹花雍容华贵地披上粉红色的裙子，说着还扬起她粉嘟嘟的小脸——那不正是含苞待放的牡丹吗？……我陶醉在孩子们的世界里！我不再是我！我是一条鱼儿，从小溪游进了江河，从江河游进了湖泊，又从湖泊游进了浩渺的汪洋大海……自由啊！舒畅啊！飞翔啊！孩子们给了我一片新天地！沉醉！

这位张中良老师，因为做足了“功课”，所以对知名度不高的龙泉二小有学生在课堂上不能“配合”自己上好课的担忧，但课后却对学生的表现赞不绝口。

三年级（6）班学生的变化证明，教育质量综合评价真实的数据采集和及时反馈、提醒、督促、改进是提升学生综合素质的有力保障。

（四）智变——“一育”促“五育”

四年级（10）班的小高特别喜欢运动，是年级足球队队长，在球场上飞奔驰骋，“指点江山”，只要一说到踢足球他就两眼放光，但是一说到学习他就两眼黯淡，因为他的学业测评总是处于不合格水平。

班主任仔细研究了学校制定的关于提高智育学习力的评价制度，这是学校所有学生都应达到的底线要求。通过前期的测评，教师发现此项评价标准中无论是关于“主动为自己制订略高于现状的学习目标”，还是“课堂上积极思考，主动发言”，抑或“课后及时复习整理知识”，小高的测评结果都不合格。

怎么办呢？教师逐条对照标准，通过观察发现小高在学习上不像踢足球那样有目标，他认为“学好学坏无所谓”。没有压力也就没有原动力。因此，教师常常在他参加比赛回来后，有意地与他聊天，聊与足球比赛输赢相关的话题，让小高主动谈比赛输赢的关键，悄无声息地得出确立目标的重要性。教师再顺势引导他说：“你在球场上都能沉着冷静带领全队队员应战，是一个目标明确、很有智慧的队长。如果在学习上你也能如此，你将会有意想不到的收获。”小高听后使劲点点头，说道：“嗯，我一定在学习上找到赛场上的我。”小高心中悄然埋下主动制订学习目标的种子后，教师及时与家长沟通交流，小高与家长共同商量设定了一个跳一跳就能实现的奋斗目标，实现了将学习的外驱力逐步转化为内驱力。有了自己的奋斗目标后，在刚开始的课堂上，教师有意识地主动请小高回答一些简单的问题，他不断体验到了回答正确的喜悦。渐渐地小高能够主动举手了，作业的正确率也逐渐提高了！但是，两三周后，根据学习小组和科任教师采集的数据反馈，班主任发现小高课堂上参与小组合作学习和集体展能的频率有所减少，课前预习与课后整理的记录字迹不够规范，作业正确率也有所下降。班主任敏锐地发现小高的学习状态有所反弹。于是在月末总结中及时予以提醒、督促，有效促进了小高学习动力、学习能力和学习毅力的提升。

通过一学期的不懈努力，小高的学习兴趣越来越浓。六月份小高的学业发展水平监测也由待合格变为了合格，教师抓住这个教育契机在班级大力表扬，并让小高谈谈自己的感受，小高小脸涨得通红，激动地说："老师，原来我也可以学得好。"

反思小高学习力提升的过程，我们获得了这样的启示：实施教育质量综合评价，可以实现"一育"促"五育"。

三、综合评价实施成效

教育质量综合评价的实施，刷新了龙泉二小干部、教师、家长的育人理念，极大地提升了学校的管理水平，促进了学生的全面健康成长。

1. 教师课堂得以转型。教育质量综合评价背景下的"125"练能课堂实施以来，95% 以上的教师课堂得以转型。自主练能、互助练能、集体展能、操练提能已在课堂教学中随处可见。

2. 大批教师快速成长：2021 年黄慧章被评为四川省小学数学特级教师；胡美娜被评为四川省优秀少先队辅导员；刘雪梅被选为成都市第三届"未来教育家"培养对象；商婧被评为市级优秀德育工作者。另有 30 余名教师分别被评为区级首席教师、优秀班主任、教学质量优秀教师、随堂优质课教师、功勋教师、优秀青年教师、教坛新秀、优秀教育工作者、欧鹏优秀艺体教师、艺术节优秀工作者、教育科研先进个人。在龙泉驿区教师课堂大赛中，一等奖获得者有 10 名，二等奖 23 名。三年来，发表在《四川教育》《教育科学论坛》《教学与研究》《小学教学参考》《中小学教育》《诗意教育探索》《书法教育》等刊物上的文章有 75 篇。参加成都市"微师培 2.0"课程 15 节；承担成都市"菜单培训"12 次；"新世纪"微课平台上线微课 10 节，点击量上百万；组织专题讲座 93 次；开展各级教师公开课 110 节。

3. 学生能力得到提升。在传统教学视野下，学生自主学习不知道学什么；小组合作成了聊天室；一提探究学习，学生就皱眉。而今的课堂是学生"自我导向、自我激励、自我监控"的学习场所。学生参与确定学习目标，制定学习进度安排，积极发展各种思考策略和学习策略，在解决问题中学习，学习过程中有情感的投入，学习专注度达到80%以上；小组合作学习中学生积极承担小组任务中个人的责任，相互支持、配合，对共同活动的成效进行评估，寻求提高其有效性的途径；集体展能时，每位同学都期盼能上台展示自己的风采，都把手举得高高的，并相互补充，相互质疑，相互答辩，整个课堂生机勃勃，充满着生命的灵动。

4. 学生负担得以减轻。实施教育质量综合评价以来，一、二年级没有了家庭作业，三至六年级的家庭作业80%以上都能在课后服务中完成，学生有了更多的时间和更浓的兴趣参加社团活动，使得学校很快就达到了“双减”的工作要求。学校开设了5大类（含体育类、美术类、音乐类、科技类、信息和综合类）33个小项（围棋、篮球、网球、创意贴画、管乐、机器人等）活动。“年级社团”由年级组统筹安排，根据学段特点，开展不同形式的55门学科拓展课程，例如低年级段的“趣味阅读”“小小演说家”等，高年级段的“创客”“佳片赏析”等，丰富了学生的校园生活，拓宽了学生的视野，锻炼了学生的能力，推动了学生综合素养的提升。

5. 学生团体获奖成果丰硕。

2021年龙泉二小学生德育艺体团体获奖统计

序号	获奖内容	级别	等级
1	品格教育课题	省	优秀奖
2	气排球男子甲组	省	二等奖
3	啦啦操乙组	省	一等奖
4	气排球男子乙组	省	二等奖
5	气排球女子甲组	省	二等奖
6	气排球女子乙组	省	二等奖
7	气排球女子丙组	省	一等奖
8	省大众青少年气排球比赛	省	优秀组织奖
9	舞动中国·排舞联赛	省	一等奖

续表

序号	获奖内容	级别	等级
10	自由操舞	市	一等奖
11	跆拳道女子团体	市	二等奖
12	跆拳道男子团体	市	一等奖
13	校园春晚	市	金牌组织奖
14	“爱成都·迎大运”“奥运之星”体操锦标赛	市	一等奖
15	校园足球 P 联赛	市	二等奖
16	劳动技能大赛	区	二等奖
17	网球比赛	区	二等奖
18	首届学生信息素养提升实践活动	区	优秀组织奖
19	艺术节传统文化节目《天赋少年梦》	区	最佳表演奖
20	第 15 届艺术节	区	发展进步奖
21	艺术节合唱	区	二等奖
22	艺术节器乐合奏	区	一等奖
23	艺术节群舞比赛	区	二等奖

第九章

监测评价促进质量提升区域效果及影响

9.1 监测评价促进质量提升的效果

成都市龙泉驿区是中国教育学会中小学教育质量综合评价改革实验区，成都市成华区是北京师范大学中国基础教育质量监测协同创新中心义务教育质量监测合作区县，两个区都是“中小学幼儿园校（园）长任期结束综合督导评估”试点区县。成都市是教育部确定的中小学教育质量综合评价改革国家级实验区。从 2018 ～ 2021 年成都市教育质量综合评价监测结果中，我们可以看到成都市龙泉驿区和成华区的教育质量提升效果。成都市教育质量综合评价监测范围覆盖成都 20 个区县以及成都高新区、成都天府新区和成都东部新区。内容包括九个方面，分别是品德发展水平、学业发展水平、身心发展水平、兴趣特长养成、劳动教育、学业负担状况、学生学习环境、教师因素、学校因素。抽样年级是小学五年级和初中八年级。龙泉驿区从 2017 年开始参照成都市教育质量综合评价，逐步建立和完善区域教育质量监测评价体系，每年对四、七年级全体学生进行教育质量综合评价，对五、八年级全体学生进行学习潜能测试。2018 年又与中国教育学会建立教育质量综合评价改革实验区。成华区于 2019 年开始逐步建立和完善区域教育质量综合评价监测体系，引进专业评估机构开展教育质量综合评价，每年对五、八年级全体学生进行教育质量综合评价。经过几年实践，两个区的教育质量提升效果明显，下面从品德发展水平、学业发展水平、身心发展水平、兴趣特长养成、劳动教育、学业负担状况六个方面呈现质量提升效果。

9.1.1 品德发展水平

品德发展水平监测指标包括理想信念、行为习惯、公民素养、人格品质。

1. 龙泉驿区学生品德等综合素质逐年提升，赶超成都市平均水平

2018 ～ 2021 年，成都市教育质量综合评价监测中龙泉驿区学生的品德发展水平监测结果：五年级除 2020 年和 2021 年的“行为习惯”指标的平均得分率略低于成都市平均水平外，其他所有指标在各年监测中都高于成都市平均水平。八年级所有年份的所有指标的平均得分率均高于成都市平均水平。两个年级学生的品德等综合素质数据和指标监测结果位于成都市第一方阵。详细情况见图 9-1-1、图 9-1-2。

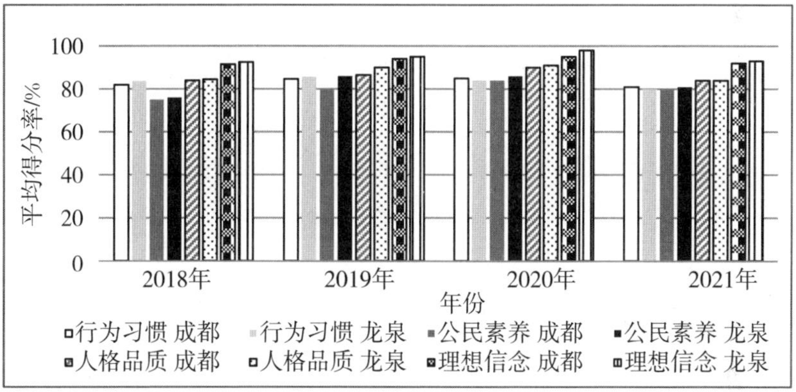

图 9-1-1 成都市龙泉驿区五年级学生品德发展水平与成都市平均水平对比

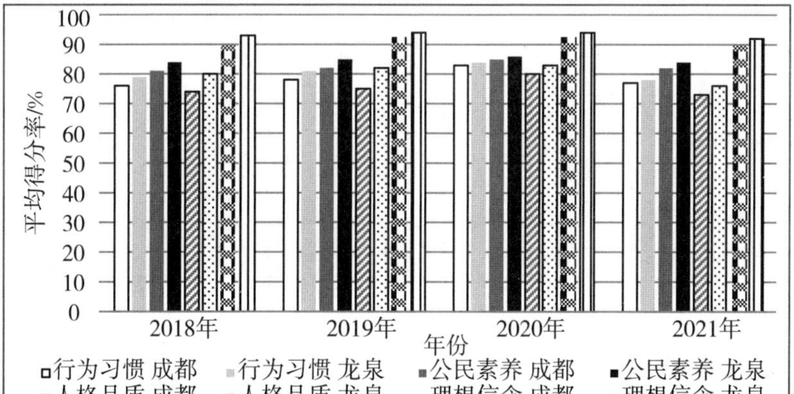

图 9-1-2 成都市龙泉驿区八年级学生品德发展水平与成都市平均水平对比

2. 成华区积极改进，建立和完善监测评价体系并开展监测，学生品德发展水平快速提升

2018 ~ 2021 年，成都市教育质量综合评价监测中成华区学生的品德发展水平监测结果：2018 ~ 2019 年，成华区五年级、八年级监测评价的绝大部分指标的平均得分率都低于成都市平均水平。2019 年，成华区开始积极探索评价体系建设并开展区域监测，及时改进监测出的问题。在 2020 年、2021 年连续两年的成都市教育质量综合评价监测中，该区五、八年级各项指标的平均得分率均高于成都市平均水平，并且超越成都市主城区平均水平。详细情况见图 9-1-3、图 9-1-4。

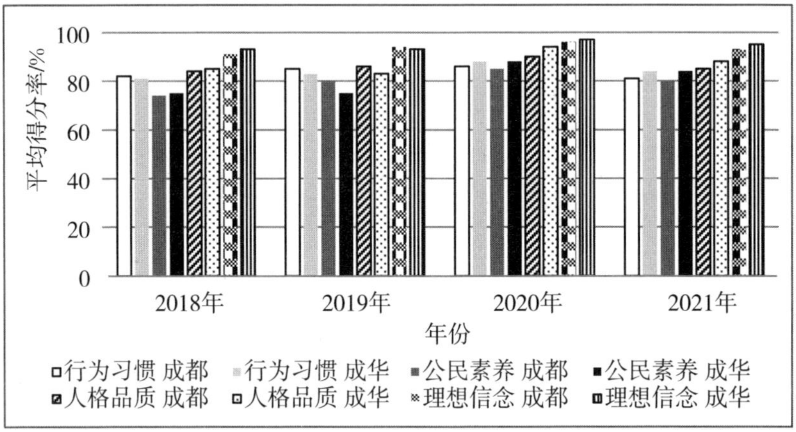

图 9-1-3　成都市成华区五年级学生品德发展水平与成都市平均水平对比

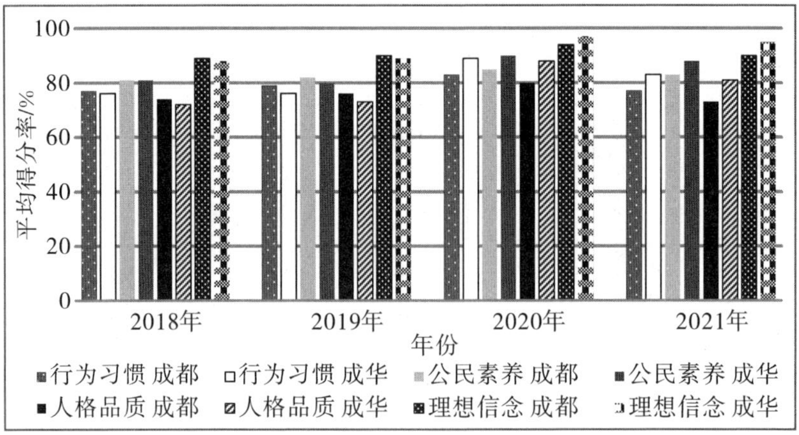

图 9-1-4　成都市成华区八年级学生品德发展水平与成都市平均水平对比

9.1.2 学业发展水平

学业发展水平监测指标包括小学五年级的阅读、数学、科学，八年级的阅读、数学、英语。评价指标包括实践能力、创新意识和学业成绩。

1. 龙泉驿区学业发展水平明显提升，学科整体水平由低于成都市平均水平到超过成都市平均水平，进入成都市第一梯队

2018 ～ 2021 年，成都市教育质量综合评价监测中龙泉驿区学生的学业发展水平监测结果：五年级 2018 ～ 2019 年监测的“学业成绩”平均得分率均低于成都市平均水平，2020 年和 2021 年均高于成都市平均水平，两年都位于成都市第一梯队。八年级在 2018 年、2019 年和 2021 年监测的“学业成绩”平均得分率均低于成都市平均水平，2020 年高于成都市平均水平。英语和数学连续两轮监测中的平均得分率提升明显。“实践能力”和“创新意识”两项指标的监测结果，除五年级的“实践能力”在 2018 年的平均得分率略低于成都市平均水平，其他年份的大部分指标均高于成都市平均水平。详细情况见图 9-1-5、图 9-1-6。

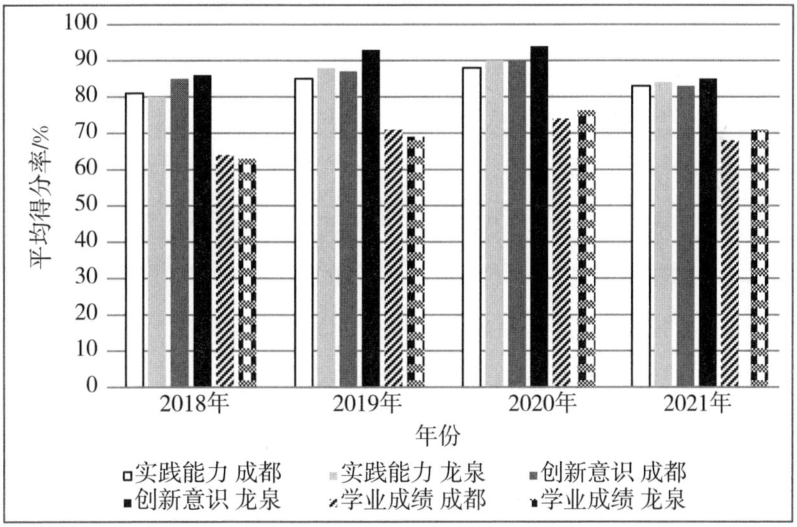

图 9-1-5 成都市龙泉驿区五年级学生学业发展水平与成都市平均水平对比

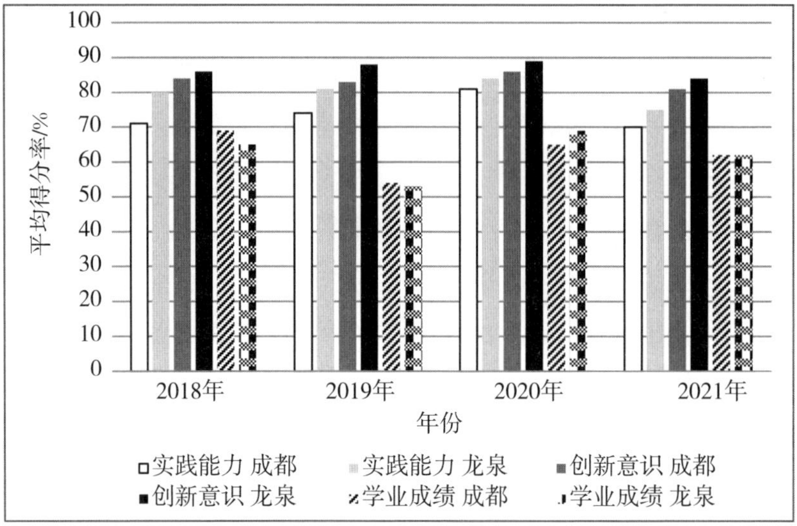

图 9-1-6 成都市龙泉驿区八年级学生学业发展水平与成都市平均水平对比

2. 成华区学生学业发展高位提升，保持全市领先

2018 ～ 2021 年，成都市教育质量综合评价监测中成华区学生的学业发展水平监测结果：五年级除 2019 年各项指标的平均得分率低于成都市平均水平外，其他年份所有指标的平均得分率均高于成都市平均水平，特别是 2021 年，“学业成绩”提升幅度明显，并在近几年中首次超越了成都市主城区平均水平。八年级除 2018 年和 2019 年的“实践能力”和“创新意识”的平均得分率低于成都市平均水平，其他年份所有指标的平均得分率均高于成都市平均水平，特别是“学业成绩”的平均得分率连续四年高于成都市平均水平，2021 年提升十分明显，并在近几年中首次超越了成都市主城区平均水平。详细情况见图 9-1-7、图 9-1-8。

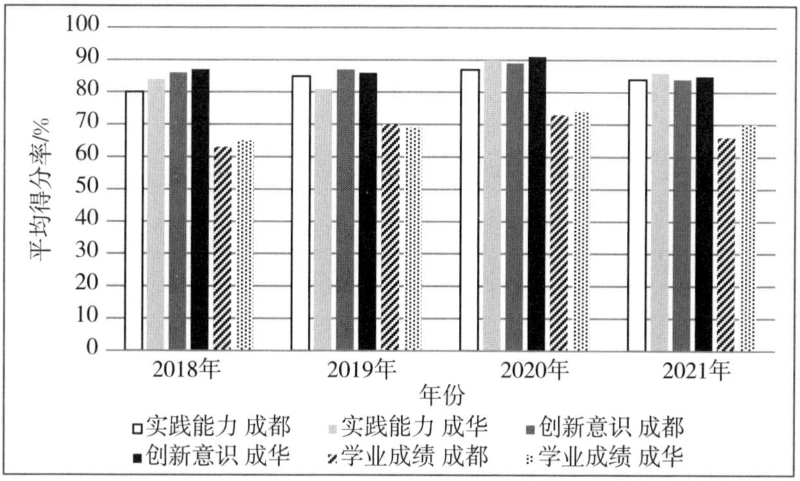

图 9-1-7 成都市成华区五年级学生学业发展水平与成都市平均水平对比

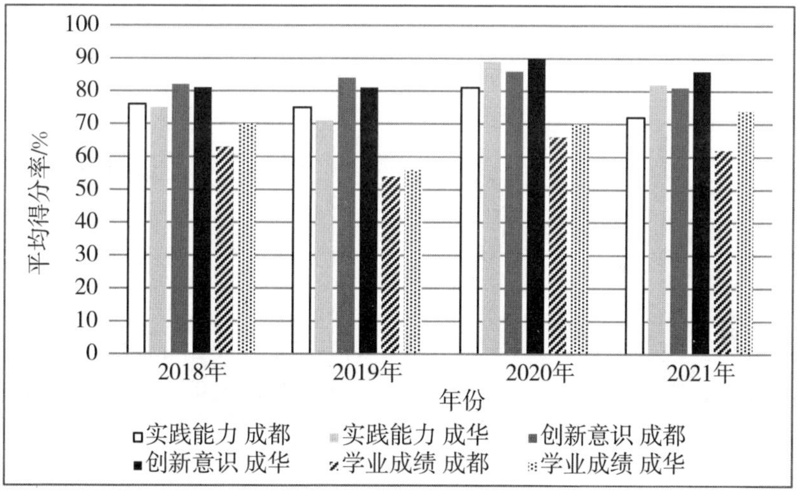

图 9-1-8 成都市成华区八年级学生学业发展水平与成都市平均水平对比

9.1.3 身心发展水平

身心发展水平监测指标包括情绪行为调控得分率、体育课设置达标率、体育锻炼时间达标率、体育技能达标率。

1. 龙泉驿区学生身心发展水平达标率持续保持全市领先

2018 ～ 2021 年，成都市教育质量综合评价监测中龙泉驿区学生的身心发展水平监测结果：五年级所有年份所有指标的平均得分率、达标率均高于成都市平均水平。八年级除 2021 年的“体育技能”达标率略低于成都市平均水平外，其他所有年份所有指标的平均得分率、达标率均高于成都市平均水平。详细情况见图 9-1-9、图 9-1-10。

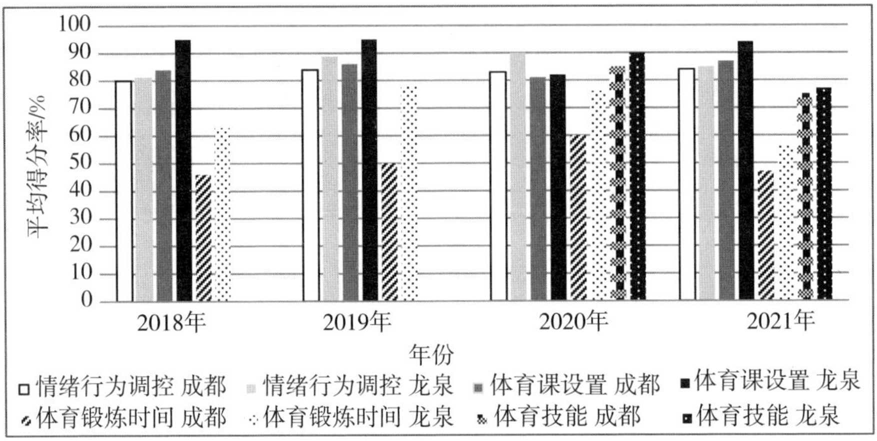

图 9-1-9　成都市龙泉驿区五年级学生身心发展水平与成都市平均水平对比[①]

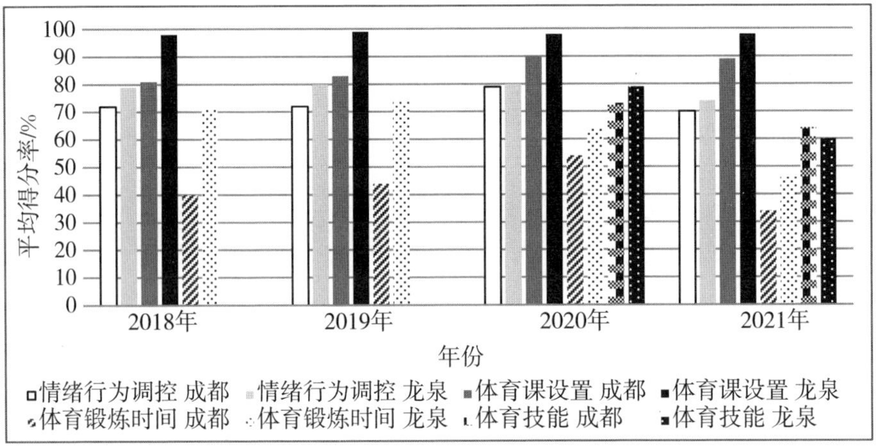

图 9-1-10　成都市龙泉驿区八年级学生身心发展水平与成都市平均水平对比[②]

2. 成华区学生身心发展水平整体提升明显，短期内达到成都市前列水平

2018 ～ 2021 年，成都市教育质量综合评价监测中成华区学生的身心

---

① 由于成都市教育质量综合评价监测只有在 2020 年和 2021 年单独监测了体育技能，因此在图中 2018 年和 2019 年没有体育技能指标数据。

② 同①。

发展水平监测结果：五年级除 2019 年“情绪行为调控”平均得分率、“体育锻炼时间”的平均达标率低于成都市平均水平，其他年份所有指标的平均得分率、达标率均高于成都市平均水平。八年级 2018、2019 年多项指标的平均得分率、达标率低于成都市平均水平，从 2020 年开始，各项指标的平均得分率、达标率大幅提升，均高于成都市平均水平。2021 年，五年级、八年级学生的身心发展水平超越成都市主城区平均水平。详细情况见图 9-1-11、图 9-1-12。

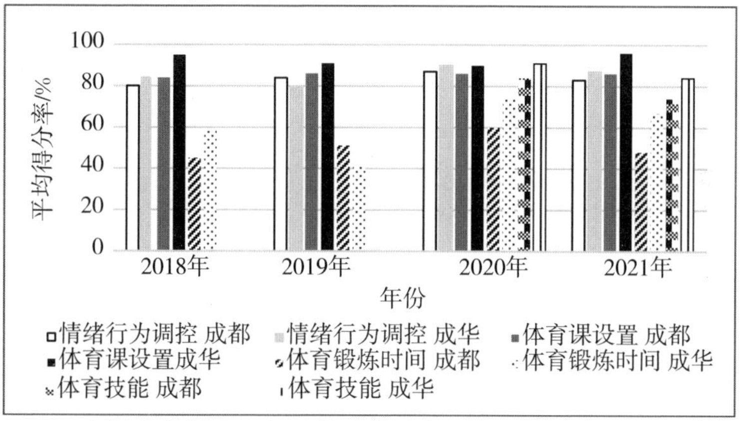

图 9-1-11 成都市成华区五年级学生身心发展水平与成都市平均水平对比[①]

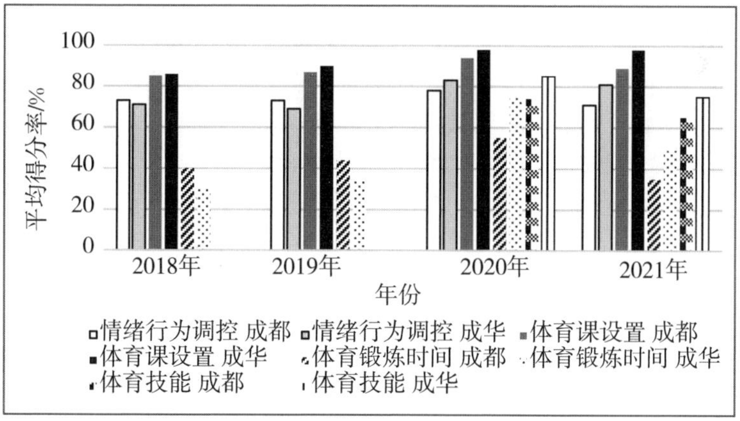

图 9-1-12 成都市成华区八年级学生身心发展水平与成都市平均水平对比[②]

① 由于成都市教育质量综合评价监测只有在 2020 年和 2021 年单独监测了体育技能，因此在图中 2018 年和 2019 年没有体育技能指标数据。

② 同①。

9.1.4 兴趣特长养成

兴趣特长养成监测指标包括学习潜能平均值、美育课设置达标率、严禁占用美育课达标率、定期艺术展开展情况达标率、不定期艺术展开展情况达标率、艺术技能达标率，其中后五项指标是2021年调整后的监测指标。由于学习潜能与生源有密切的关系，进行横向比较意义不大，因此下文中不对学习潜能相关内容进行横向比较，只对兴趣特长养成除学习潜能外的指标进行横向比较。

1. 龙泉驿区学生的兴趣特长养成表现良好

2021年成都市教育质量综合评价监测中龙泉驿区学生的兴趣特长养成（除学习潜能外）监测结果：五年级各项指标达标率均高于成都市平均水平，八年级一些指标达标率略低于成都市平均水平。详细情况见图9-1-13、图9-1-14。

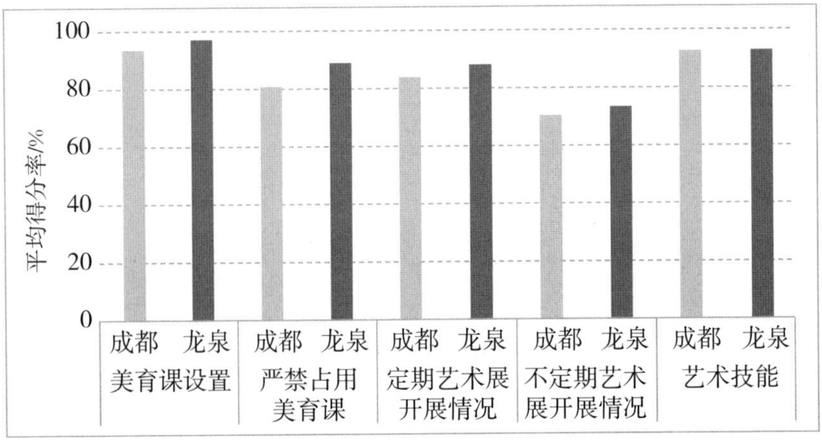

图9-1-13　成都市龙泉驿区五年级学生兴趣特长养成情况与成都市平均水平对比[①]

① 由于成都市教育质量综合评价监测在兴趣特长养成方面的监测指标有所调整，因此图中只呈现2021年监测的指标。

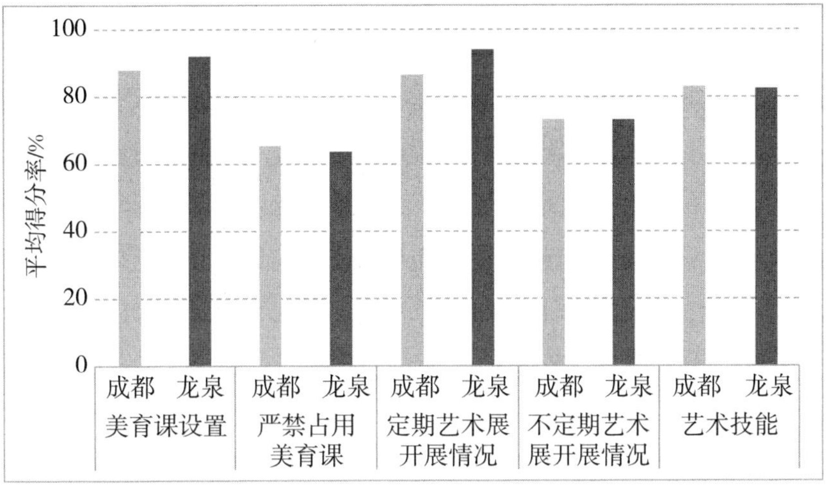

图 9-1-14 成都市龙泉驿区八年级学生兴趣特长养成情况与成都市平均水平对比[①]

2. 成华区学生兴趣特长养成表现优秀

2021 年成都市教育质量综合评价监测成华区学生的兴趣特长养成（除学习潜能外）监测结果：五年级各项指标达标率均高于成都市平均水平，八年级各项指标达标率均高于成都市平均水平。详细情况见图 9-1-15、图 9-1-16。

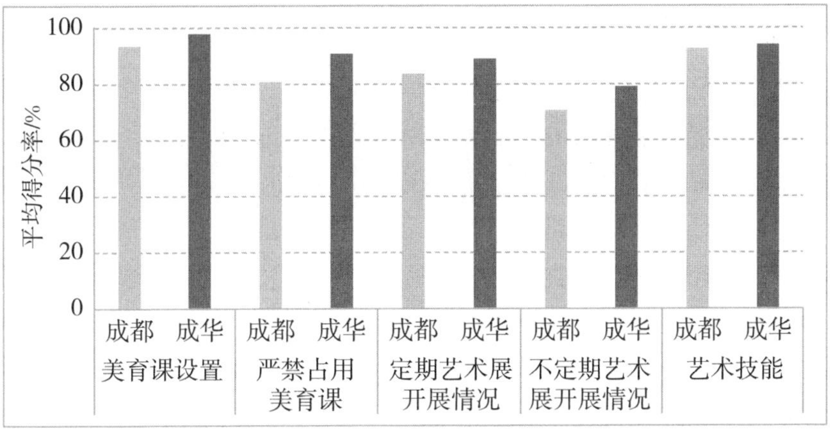

图 9-1-15 成都市成华区五年级学生兴趣特长养成情况与成都市平均水平对比[②]

---

① 由于成都市教育质量综合评价监测在兴趣特长养成方面的监测指标有所调整，因此图中只呈现 2021 年监测的指标。

② 同①。

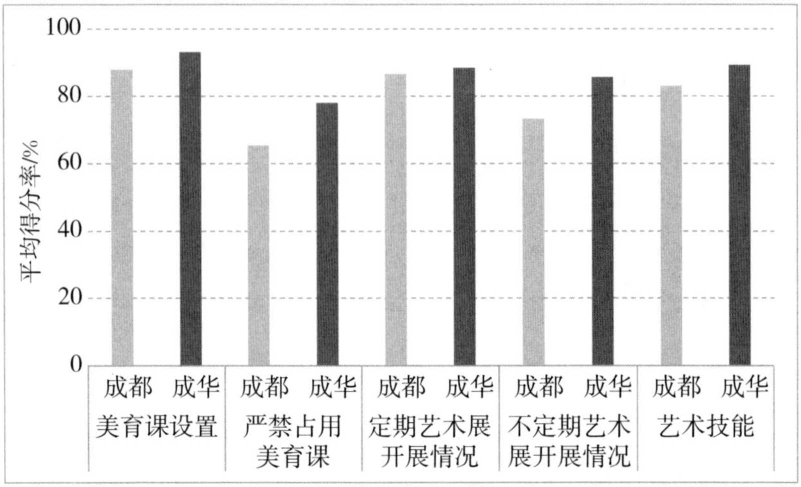

图 9-1-16 成都市成华区八年级学生兴趣特长养成情况与成都市平均水平对比[①]

9.1.5 劳动教育

劳动教育监测指标包括保障劳动场所达标率、劳动教师队伍建设达标率、劳动课设置达标率、严禁占用劳动课达标率、学生在校劳动情况、学生在家劳动情况、学生参加社会劳动情况。

1. 龙泉驿区学生的劳动教育整体水平较高，位于成都市前列

2021 年成都市教育质量综合评价监测中龙泉驿区学生的劳动教育监测结果：五年级各项指标达标率均高于成都市平均水平，八年级除“严禁占用劳动课”达标率略低于成都市平均水平外，其他指标均高于成都市平均水平，两个年级的多项指标达标率位于成都市前列。详细情况见图 9-1-17、图 9-1-18。

① 由于成都市教育质量综合评价监测在兴趣特长养成方面的监测指标有所调整，因此图中只呈现 2021 年监测的指标。

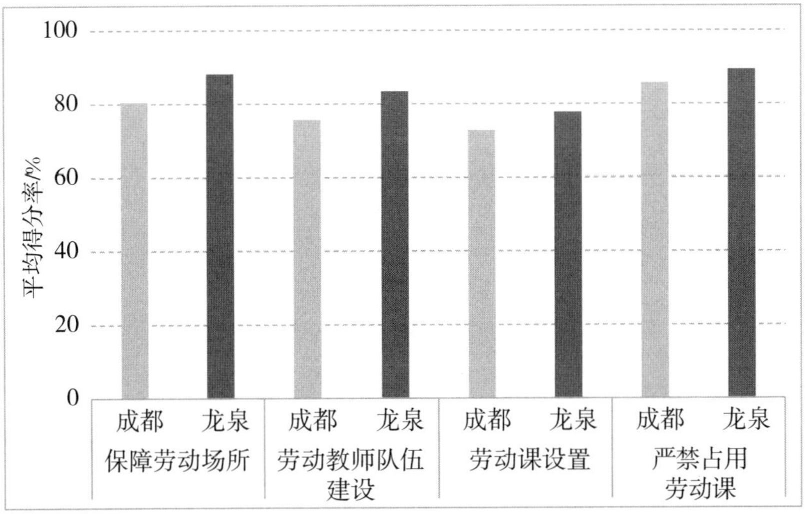

图 9-1-17　成都市龙泉驿区五年级学生劳动教育情况与成都市平均水平对比①

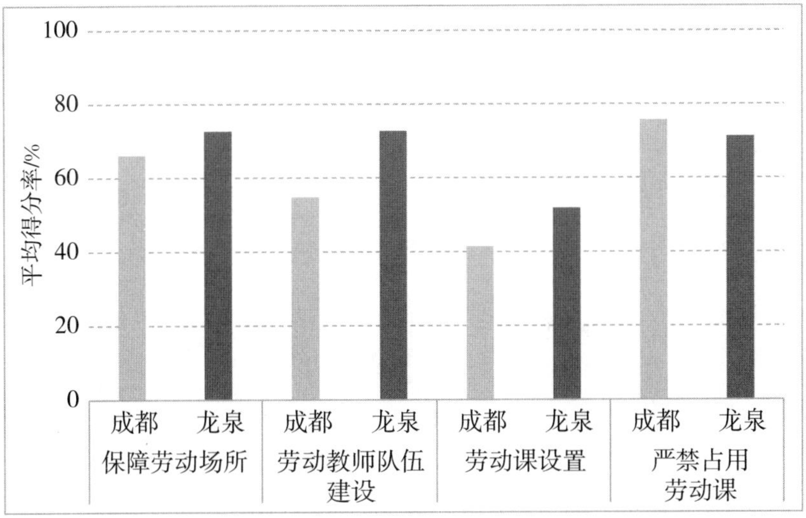

图 9-1-18　成都市龙泉驿区八年级学生劳动教育情况与成都市平均水平对比②

① 由于成都市教育质量综合评价监测 2021 年才开始监测劳动教育，因此图中只呈现 2021 年监测的指标。

② 同①。

2. 成华区学生的劳动教育水平总体居于高位，超越主城区平均水平

2021 年成都市教育质量综合评价监测中成华区学生的劳动教育监测结果：五年级各项指标的达标率均高于成都市平均水平，八年级各项指标达标率均高于成都市平均水平。两个年级的总体水平位于成都市前列，并且超越了成都市主城区平均水平。详细情况见图 9-1-19、图 9-1-20。

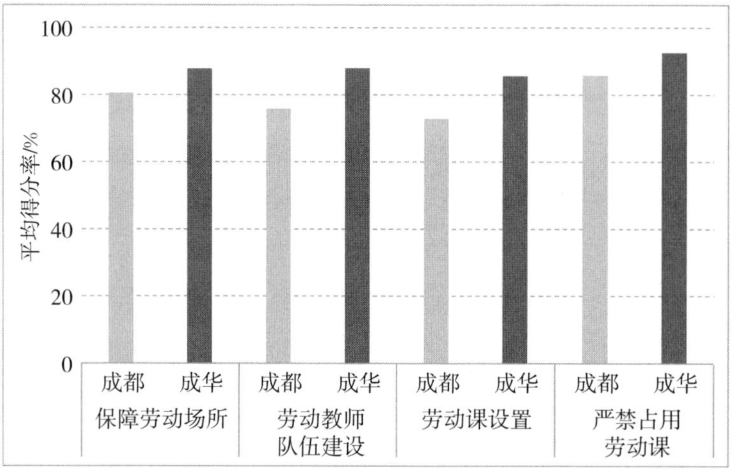

图 9-1-19　成都市成华区五年级学生劳动教育情况与成都市平均水平对比①

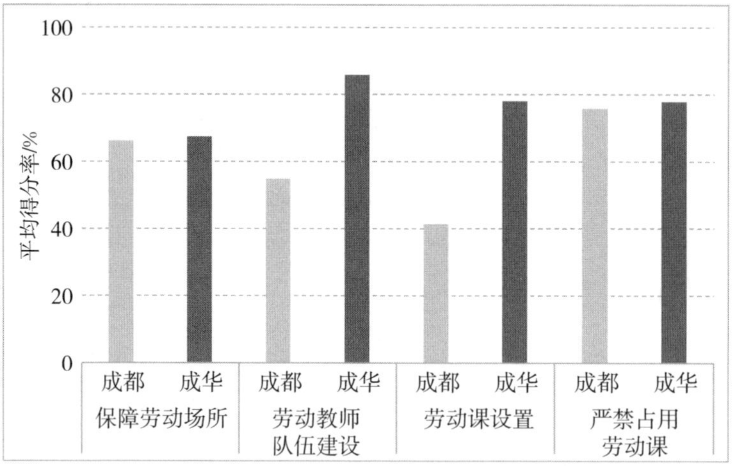

图 9-1-20　成都市成华区八年级学生劳动教育情况与成都市平均水平对比②

① 由于成都市教育质量综合评价监测 2021 年才开始监测劳动教育，因此图中只呈现 2021 年监测的指标。

② 同①。

9.1.6 学业负担状况

学业负担状况监测指标包括禁止拖堂达标率、睡眠时间达标率、严禁排名达标率、作业时间达标率、严禁补课达标率、严禁挤占非主课达标率。

1. 龙泉驿区学生的学业负担状况总体好于成都市平均水平

2018 ～ 2021 年，成都市教育质量综合评价监测中龙泉驿区学生的学业负担状况监测结果：五年级所有年份的所有指标达标率均高于成都市平均水平，大部分年份的大部分指标达标率位于成都市第一梯队。八年级除 2021 年部分指标达标率略低于成都市平均水平，其他年份的其他指标均高于成都市平均水平，大部分年份的大部分指标达标率位于成都市第一梯队。

2. 成华区学生的学业负担状况明显改善，达标情况持续好转

2018 ～ 2021 年，成都市教育质量综合评价监测中成华区学生的学业负担监测结果：2018 年和 2019 年，五年级、八年级大部分指标达标率均低于成都市平均水平。从 2020 年开始，五年级、八年级的学业负担状况达标率明显提升，总体水平高于成都市平均水平，并且超越主城区平均水平。

综合上述，龙泉驿区在没有忽视学生品德发展、身心发展、兴趣特长培养、劳动教育的基础上，且没有增加学业客观实际负担的情况下，学生学业发展水平持续提升；成华区在专业评估机构的帮助下建立健全监测评价体系并实施监测、积极改进，学业负担持续减轻，“五育”水平不断提高。这些成果充分说明了科学、系统的监测评价能有效促进质量提升，更好地落实“五育”并举。

9.2 监测评价促进质量提升的影响

1. 对教师的影响

对龙泉驿区的教师进行的问卷调查显示，93.3% 的教师对运用评价结果进行学情分析与教学改进充满信心，73.3% 的教师认可评价数据对教育教学质量提高有很大帮助，59.2% 的教师认可监测数据对业务能力提高有

很大帮助。经过实践，教师的教材解读能力、教学研究能力、学情分析能力、差异化教学能力、分层作业布置能力、个别化指导能力都得到显著提高。教师应用监测数据改进教育教学方式、促进学生最佳发展的能力显著提升，多次应邀到上海市、重庆市、陕西省、新疆维吾尔自治区及四川省内各市州及区县进行经验分享。

2018 ～ 2020 年，龙泉驿区首批试点学校教育教学质量得到明显提升，相对明显的学校有西河中学，该校中考总分优秀率从 31.4% 上升到 52.5%，一次合格率从 78.9% 上升到 90.5%，全科合格率从 49% 上升到 58.7%。还有龙泉二小，全校教师在省级及以上刊物中发表相关文章数量从 4 篇上升到 56 篇；参加各级各类评选获奖的论文数量从 132 篇上升到 202 篇；参加教师技能大赛获奖情况，从 5 名一等奖、4 名二等奖，上升到 8 名一等奖、3 名二等奖；有 5 名教师获得国家级一等奖。在全区公办小学排名中，龙泉二小从 2018 年六年级语文、数学、外语三科总平均分名列全区第 19 名，优生率第 20 名，合格率第 17 名，上升到 2020 年六年级语文、数学、外语三科总平均分超出区平均分 7.96 分，位列全区第 4 名，优生率超出区平均 8.02%，位列全区第 4 名，合格率全区第 6 名。

2. 对社会的影响

2019 年 7 月，龙泉驿区监测评价促进质量提升实践成果作为“区域发展策略篇”在 2019 中国教育报校长大会现场展出并作专题报告。2019 年起，实践区域先后接待了芬兰和陕西省、甘肃省、辽宁省、新疆维吾尔自治区等国外、国内教育部门领导、专家来考察学习，接待了省内外 200 多所中小学校的校长和骨干教师前来考察学习。培育了国家级教育评价专家一名，优秀教师多名，并应邀到上海市、陕西省、新疆维吾尔自治区及四川省内各市州及区县分享成果。

3. 小结

监测评价在区域范围内的中小学应用，主要体现在四个方面。（1）帮助学校教育遵循教育教学规律和学生身心发展规律，回归教育本质，促进教育事业全面可持续发展。（2）帮助实践者实现系统地、全面地推进质量监测、数据运用，实现评价服务教育决策、督导评估、教研师培、教育教学管理、教育教学改进、学生学习与家庭教育六大功能。（3）导向实践者把“五育”并举贯穿立校办学、育人育才全过程，推进教育高质量发展；导向实践者明确职责，坚持立德树人，深化教育教学改革，实施素质教育，提高教育教学质量；导向实践者创新管理机制、队伍建设机制、资源配置机制和督导评价机制，构建“五育”并举支持体系。（4）帮助实践者增加教育评价的维度，解决常规评价指标无法解决的问题；帮助教师精准分析学情，实施差异化教学和个别化指导，优化作业布置，实现因材施教，落实减负增效。

附录：

中国基础教育质量评估监测工具标准规范（建议稿）

前言

为深入贯彻中共中央、国务院印发的《关于深化教育教学改革全面提高义务教育质量的意见》《深化新时代教育评价改革总体方案》精神，教育部、中共中央组织部、中央编办、国家发展改革委、财政部、人力资源社会保障部等六部门制定了《义务教育质量评价指南》。教育部根据中共中央、国务院印发的《深化新时代教育评价改革总体方案》和《国务院办公厅关于新时代推进普通高中育人方式改革的指导意见》精神，制定了《普通高中学校办学质量评价指南》。这两个质量评价指南，在评价学生发展质量上采取了基本相同的评价内容指标：品德发展、学业发展、身心发展（普通高中为“身心健康”）、审美素养（普通高中为“艺术素养”）、劳动与社会实践（普通高中为“劳动实践”）。开展基础教育质量监测评价，贯彻落实好这两个质量评价指南，可以切实扭转不科学的教育评价导向，克服“唯分数、唯升学”倾向，培养学生适应终身发展和社会发展需要的正确价值观、必备品格和关键能力。那么，教育质量评估监测工具的质量保障就成了关键的一环。现就《中国基础教育质量评估监测工具标准规范》（建议稿）的编制，说明如下。

①区别选拔性考试与质量监测的功能。中考、高考是选拔性考试，教育质量监测评价的考试是保障达到“最低质量标准”的问责制考试，二者

的目的、功能完全不同。不能因为有中考、高考等非常重要的考试，就忽视基础教育质量监测，或者误认为中考、高考等入学选拔性考试可以替代质量监测。纵观全球，教育领先的国家一般都制定了学习标准及与之相关的问责机制和评价机制，用于监测教育质量。尽管问责制质量评价和考试之间会有重叠，但问责制质量评价旨在确保学生达到最低学习标准，确保教育公平性。

②遵循通用性原则。即各种类型的教育质量监测评价，如基础教育质量监测、中小学的期中期末考试、各级学业水平考试、心理测验、规范性调查问卷或量表均能在《中国基础教育质量评估监测工具标准规范》（以下均简称《规范》）中找到适用的判断工具质量的指标和标准。本《规范》将“评价”“评估”视为同义词，不加区别地使用。

③遵循协商一致原则。即在研制过程中，遇到不同文献、不同实践的不同论点或做法，应采取专家评定的方法，由专家协商一致，最终形成较为统一的意见。这既是标准编制的原则，又是一个具体方法，同时也是标准规范编制显著特点之一。研制中的具体措施是，遵循众多专家正式发表的或者权威机构公开的指标及其参考阈值范围的共性因素，提取它们的公因子，实现实质性的协商一致，而非形式上的协商、讨论、认同。

④遵循可行性原则。即在确保《规范》科学性的同时，还要确保其可证实和可达到，从而保障《规范》可靠、可用。为此，在《规范》中，课题组对工具质量指标都进行了定性解释和实践意义解释，并给出相应案例或参考阈值，以方便使用者操作。以项目区分度指标为例，《规范》不仅给出了项目区分度指标的操作性定义和计算方法，还给出了参考阈值（例如，0.40 以上就属于非常好）。

⑤遵循协调性原则。根据 GB/T 1.1—2020《标准化工作导则　第 1 部分：标准化文件的结构和起草规则》提出的协调性原则，文件的起草宜遵守基础标准和领域内通用标准的规定，如有适用的国际文件，宜尽可能采用。因此，国际组织一些教育质量监测、评估的标准，如国际教育成就评价协会（IEA）的 TIMSS 技术报告、经济合作与发展组织（OECD）的

PISA 技术报告，以及该领域领先的国家制定的教育与心理测试标准、考试质量与公平性标准等，都是编制《规范》的基础和重要参考。

本《规范》是在国家社会科学基金“十三五”规划 2018 年度教育学一般课题（课题批准号：BHA180141）“中国基础教育质量评估监测工具标准规范研究”课题成果基础上编制的。《规范》起草人：游森、秦建平、张敏强、张志杰、张惠、龙兴议、梁正妍、彭颖、陈飞鹏、姜兴林、刘贞贞。

中国基础教育质量评估监测工具标准规范

1　教育质量评估监测工具研制和施测过程规范

1.1　学业水平测验工具的研发流程规范

1.1.1　确定测验目的，选定测验编制方法

解释：测验设计者应明确测验目的。具体而言，测验的目的需要综合考虑以下几方面。

①为什么测。如果是为了考查学生的学习情况，则要编制考查性测验；如果是为了诊断学生的学习困难情况，就要编制诊断性测验。

②如何衡量学生的水平。如果是比较学生成绩的优劣，则要编制常模参照测验，例如中考、高考；如果是要鉴别学生对于学科知识的掌握是否达标，则要编制标准参照测验，例如学校的期中期末考试、各级各类教育质量监测、初中和高中的学业水平考试。

③测什么。学科的测验应由相应的学科专家参与，所编制的测验要遵循学科课程标准。

④测试对象。考虑测试对象的年龄、年级、文化背景等，施测于不同对象的测验应该有不同的编制特征。

1.1.2　分析测量目标，编制测验蓝图

解释：测量目标的分析需要结合学科专业知识、测量学知识，以及丰

富的教学实践经验。测量目标的分析结果，不能笼统、抽象，必须细致、明确，达到可操作的程度。根据商定的测量目标，研判测验长度，编制测验蓝图。对考试测验长度的确定必须在考试时长和分数的精度之间达成平衡，更长的考试一般会提供更精确的分数，但过长的考试时长可能会影响测验的效果。测验蓝图是一个“双向多维”的细目表，应当包括以下方面的内容。

①测验的时间长度、试题总数量。

②测验所测内容（知识点）的分布比例。

③测验所测教学目标（关键能力或素养）的比例。

④测验试题题型分布比例。

⑤测验试题难度的分布比例。

⑥测验试题区分度的分布比例。

1.1.3 编题、征题与选题组卷

解释：按照测验蓝图编题、征题与选题组卷。首先，组织相关学科的专家编写试题，也可以采用向社会征集的方式获得试题；其次，按照测验蓝图组卷。

1.1.4 审查、修改试题

解释：根据试题质量的要求，从各种角度（如政治性、公平性、科学性、原创性、规范性等）制定符合学科特点的试题修改和校对的细则。对试卷的审核应当包括实证分析或专家判断的方法。邀请外部专家审查时，应当对专家进行指导和培训，并记录其资格、相关经验等信息。

为确保试题试卷的科学性和准确性，应组织命题人员讨论、修改试题。如有需要，还要聘请不参与命题的不同类型的专家对试题进行审查。邀请学科教研员、一线骨干教师等学科专家审查试题内容的科学性、政治性、原创性，以保证试题内容符合课程标准。教育测评专家及监测设计者负责审查试题的规范性、题型结构的合理性、内容的公平性等。

1.1.5 预测分析再修改，形成正式的测验

解释：在投入实测前对所有的新编制的试卷进行预测，以评估试题、

试卷的质量，检查是否实现了预先的设计功能以及确定新试卷的统计特征。从测量学的角度来说，试题、试卷质量的评价指标主要包括难度、区分度、信度及效度。前面两者主要用于评估试题质量，而后面两者主要用于评估试卷质量。

进行试测时，试测样本应当包含所有实测考生群体的相关特征，这样得出的结果和结论可以应用到新试卷的实测使用中，并有助于新试卷公平性的进一步分析。

预测分析后，再修改试题，形成正式的测验试卷。

1.1.6 编写测验指导手册

解释：形成正式的测验，然后对测验进行标准化，撰写测验指导手册。测验指导手册的内容主要包括测验目的、测验编制原理和方法介绍、测验的适用对象和范围、测验操作要求、测验质量参数、标准答案、评分规则等项目。

1.2 教育质量监测问卷工具的研发流程规范

1.2.1 确定问卷的目的

解释：与学业水平测验工具的编制一样，编制问卷工具首先需要确定的依旧是问卷目的。问卷的目的需要与教育质量监测的目的契合。监测的目的不同、关注的重点不同，问卷编制的目的和内容也会不同。

1.2.2 制定问卷的框架

解释：问卷的调查框架包括问卷内容、问卷目的、调查对象、题目形式、问卷结果公布的具体方式等一系列内容。教育质量监测的目的决定了问卷调查的目的，也决定了问卷调查的内容。教育质量监测的问卷内容主要包括以下几个方面。

①教育系统层面。涉及的指标有人均 GDP、教师工资福利、社会参与、决策层级、学校性质等。

②学校层面。涉及的指标有校长的领导力、学生整体情况、课程设计、课外活动、建校规模、学校支持、班级规模、学生构成、师资情况、教学资源、课堂环境等。

③教师层面。涉及的指标有专业培训的影响、教师对反馈的重视程度、教师满意度、教师交流与协作、教师效能感、师生关系等。

④学生层面。涉及的指标有学生的社会经济背景、学生的学习风格、学生的性格特点、学生的学习态度和学习行为等。

确定问卷内容后，便可以根据调查内容的信息来源选择对应的调查对象。

1.2.3 编制问卷

解释：制定好问卷框架后，便可以根据问卷框架编制正式的问卷。与学业水平测验不同的是，问卷的编制需要进行大量的前期探索工作，包括搜集有关的资料文献、进行调查访谈等。其中最为重要的是对相关人员的访谈，通过访谈可以获取他们对问卷形式和内容的看法，如提问方式、题目形式、题目数量、选项信息等。

1.2.4 问卷的预测与修订

解释：问卷编制完成后，需要进行预测。问卷的预测主要包括两部分：一是根据正式问卷调查的条件、环境以及被调查者的代表性样本进行预测，收集预测数据，检验信度，并运用探索性因素分析和验证性因素分析方法进行结构效度检验；二是向同一领域的专家以及与调查内容相关的人员征求对问卷的意见，看是否存在不恰当的或者与实际不符合的问题。

1.2.5 形成正式的问卷

解释：根据预测过程中反映的问题，对问卷内容逐一进行修改后，可编制形成正式的问卷及配套的管理和说明手册。

1.3 命题人员选择与构成规范

1.3.1 命题人员构成

解释：工具编制需要测试研发管理者、领域专家、试题编写者共同参与。学业水平测验工具编制需要学科专家、测量专家和题目编写者共同参与。中小学教师和教研人员等学科专家熟知学科知识，但缺乏教育评估理论和技术；测量专家懂得教育评估理论和技术，但缺乏学科知识。因此，学业水平测验编制的团队需要包括学科专家和测量专家，并保证两类成员专业知识和技术融合，使编制的学业水平测验满足教育质量监测的需求。

1.3.2 命题人员遴选、聘请、签订保密协议

解释：规定命题人员的职责、保密规定和相关酬金的标准，给出推荐和遴选命题教师的工作流程和审批手续，并与命题、审题人员签订保密工作协议。不同考试目的和保密要求的考试，在教师遴选和聘请的标准、程序和方法上应该有所差异。命题教师队伍应该政治素养高、学科知识扎实、年龄结构合理、地域分布合理并基本保持稳定。

1.3.3 培训命题人员的程序和方法

解释：对命题人员进行命题业务培训是保证试题质量和安全的基础性工作。主要培训内容包括考试的性质和功能、目标考生群体的构成、教育测量学的基础知识、命题技术规范、命题工作流程、考试的保密安全规定及保密法律法规等。根据命题人员的构成和特点，可采用不同的培训形式，包括讲座、讨论等。

对于有密级的国家教育考试，必须进行保密安全方面的培训，让命题人员了解保密规定，掌握安全保密技术，遵守保密规定，并与相关机构签订保密协议。培训的核心目标是使命题人员熟悉工作要求，遵守工作纪律和安全保密的要求，命制符合质量要求的试题，提高工作效率，保障试题的质量和安全。根据不同的培训目的，聘请不同类型、有资质的专家对命题人员进行培训，例如聘请心理与测评专家培训教育测量技术，从理论的角度进行讲解；聘请有经验的资深命题专家讲解命题工作的流程和要求。

1.4 施测过程规范

1.4.1 测验前的准备

解释：测验前的准备包括以下几点。

①事先告知被试。在测验前应该告知被试测验的确切时间、地点、目的、内容范围以及试题的类型等，这样可以使被试对测验有充分的心理准备，减少测验焦虑。有时为了避免被试的防御，测验前可以不告知被试该

测验的真实目的，但是测验后或研究完成后，测验者应对此有一个交代和解释，并有责任消除因此可能会给被试带来的消极影响。

②主试自身的准备。测验的实施并不是简单地分发、收回试卷或问卷，对于某些个别测验和团体测验来说，测验的实施还有许多专业化的技术性工作。此外，主试还要做好应对各种突发状况的准备，并提供有效的应对措施。

1.4.2 施测过程的标准化

解释：施测过程的标准化包括以下几点。

①指导语标准化。施测过程标准化的第一步是指导语的标准化，即在测验实施过程中应该使用统一的指导语。指导语一般分为两种，一种是针对被施测者的，另一种是针对施测者的。

给被施测者的指导语一般包括反应形式、如何记录反应、时间限制等，例如考生注意事项、考生守则等。给施测者的指导语通常需要单独付印，主要包括对测验的进一步解释及其注意事项。

②施测时间标准化。对于在标准化施测指导手册中有明确时限要求的测验，施测者需要严格按照时间要求收发测验试卷，不能随意调整。此外，对于施测时间的选取，也需要综合各方面的因素进行选择，选择不同时间进行测验，也会对测验结果产生影响。

③施测环境标准化。施测的环境是个十分重要的因素，需要标准化布置，例如考场布置、候考室安排、座位编排、指示牌、考试信号说明、考试规则说明、安全与应急、其他相关指南及告示牌等。

1.4.3 遴选、培训评分教师，监控评分过程，减少评分误差

解释：监测实施者应当制定遴选、培训评分教师的步骤和方法。培训材料应当包括评分细则、各个分数段的考生作答范例以及评分的程序。尽可能减少评分误差，从而确保评分实现监测设计的目的。

应当尽可能预判在评分中可能出现的问题。培训材料应当包括用于描述分数段的评分细则的常见误解及相应解答。当对书写材料进行评分时，常常使用一组已预先评分的作答样本用于培训和试评，从而判断评分的准

确度。应当记录确定分数一致性的依据，评分一致性对于保证评估结果的精度是必需的。

2 教育质量评估监测工具质量标准

2.1 学业水平测评试卷质量标准

学业监测工具质量的评价标准，一般来说主要从“四度”展开，即难度、区分度、信度以及效度。其中难度和区分度主要是针对试题的评价，信度和效度主要是对试卷的评价。

2.1.1 选项分析

解释：进行测验质量分析之前，要了解被试在每个选项（选择题）或者采分点（主观题）上的作答情况。这一分析是为后面的难度和区分度分析做铺垫。选项分析的结果通常统计在一个汇总表中。

作答情况表

题目	作答情况				
	A	B	C	D	无效作答
第一题					
第二题					
第三题					
第四题					
第五题					
……					

有时为了方便对照选项分析后续的难度、区分度情况，还可以将被试按高低分分组（一般选择前后 27% 的学生）分别统计作答情况。

单选题的质量受问题、最佳选项和干扰项质量共同影响。从质量来看，干扰项有功能干扰项与非功能干扰项之分：功能干扰项是合理且有一定迷惑性的选项，是基于对正确答案的普遍误解；非功能干扰项是指考生很少选择或未达其他测评要求的选项。高质量的单选题需要高质量的干扰项，最理想状态是所有干扰项都是功能干扰项。大量的研究者将选择率低于 5% 的选项视为非功能性干扰项。

对于选择率低于 5% 的选项，专家应该考虑从条目中移除并替换，或者修改它以提高学生对条目的辨别能力。但在某些情况下，这一建议可以被忽略。如果一道多项选择题非常简单，那么大多数干扰因素的出现频率就会很低。然而，这些简单的题目仍然可以在测验中保留，以维护内容覆盖率或满足测验蓝图中的内容需求。

2.1.2 项目（题目）难度标准

解释：在经典测量理论中，难度一般用 P 表示，即考生在试题上作答的通过率、得分率或答对率。P 值越大，表示答对的人数越多，题目越容易，反之则题目越难。

在监测（考试）中，试题的难度应该控制在什么范围内、试题的难度如何分布，这些均与考试的性质、目的、类型及试题间的关联程度有关。针对教育质量评估监测工具，测验工具的难度分析标准如下表所示。一般，选拔性测验的平均难度值在 0.50 ～ 0.60；达标性测验的平均难度值为 0.80。

试卷难度分析表

难度	难度描述	题目数	题号	分值
(0，0.20]	难			
(0.20，0.39]	较难			
(0.39，0.69]	中等			
(0.69，0.79]	较易			
(0.79，1]	容易			
最小难度值				
最大难度值				
平均难度值				

2.1.3 项目（题目）区分度标准

解释：试题区分度是指对不同能力被试的区分程度，反映了这道试题用来测试不同水平被试的符合实际的灵敏度。水平高的被试得分高，水平低的得分低。在经典测量理论背景下，比较常用的能计算区分度的方法有以下几种。

（1）鉴别力指数（D）

$$D = P_{\mathrm{H}} - P_{\mathrm{L}}$$

上式中，D 为试题的鉴别力指数，P_{H} 为高分组的答对率（前 27% 学生的得分率），P_{L} 为低分组的答对率（后 27% 学生的得分率）。

在对测验工具进行区分度分析后，需要将结果汇总成表格，示例如下表所示。

试卷区分度分析表

区分度	区分度描述	题目数量	题号	分值
（0，0.20］	淘汰			
（0.20，0.29］	勉强可以，但需修改			
（0.29，0.39］	良好			
（0.39，1］	优秀			
最小区分度值				
最大区分度值				
平均区分度值				

（2）题目—总分相关系数

根据被试在某题上的得分与该被试总分之间的相关系数，可以判断该题是否具有良好的区分度。如果题目分是连续变量，则使用皮尔逊相关系数；如果题目是二值计分，则使用点二列相关系数。

一道试题的区分度不仅关系到测验结果的信度，还关系到测验的效度。一道试题的得分与总分的相关系数高，则这道题对整个测验的内部一致性信度贡献就大。测量目的不同的测验对区分度的要求不同。对于常模参照测验而言，其目的是要将被试尽量区分开来，因此，区分度越高，试题质量越好。

2.1.4 学业测验信度标准

解释：试题质量好的前提是该题的测量结果必须可靠。所谓可靠，是指多次考试的结果能够保持一致。经典测量理论，通常将测验结果的可靠程度称为信度。其测量学上的定义为一组测量分数的真实值的变异与观测值的变异的比例，用 r 表示。

在实际操作中，常用的信度估计方法有重测信度、复本信度、分半信度、内部一致性信度以及评分者信度等。

学业发展水平测验的内部一致性信度要求如下表所示。

学业发展水平测验内部一致性信度水平标准

内部一致性系数	信度水平	意义
(0，0.60]	低	不宜用于评价和预测，不能用于团体比较
(0.60，0.75]	较低	勉强可用于评价和预测，但可靠性低
(0.75，0.90]	较高	可用于评价和预测，可接受
(0.90，1]	高	可用于评价和预测，可靠性高

评分者信度，指的是多个评分者给同一批人的主观题答卷评分的一致性程度。考查评分者信度的方法是，随机抽取相当份数的试卷，由两位或多位评分者按记分规则分别给分，然后根据每份试卷的分数考查评分的一致性。

如果只有两位评分者，计算其评分的相关系数作为评分者信度，一般要求成对的、受过训练的评分者之间平均一致性信度达到 0.90 以上，才认为评分是客观的。当多位评分者评价多位评分对象，并以等级法记分时，可以采用统计软件 SPSS 计算肯德尔和谐系数作为评分者信度的估计。学业发展水平测验评分者信度标准如下表所示。

学业发展水平测验评分者信度水平标准表

评分者信度值	信度水平	意义
（0，0.85）	低	评分结果可靠性低，应对题目、参考答案、评分标准等进行重新审查，或对评分者进行重新培训、评价和筛选
[0.85，0.90）	中	评分结果比较可靠，建议对题目、参考答案、评分标准等进行重新审查，或对评分者进行重新培训、评价和筛选
[0.90，1]	高	评分结果可靠性高

2.1.5 学业测验内容效度标准

解释：效度是指一个测验或某一量表能够测出它所要测量的特征或功能的程度，效度高表示该测验能达到它所要测量的目的。效度涉及测验的最本质的问题：测验测的是什么，是否测出了所要测量的特质的相关数据。在经典测量理论中，效度的测量方式有多种。在学业水平的测量中，常用的效度为内容效度和效标效度。

内容效度，指试卷和试题对想要考查的内容范围选择的适当程度。内容效度是以内容为基础的验证方法，它评价的是测验项目取样的适当性，主要与测验内容有关，故称为内容效度。一份试卷要具备较好的内容效度必须满足两个条件：第一，要确定好内容范围；第二，测验试题应是已界定的内容范围的代表性样本。

对内容效度的判定方法一般有三种：专家判定法、同质性检验法和复本法。

专家判定法是一种定性分析的方法，即由学科专家和测量专家对测验项目所涉及的内容范围进行符合性判断。学科专家要充分了解本次测验的目的、测验的蓝图、相关教学内容等，然后与试题进行系统比较，并给出判断。测量专家需要评判内容效度比（CVR），要求 $CVR > 0.70$。计算公式：$CVR=(ne-N/2)/(N/2)$，公式中 CVR 表示内容效度比，ne 表示判断项目的具有代表性的专家人数，N表示参与评判的专家总人数。

同质性检验法，就是计算每题与总分的相关系数、分测验与总测验的相关系数，相关系数越大，则同质性越高，内容效度越大。

复本法认为，内容效度可根据一组考生在取自同样内容范围的两个测验复本得分的相关来做数量上的估计。这种得分相关的高低是一种相对性的判断，因此并没有绝对的标准。

2.1.6 学业测验效标效度标准

解释：效标是衡量一个测验是否有效的外在标准，它独立于测验并可以从实践中直接获得。衡量学业水平测验的有效性，最好的方法是分析测验结果与效标之间联系的程度。效标效度的计算，即求测验与效标之间的相关系数，其数值越大，意味着测试结果越有效。一般认为，0.50～0.75为较高程度的相关，大于0.75为强相关，而小于0.25则可视为弱相关或不相关。

一般来说，学业能力倾向测验与学业成就测验之间的积差相关系数应在0.50～0.80，同年级、同科目的学业成就测验之间的积差相关系数应在0.80～1。

2.1.7 学业测验结构效度标准

参照量表、问卷的结构效度标准，见标准2.2.3。

2.1.8 基于项目反应理论（IRT）的测验质量评价标准

解释：经典测量理论有一定的局限性。比如，严重依赖样本，测验的观测分数之间难以比较，测量误差估计不精确，项目难度和被试水平不在同一量纲上。针对上述局限，后来发展起来的项目反应理论就显得更有优势。项目反应理论中也有与经典测量理论中信度相对应的概念，即信息函数。信息函数分为项目信息函数和测验信息函数，其在测验分析及指导测验编制的过程中有着重要的应用价值。

项目信息函数反映了不同参数的项目在评价不同被试时的信息贡献量，其大小由项目参数和被试能力共同决定。项目提供的信息量越大，参数估计就越精确，即该项目在评价被试的能力水平时提供的信息越多。

项目只有在考查那些能力与项目难度相当的被试时，才能提供最精准的结果。

测验信息函数是项目信息函数的累加，测验信息函数反映了整个测验在评价不同能力水平的被试时的信息贡献的大小。测验信息量越大，则说明该测验评价被试水平的能力越高。一般认为当测验信息量达到 25 时，测验质量良好；信息量为 16 ～ 25 时，测验质量有待提升；低于 16 时，测验质量较差。

2.2 品德发展、身心发展等综合指标测评量表、问卷质量标准

2.2.1 量表、问卷的题目数和题目的因素负荷量

解释：量表、问卷的题目数，会影响测评对象的作答状态。如果问卷的题目数过多或问卷设计得过于复杂，则测评对象在填答时可能较为马虎，测评最终无法真正搜集到正确的信息。单维度或者单因素的测试题目数，建议 3 ～ 12 题较为合适，5 ～ 7 题为较佳。

测验问卷中彼此高度相关而又与别的变量相对独立的一组变量聚合成群便是一个因素（即公共因子），测验的项目（题目）与所属因素的相关系数就是题目的因素负荷量，又叫因子载荷。它反映潜在变量对观察变量变异的解释率，反映了项目（题目）变量在因素上的相对重要性。该指标用于量表、问卷的项目（题目）分析。研究样本在 50 人左右，最低需要达到 0.75；数百人的样本，要达到 0.50 及以上；数千人的样本要达到 0.40 及以上。一般大规模测评情况下，达到 0.71 及以上，为优秀；0.63 ～ 0.71，为非常好；0.55 ～ 0.63，为好；0.45 ～ 0.55，为普通，需修订题目；0.32 ～ 0.45，为不好，需修订题目或者放弃；0.32 以下，为不及格，舍弃题目。

题目因子载荷的判断标准表

因子载荷绝对值	潜在变量对观察变量变异的解释率	意义
[0.71，1)	≥ 50%	优秀
[0.63，0.71)	≥ 40%	非常好

续表

因子载荷绝对值	潜在变量对观察变量变异的解释率	意义
[0.55，0.63)	≥30%	好
[0.45，0.55)	≥20%	普通，需修订题目
[0.32，0.45)	≥10%	不好，需修订题目或者放弃
0.32以下	<10%	不及格，舍弃题目

2.2.2 量表、问卷的信度标准

解释：学术界普遍使用内部一致性系数检验量表的内部一致性信度。有专家指出，内部一致性系数大于或等于0.70，表明量表的可靠性较高；在探索性研究中，内部一致性系数可以小于0.70，但应大于或等于0.60；如果问项（问卷题目）数量小于6个，内部一致性系数大于0.60时，也可以判定量表是有效的。综合多方研究结果，提出量表、问卷的信度标准如下表。

量表、问卷内部一致性信度水平标准表

内部一致性系数	维度	全量表水平
(0，0.50)	不理想，舍弃	非常不理想，可舍弃
[0.50，0.60)	修改题目	不理想，需修订或重新编制问卷
[0.60，0.70)	题目数小于6个，可接受；题目数大于6个，需修改	勉强可接受，需要增加题目数量或者修改题目表述。
[0.70，0.80)	信度高	可接受
[0.80，0.90)	信度很高	信度很高
[0.90，1)	非常理想	非常理想

2.2.3 量表、问卷的结构效度标准

解释：结构效度，又称构想效度，是指一个测验实际测到所要测量的理论结构（理论构想）和潜在特质的程度。它是测验分数能够说明理论的某种结构或特质的程度，也是检测实验与理论之间一致性的指标。

结构效度的量化分析方法主要是因素分析方法。因素分析是一种多变量统计分析的方法。它将彼此高度相关而又与别的变量相对独立的一组变量聚合成群，并称其为“因素”或“因子”。因素分析的基本思路是根据相关性的高低把变量分组，使得组内的变量间相关性较高，不同组变量间的相关性较低。每组变量代表一个基本结构，即因素。因素分析有探索性因素分析（EFA）和验证性因素分析（CFA）两种方法。运用“EFA+CFA”进行结构效度分析，一般需要先进行 EFA，清理掉对应关系出现严重偏差的测量项目（如因素负荷量低的题目），再运用 CFA 进行模型拟合，根据拟合的结果，测度模型可能需要调整，抛弃质量差的测度项目，然后再拟合，直到模型的拟合度可以接受为止。

综合多方研究结果，量表和问卷可接受的结构效度建议如下表所示。

量表、问卷的结构效度指标可接受标准表

指标名称与性质	范围	判断值	适用情形
拟合优度指数（GFI），假设模型可以解释观察数据的比例	0～1	＞0.90	说明模型解释力
调整拟合优度指数（AGFI），考虑模型复杂度后的 GFI	0～1	＞0.90	不受模型复杂度影响，指数值可能会超过范围
简约指数（PGFI），考虑模型的简效性	0～1	＞0.50	说明模型的简单程度
规范拟合指数（NFI），比较假设模型与独立模型的卡方差异，NFI 与 CFI 性质接近	0～1	＞0.90	说明模型较虚无模型的改善程度
非规范拟合指数［TLI（NNFI）］，考虑模型复杂度后的 NFI	0～1	＞0.90	不受模型复杂度影响，指数值可能会超过范围
增量拟合指数（IFI）	0～1	＞0.90	用于弥补 NFI 容易受到样本容量影响的缺点
比较拟合指数（CFI），假设模型与独立模型的差异程度	0～1	＞0.95	说明模型较虚无模型的改善程度，适合小样本

续表

指标名称与性质	范围	判断值	适用情形
近似误差均方根（RMSEA），比较理论模型与饱和模型的差距，是评价模型不拟合的指数，如果接近 0 表示拟合良好	0～1	<0.05 良好；<0.08 可接受	不受样本数与模型复杂度影响
未标准化假设模型整体残差（RMR）	—	越小越好	了解残差特性
标准化假设模型整体残差（SRMR）	0～1	<0.08	了解残差特性

注意，当实际测量的资料无法证实理论假设时，并不一定就表明该测验结构效度不高。当测验结果不能验证原来的构想时，也不能确定是构想有错误，还是测验本身缺乏内容效度，或者是实验设计有问题。这是结构效度的局限性，其发展还未完全成熟。

2.2.4 量表、问卷的内容效度

解释：含义同标准 2.1.3。由于学业测验的课程内容是确定的，其内容效度要求就更高。测验心理、行为特质的量表、问卷题目内容的确定性不能与学业测验相比，因此问卷的内容效度要求比学业测验的内容效度要求低一些。

一般使用同质性检验法判断量表、问卷的内容效度。例如，中国修订卡特尔 16 种人格因素问卷，测量 A 因素的第 51 题、第 151 题，题目得分与 A 因素总分的相关系数分别是 0.39、0.49；测量 Q3 因素的第 73 题、第 98 题，题目得分与 Q3 因素总分的相关系数分别是 0.46、0.51。判断内容效度也可以运用标准 2.2.1 中的量表、问卷题目的因素负荷量分析法。

量表、问卷的内容效度估计方法，也可以使用专家判定法，通过计算 CVR 判断。$CVR>0.70$。即可。

2.2.5 量表、问卷的效标效度

解释：含义同标准 2.1.4。实证效度，就是寻找一个测验以外的行为标准，或者通过被试在已经得到公认的同类的另外一个量表、问卷上的测量

结果（称为“效标”）来进行效度检验。在实施测验时，同时收集效标资料，计算得出的相关系数称为同时效度；将测验与后来收集的效标资料进行的相关系数分析的结果称为预测效度。

相关法估计效标效度：量表、问卷的效标效度要求低于学业能力倾向与学业成就测验的相关，以及两个学业成就之间的相关。在推论统计中，两个变量间的相关是否达到显著，不能单从积差相关系数绝对值的大小来判断，必须从积差相关系数显著性检验的概率值 P 来判定，若是显著性概率值 $P > 0.05$，表示两个变量间的相关未达显著，即两个变量间没有呈显著的正相关或显著的负相关；若是显著性概率值 $P < 0.05$，表示两个变量间的相关达到显著，相关系数不是偶然形成的，它表示着两个变量间呈显著的正相关或显著的负相关。当两个变量间的相关系数达到显著时，可以再从相关系数绝对值大小来判别两个变量的关联程度，一般的判别为以下几种。

弱相关或不相关：$r < 0.25$；

低相关：$0.25 \leqslant r < 0.40$；

中相关：$0.40 \leqslant r \leqslant 0.70$；

高相关：$0.70 < r < 0.75$；

强相关：$r \geqslant 0.75$。

区分法估计效标效度：将选择的效标分为优秀组和落后组，然后比较两组被试的量表、问卷测量分数，看能否以量表、问卷的测量分数将两组被试区分开来。常常使用命中率作为效度指标，命中率 = 命中人数（合格人数）/ 总人数（命中人数 + 淘汰人数或失误人数）。命中率越高，效标效度越好。

3 结果解释和应用指南

3.1 结果报告与解释指南

3.1.1 教育质量监测评价结果报告的类别指南

解释：教育质量监测所获得的数据往往丰富多样，既包括学生发展质量的数据，也包括教师、家长、学校甚至是教育部门的数据，同时数据的类型也是多种多样，因此如何科学地对结果作出解释和报告显得至关重要。只有经过讨论和验证后的结果才能向社会和有关部门报告、公布。

在实际操作中，项目组织者或实施方会根据实际需求和项目特点，设计不同类别的监测报告，各项目所报告的监测结果需要根据报告的类型而定。以下呈现了具有参考价值的几个大型项目的结果报告案例。地方教育部门组织开展的教育质量监测评价报告的种类可以少一些，满足测评目的的需求即可。

案例 1　中国国家基础教育质量监测的结果报告种类

编号	报告类别	主要对象	内容介绍或相关说明
1	国家总报告	教育系统人员	系统报告国家基础教育在学生学业表现、身心健康、课业负担、区域均衡、学校环境等方面的年度进展与趋势
2	国家总报告摘要	教育系统人员	摘取国家总报告的部分重要内容进行报告
3	国家教育政策咨询报告	教育行政人员	根据教育行政关注的热点、难点问题提供深入、详细的数据，同时辅以分析、判断、建议
4	样本省反馈报告	省级教育系统人员	报告省级教育质量监测的数据结果
5	样本县反馈报告	县级教育系统人员	报告县级教育质量监测的数据结果
6	学科研究报告	科研、教研人员及教师	分析在各监测学科和领域上，学生对照课程标准达成度以及相关影响因素
7	专题研究报告	相关研究人员	就教育热点、难点问题进行专门的研究分析
8	技术报告	专业技术人员	系统说明监测各环节工作的程序和方法，包括监测工具设计、抽样方法、数据采集办法、数据清理与数据分析的主要技术等
9	监测指标体系论证报告	科研、教研人员	对监测指标体系的研制理念、依据、程序、技术等进行系统说明和论证
10	基础数据结果报告	科研、教研人员	围绕监测设计的主要变量，以表格的形式呈现以县为单位的基础数据结果

案例 2　国际学生评估项目（PISA）的结果报告种类

编号	报告类别	主要对象	内容介绍或相关说明
1	结果分析报告	无特定群体	包括学生的核心素养、教育公平、学校层面的影响因素、学生在学校的参与度和情感体验等多方面内容
2	焦点报告	无特定群体	每期围绕一个与 PISA 相关的热点话题进行探讨
3	测试框架报告	相关研究人员	界定学生需要掌握的内容、需要完成的过程和知识与技能应用的情境。每个部分都有例题作为说明
4	指导手册	研究人员、数据采集实施者等	包括技术标准、国家项目管理手册、翻译与修正指导手册、SAS 与 SPSS 数据分析指导手册等
5	技术报告	相关研究人员	包括抽样设计与分析数据的方法、项目技术特征、质量控制机制等
6	深度报告	相关研究人员	对学生、学校、政府层面的问题进行深入分析，内容主要包括以下几个方面：阅读、数学与问题解决、科学与技术、学生的学习与教育、公平、教育经济学、强大的实践者与成功的改革者

案例 3　美国国家教育进步评价系统（NAEP）的结果报告种类

编号	报告类别	主要对象	内容介绍或相关说明
1	标准报告卡	无特定人群	主要呈现了学生在各学科的总体表现结果以及不同学生群体（包括不同种族、不同性别、不同家庭收入等）的表现差异
2	重点报告	无特定人群	主要就评估中的重要发现和结果进行深入的分析，以引起相关方面的重视
3	州快照报告	州政策制定者、学校管理人员	呈现州的测查结果，包括该州的总体表现（与全国水平相比）和州内不同学生群体的差异分析
4	趋势报告	无特定人群	呈现 NAEP 长期评估趋势的分析结果

续表

编号	报告类别	主要对象	内容介绍或相关说明
5	焦点报告	相关研究人员、感兴趣的公众	探讨富有教育含义的深度问题
6	技术方法报告	相关研究人员	包括框架设计、样本设计、试题开发、数据收集及分析等相关技术内容
7	专题研究报告	相关研究人员	主要对五大类专题教育问题进行研究，包括高中成绩单、印第安人教育、不同学生群体的成绩差异，NAEP–TIMSS 关联研究等
8	指导手册	对细节感兴趣的人员及数据使用者	包括 NAEP 项目介绍、年度结果简介、网站使用介绍、NAEP 评估的技术步骤

3.1.2 报告便于理解和使用的数据信息，并防止结果的乱用或误用

解释：教育质量监测评价结果的报告应当提供便于理解和使用的数据信息，以及对利益相关者有用而非无意义的分数解释。通过进行相关支持性研究，监测设计者可以不断改进分数报告的呈现形式。

当报告呈现大规模监测评价的结果时，监测设计者应当为成绩使用者准备相应的指导手册，并且与媒体和监测各相关利益方进行沟通，促进他们合理使用并有效解释数据。类似的沟通还应当包括对各项监测评价结果及结果的意义（包括正面和负面的），以及监测结果可能出现的乱用或误用情况的说明。

3.1.3 教育质量监测评价结果数据解释指南

解释：对于结果的解释和呈现要依报告使用的对象而定。但总体上来说，都需要做以下几方面的工作，才能保证结果解释的科学性和可靠性。

①共同研讨。在监测结束后，需要组织利益相关者们讨论监测结果，并梳理出监测结果的含义，找寻结果背后的原因，并提出解决方案。各种机构、专家和利益相关者都可以在解释、发现和探讨解决办法中发挥作用。其中，具有一线教学和工作经验的人是非常重要的，因为他们更了解学生，

更了解实际情况。

②参照标准。教育质量监测结果分数的解释，更多的是参照学科课程标准，以及《义务教育质量评价指南》《普通高中学校办学质量评价指南》对应的学生发展质量“五育”标准，而不是主要依靠常模。另外，纵向、横向的比较也是必要的，与全国、省市、区县的平均值比较，与自身过去的数据比较，也是有意义的解释。

③引用其他相关研究结果。在对结果作出解释时，可以通过引用其他研究，为监测中的因果推论提供更加坚实的基础，同时也为政策的制定提供更加可靠的证据。这样的研究结果可以来自不同的渠道，包括对学校和教师有效性的研究、学校和家庭因素对学生学习的影响的研究、课堂教学过程影响的研究、班级规模的影响的研究等。

④保护隐私。对教育质量监测评价结果的报告、解释，都要注意保护被试的个人隐私。学校、区县、省市的数据需要依据组织监测评价的教育行政部门的规定进行报告呈现。

⑤防止“标定效应”。教育质量监测评价的分数解释要防止简单地给被试、被监测评价的学校、区县等贴标签。尤其是对成绩不好的学生、学校等，要保护监测评价对象的自尊心，杜绝“污名化”，鼓励改进。

3.2 监测评价结果运用指南

3.2.1 教育质量监测评价目的指南

解释：基础教育质量监测评价的目的是服务政府决策、服务政府管理与问责、促进教育教学改进、引导社会树立科学的教育质量观等。其功能是诊断学生是否达到学科课程标准和《义务教育质量评价指南》《普通高中学校办学质量评价指南》对应指标的育人质量最低标准，有别于中考、高考等选拔性考试，主要达到以下几方面的目的。

①把握现状，为教育决策与管理提供参考。

②诊断问题，为教育教学改进提供依据。

③检验质量是否达标，为政府评价与问责提供依据。

④引导舆论，为社会、学校树立导向。

3.2.2 教育质量监测评价结果在教育政策决策中的应用指南

解释：教育质量监测结果对政府决策的影响往往是或者更多是观念上的，并非直接作用于政策领域，而是通过其他的方式来影响政策，如通过一般性的建议或启发性的建议，帮助决策者意识到问题。其中，公众对教育问题的关注有利于促进各级政府加大教育投入，加强对其他教育问题的重视，加大教育改革力度。在报告结果时，可以对具体问题予以回应，但是需要注意的是，作为政策制定和决策者，需要考虑监测结果促进改革的可行性以及成本效益问题。

监测结果对教育决策的应用有赖于一些干预性的行动。这些干预行动主要分为两类：一是针对教育系统的，如提升学生学业表现、行为表现、关键能力或素养的系统干预；二是针对某个群体或某个部门的，如为有特殊学习需求的学生提供额外的资源等。

3.2.3 教育质量监测评价结果在教育管理中的应用指南

解释：教育质量监测评价的结果呈现通常包括描述、分析教育质量状况。这些结果可以为教育管理者提供教育质量是否达标的依据、评价与问责的依据、判断教育投入产出效益的依据、分配教育资源的依据、确定教育质量目标的依据、制订教育发展规划和教师培训计划的依据、修订课程标准及教材修订的依据、修订教育质量评价指南或者评价方案的依据。

3.2.4 教育质量监测评价结果在教学质量提升中的应用指南

解释：教育质量监测评价除了能为政策制定者和教育管理者提供相关信息，还对教育教学诊断和改进起到促进作用。将教育质量监测结果直接应用到课堂实践是一项具有挑战性的工作。要想让监测结果在学校和课堂教学实践层面得到有效的应用，需要做到以下几个方面。

①需要有学校层面的监测数据，让校长和整个学校领导团队了解本校的质量状态，以及本地和全国的教育质量状态。

②加强校长、教师对监测结果的理解。很多时候提供的监测结果是对整体情况的反映，但每个学校甚至每个班级都有着不同的实际情况，因此学校和教师必须结合自身所处的情境特点理解结果所提供的信息。

③与一线教师沟通讨论监测结果，结合实践情况分析原因，并制定出有针对性的调整策略。其中，在设计改进学生学习效果的策略时必须要有可操作性，不能停留在理念、理论层面的分析解说。例如，教师需要明确自己在教学实践中的哪些方面需要改变，希望达成的教学目标是什么，了解自身水平与达成目标之间的差距，在操作层面上确定实现目标的步骤与具体措施。

④学校要确立质量目标，建立自己的学校质量内部保障制度。例如，中国教育学会在成都市龙泉驿区开展的中小学教育质量综合评价监测，根据评价结果指导每所学校按照《深化新时代教育评价改革总体方案》对改革学校评价的要求，建立了学校教育质量内部保障制度，明确了学生品德发展、学业发展、身心发展、审美素养、劳动实践的保底质量标准，及其达成目标、标准的实施机制。

3.2.5 教育质量监测评价结果在社会舆论中的应用指南

解释：向社会公布教育质量监测评价的结果，有助于提高公众对教育问题的关注度。公众对于监测结果的争议以及所引发的讨论，有利于提高公众对教育问题的参与度和支持度；同时也会让教育管理者意识到公众对教育质量的关注，进而重视自身的工作。不应把整个质量监测评价报告简单地呈现、公布，也不必向公众发布技术报告，而应把政府关注、家长关心、与社会热点相关的监测数据与分析结果向社会公布。